SOMMAIRE

Avec ce guide voici
*les **cartes Michelin** qu'il vous faut*

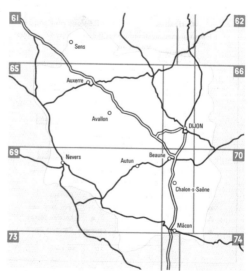

Les cartes Michelin
sont constamment
tenues à jour

Ne voyagez pas aujourd'hui
avec une carte d'hier

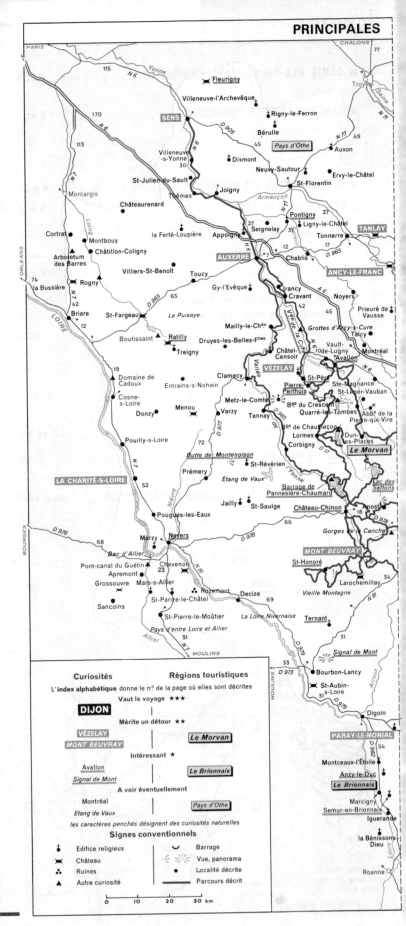

PRINCIPALES

115
Yonne
N 6

Troyes
Seine
N 71

☩ Fleurigny

Villeneuve-l'Archevêque

170
A 6
† Rigny-le-Ferron

113
SENS
Bérulle
45
Pays d'Othe
Auxon
N 77
49

Villeneuve-s-Yonne
30
N 6
† Dixmont

St-Julien-du-Sault
Neuvy-Sautour
Ervy-le-Châtel

Montargis
Joigny
St-Florentin

Thèmes
Armançon

Châteaurenard
N 77
Pontigny
27

Cortrat
la Ferté-Loupière
Seignelay
Ligny-le-Châtel
TANLAY
27

Montbouy
Appoigny
Tonnerre
17
D 965

Châtillon-Coligny
AUXERRE
7
Chablis
12

Arboretum des Barres
ANCY-LE-FRANC

Villiers-St-Benoît
Toucy

74
la Bussière
Rogny
Gy-l'Evêque
Irancy
Cravant
A 6
Noyers
42
Prieuré de Vausse

42
D 965
65
45

Briare
St-Fargeau
La Puisaye
Mailly-le-Châu
Grottes d'Arcy-s-Cure
Talcy

12
Boutissaint
Ratilly
Druyes-les-Belles-Fnes
Châtel-Censoir
Vault-10de-Lugny
Montréal

Treigny
VÉZELAY
Avallon
N 6

19
Domaine de Cadoux
Clamecy
St-Père

Cosne-s-Loire
Entrains-s-Nohain
Pierre-Perthuis
Ste-Magnance
St-Léger-Vauban

Donzy
Menou
Metz-le-Comte
Bge du Crescent
Quarré-les-Tombes
Cure

Varzy
Tannay
Bge de Chaumeçon
Abbe de la Pierre-qui-Vire

Pouilly-s-Loire
Lormes
Dun-les-Places

72
D 977
Corbigny
Le Morvan

Butte de Montenoison
D 10

LA CHARITÉ-S-LOIRE
52
Prémery
St-Révérien
Lac des Settons

Etang de Vaux
Barrage de Pannesière-Chaumard
Anost

Jailly
St-Saulge
Château-Chinon
18
D 978

Pougues-les-Eaux
66
Gorges de la Canche

Marzy
Nevers
D 978
MONT BEUVRAY

68
Bec d'Allier
St-Honoré

Pont-canal du Guétin
Chevenon
Larochemillay
34

Apremont
Mars-s-Allier
Vieille Montagne
N 81

Grossouvre
Rozemont
Decize
69

Sancoins
St-Parize-le-Châtel
La Loire Nivernaise
Ternant

St-Pierre-le-Moûtier
31

Pays d'entre Loire et Allier
Allier
31
Signal de Mont

MOULINS
33
D 973
Bourbon-Lancy

St-Aubin-s-Loire
31
D 979

Digoin

PARAY-LE-MONIAL
D 982
54

Montceaux-l'Étoile

Anzy-le-Duc
Le Brionnais

Marcigny
Semur-en-Brionnais
Iguerande

la Bénisson-Dieu
Loire

Roanne

Curiosités

Régions touristiques

L'**index alphabétique** donne le n° de la page où elles sont décrites

Vaut le voyage ★★★

DIJON

Mérite un détour ★★

VÉZELAY

Le Morvan

MONT BEUVRAY

Intéressant ★

Avallon

Le Brionnais

Signal de Mont

A voir éventuellement

Montréal

Pays d'Othe

Etang de Vaux

les caractères penchés désignent les curiosités naturelles

Signes conventionnels

☩	Edifice religieux	◡	Barrage
✖	Château	☀ ☀	Vue, panorama
∴	Ruines	●	Localité décrite
▲	Autre curiosité	▬	Parcours décrit

0   10   20   30 km

CURIOSITÉS

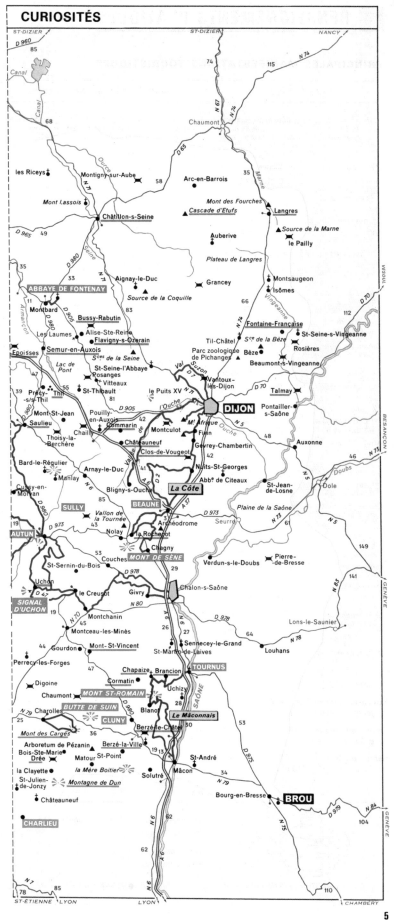

ST-DIZIER ST-DIZIER NANCY

D 960 85

Canal

Canal

68 74 N 74

Chaumont 115 N 74

N 67

D 65 Marne 35

les Riceys Montigny-sur-Aube 58 Arc-en-Barrois

N 71 Mont des Fourches

Mont Lassois Cascade d'Etufs Langres

Ource Châtillon-s-Seine VESOUL

D 965 49 Auberive Source de la Marne

Seine le Pailly

35 Plateau de Langres

33 Aignay-le-Duc Grancey Montsaugeon

ABBAYE DE FONTENAY Isômes

11 Source de la Coquille 66 D 70 112

Montbard 83 Vingeanne

Bussy-Rabutin Fontaine-Française

Armançon D 980 D 905 Alise-Ste-Reine N 74 S^ce de la Bèze St-Seine-s-Vingeanne

Les Laumes Flavigny-s-Ozerain Til-Châtel Bèze Rosières

Epoisses Semur-en-Auxois N 71 Parc zoologique de Pichanges Beaumont-s-Vingeanne

S^ces de la Seine Val Suzon

Lac de St-Seine-l'Abbaye Vantoux- BESANCON

Pont Rosanges lès-Dijon Talmay

39 55 Thil Vitteaux D 7 D 70

Précy- St-Thibault 81 le Puits XV N 71 DIJON Pontailler-

-s/s-Thil l'Ouche s-Saône

D 980 Mont-St-Jean Pouilly- D 905 42 Mt Afrique Ouche 46 N 73

Saulieu en-Auxois Commarin Montculot Fixin N 5 48 Auxonne

Chailly Châteauneuf Gevrey-Chambertin

Thoisy-la- Clos-de-Vougeot 42 Doubs Dole

Berchère Arnay-le-Duc 41 Nuits-St-Georges St-Jean-

Bard-le-Régulier Abb^e de Cîteaux de-Losne

Manlay 85 Bligny-s-Ouche D 2 La Côte Plaine de la Saône

Cussy-en- Vallon de SULLY BEAUNE A 57 N 75 61

Morvan D 973 la Tournée 43 Archéodrome D 973 Seurre

19 Nolay la Rochepot

AUTUN Chagny Verdun-s-le-Doubs

53 Couches MONT DE SÈNE 29 Pierre-

St-Sernin-du-Bois -de-Bresse 149

D 978 Chalon-s-Saône N 83 141

Uchon le Creusot Givry N 80 D 978 Lons-le-Saunier

SIGNAL 19 N 70 Montchanin 26 27 64 N 78 GENÈVE

D'UCHON 45 Montceau-les-Mines Sennecey-le-Grand Louhans

44 Gourdon Mont-St-Vincent St-Martin-de-Laives

Perrecy-les-Forges 47 Chapaize Brancion TOURNUS

Digoine Cormatin Uchizy

Chaumont MONT ST-ROMAIN 28 SAÔNE

BUTTE DE SUIN D 980 Blanot

25 Charolles CLUNY Berzé-le-Châtel Le Mâconnais

Mont des Carges 36 30

Arboretum de Pézanin Berzé-la-Ville 53 D 975

Bois-Ste-Marie Matour St-Point 19 13 St-André

Drée la Mère Boitier Mâcon

la Clayette Solutré 34

St-Julien- Montagne de Dun N 79

de-Jonzy Bourg-en-Bresse BROU

Châteauneuf N 6 62 N 84

CHARLIEU A 6 N 75 104

62 GENÈVE

N 7

78 85 110

ST-ÉTIENNE LYON LYON CHAMBÉRY

5

RENSEIGNEMENTS PRATIQUES

PRINCIPALES MANIFESTATIONS TOURISTIQUES

DATE ET LIEU	NATURE DE LA MANIFESTATION
Samedi le plus proche **Côte bourguignonne** de la St-Vincent **Ville ou village** (22 janvier). **différent chaque année**	Fête « tournante » de saint Vincent organisée par la Confrérie des Chevaliers du Tastevin. Procession en l'honneur du patron des vignerons. *Renseignements : Confrérie du Tastevin de Nuits St Georges.* ☏ *(80) 06.07.12.*
27 février . . . . . **Chalon-sur-Saône**	Foire « froide » des Sauvagines (int¹e) *(p. 68).*
Semaine . . . . . **Chalon-sur-Saône** suivant la mi-carême.	Carnaval : 1er dimanche, grand jour des Goniots et du couronnement : le mercredi, cortège et bal d'enfants : 2e dimanche, journée du triomphe du Carnaval.
2e quinzaine de mai . . . . **Mâcon**	Foire nationale des vins de France.
31 mai . . . . . . **Semur-en-Auxois**	Fête de la Bague : course de chevaux dont l'origine remonte à 1639.
1er juin au 31 juillet . **Nombreuses villes**	Festival des Nuits de Bourgogne : ensemble de manifestations théâtrales, chorégraphiques et musicales, expositions, illuminations. *Renseignements : 34, rue des Forges.* ☏ *32.73.35 et à l'Office du Tourisme de Dijon, pl. Darcy.* ☏ *05.42.12*
Lundi de Pentecôte. . . . **Pontigny**	Pèlerinage à saint Edme.
2e vendredi qui suit . . **Paray-le-Monial** la Fête-Dieu.	Pèlerinage du Sacré-Cœur.
Dimanche le plus { **Mont-St-Vincent** proche du 24 juin { **Brancion**	Feux celtiques de la Saint-Jean. Feux celtiques de la Saint-Jean. Costumes tournugeois.
14 juillet . . . . . . **Clamecy**	Joutes sur l'Yonne en souvenir des Flotteurs..
2e quinzaine de juillet . **Semur-en-Auxois**	Concerts d'orgue, de clavecin, musique ancienne. *Renseignements à la Maison du Tourisme.*
22 juillet . . . . **Vézelay**	Fête de sainte Madeleine : pèlerinage.
1er dimanche d'août . . . **Charolles** les années impaires	Fête folklorique internationale.
Août, les samedis ou dimanches . **Cluny**	Récitals et concerts. *Renseignements au S. I.* ☏ *(85) 59.05.34 et aux Grandes Heures de Cluny* ☏ *59.00.58.*
Du 1er au 2e samedi de septembre. **Dijon**	Fêtes de la vigne : Jeux d'automne.
1er samedi et dimanche . . . **Dijon** de septembre.	Fête de la Vigne. Fête folklorique internationale.
Dimanche le plus proche **Alise-Ste-Reine** du 7 septembre.	Pèlerinage en l'honneur de sainte Reine : procession en costume d'époque (gaulois et gallo-romains). Mystère de sainte Reine joué a théâtre des Roches.
1er ou 2e dimanche d'octobre. . **Auxerre**	Fête solennelle de saint Germain.
Dimanche le plus proche **Paray-le-Monial** du 16 octobre	Fête de sainte Marguerite-Marie.
1re quinzaine de novembre . . . **Dijon**	Foire internat. gastronomique. Fête folkloriques.
{ **Nuits-St-Georges** Le 3e samedi, dimanche { **Beaune** et lundi de novembre { **Meursault**	1ere des « Trois Glorieuses » au château du Clos de Vougeot « journée des Vins de Nuits ». 2e des « Trois Glorieuses » : vente aux enchères des vins des Hospices, au marché couvert. 3e des « Trois Glorieuses » : « Paulée » de Meursault *(voir p. 88).*
Dernier dimanche de novembre **Chablis**	Exposition des vins de Chablis.

SPECTACLES " SON ET LUMIÈRE "

Bourg-en-Bresse : Église de Brou. — *Pâques, Pentecôte et de fin mai à fin septembre, les jeudis, samedis, dimanches et jours fériés à 21 h 30. Prix : 6 F.*

Semur-en-Auxois : Collégiale, tours et remparts, pont Pinard. — *Toute l'année, et principalement les samedis, dimanches et fêtes. S'adresser à la Maison du Tourisme* ☏ *2.09.*

Semur-en-Brionnais : Château St-Hugues. — *Les jeudis et samedis du 14 juillet au 31 août ainsi que le 15 août à 21 h 45. Prix : 5 F.*

Participez à notre effort permanent de mise à jour.

Adressez-nous vos remarques et vos suggestions.

Cartes et Guides Michelin — 46 avenue de Breteuil — 75341 Paris Cedex 07

QUELQUES LIVRES

Les monographies relatives à une ville ou à une curiosité déterminée sont citées à l'article intéressé, de la p. 41 à la p. 167.

Visages de la Bourgogne, par M. BULLIER, P. DE SAINT-JACOB, P. QUARRÉ et Ch. OURSEL
 (Paris, Horizons de France, collection « Les Nouvelles Provinciales »).

La Bourgogne *(collection « Voir en couleurs », Paris, Sun).*

Toute la Bourgogne, par P. POUPON *(Paris, Presses Universitaires de France).*

Guide Bleu « En Bourgogne » *(Paris, Hachette).*

Bourgogne-Morvan, par M. COLOMBET *(Grenoble, Arthaud).*

Nièvre-Richesses de France, par la C.A.E.L *(Paris, éditions J. Delmas).*

La Bourgogne Romane, par R. OURSEL. *5ᵉ édition (collection Zodiaque, exclusivité Weber).*

Les Vins de Bourgogne, par P. POUPON et P. FORGEOT *(chez SNVFB, Beaune, 7 place Carnot).*

La France à table : Nièvre, Yonne *(en vente 11 rue Quentin-Bauchart, 75008 Paris).*

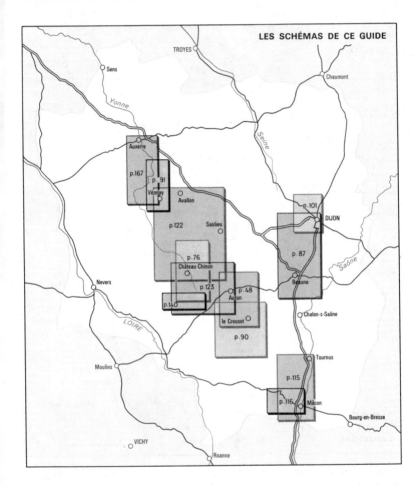

TARIFS ET HEURES DE VISITE

Les indications données dans ce guide concernant les conditions de visite (tarifs, horaires, jours ou périodes de fermeture) s'appliquent à des touristes voyageant isolément et ne bénéficiant pas de réduction.

Les descriptions, de façon générale, ne tiennent pas compte des expositions temporaires ou itinérantes.

Dans certains monuments ou musées — en particulier lorsque la visite est accompagnée — il arrive que les visiteurs ne soient plus admis 1/2 h avant la fermeture. En outre, un certain nombre d'entre eux sont fermés le mardi, même parmi les plus importants et en saison touristique.

Églises. — Les églises ne se visitent pas pendant les offices.

Dans le cas d'églises ordinairement fermées, nous indiquons les conditions de visite lorsque l'intérieur présente un intérêt particulier.

Groupes. — Pour les groupes constitués, il est généralement possible d'obtenir des conditions particulières concernant les horaires ou les tarifs, avec un accord préalable.

Visites-conférences; visites organisées. — A Autun, Beaune, Charlieu, Dijon, Langres, Montbard, Nevers, Semur-en-Auxois, des visites de ville sont organisées de façon régulière, en saison touristique. S'adresser à l'Office de Tourisme ou au Syndicat d'Initiative.

INTRODUCTION AU VOYAGE

PHYSIONOMIE DU PAYS

La région décrite dans ce guide n'est pas une région naturelle au même titre que les Alpes ou le Bassin parisien. Dépourvue d'unité physique, elle se compose de pays très différents : à l'Est, des plaines d'effondrement (pays de la Saône); au Nord et à l'Ouest, des plaines de bassins sédimentaires formant la Basse-Bourgogne (région de Chablis et d'Auxerre); au Centre, des plateaux calcaires (Côte et Arrière-Côte); au Sud, des massifs anciens et des zones accidentées (massif du Morvan, collines du Charollais, monts du Mâconnais).

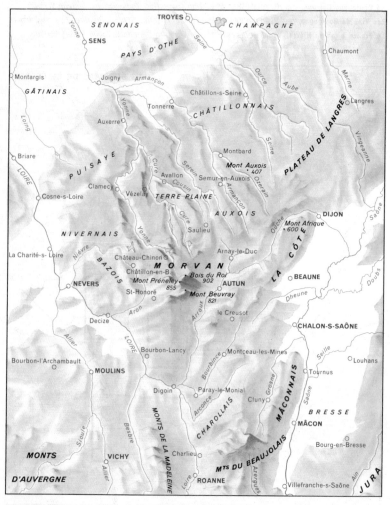

Traits généraux du relief. — Malgré cette diversité, il est possible de dégager certains traits généraux du relief : tandis que la partie septentrionale se rattache directement au rebord oriental du Bassin parisien, le Morvan, la Côte, le Mâconnais et le Beaujolais présentent des caractères nettement marqués.

Le Morvan, massif primaire usé par l'érosion puis soulevé de nouveau, s'incline doucement vers le Nord. L'altitude ne dépasse pas 900 m. Il domine, à l'Ouest, la dépression du Bazois, au Nord, la Terre-Plaine, au Nord-Est, la dépression de l'Auxois, au Sud-Est, les plaines d'Autun et du Charollais. Toutes ces plaines bordières ont facilité la pénétration du massif et ont permis d'en amorcer peu à peu la mise en valeur.

Mâconnais et Beaujolais ont également un relief assez marqué. Mais si les monts du Mâconnais se rattachent encore à la côte calcaire de la bordure de Saône, le Beaujolais constitue un véritable massif aux formes accusées dont le point culminant, le mont St-Rigaux, atteint 1 009 m.

La « Côte », au pied de laquelle s'étale le célèbre vignoble, est le rebord du dernier gradin de la « Montagne », haut-plateau calcaire qui s'allonge du Nord au Sud, de la vallée de l'Ouche à la vallée de la Dheune.

Les plateaux calcaires du Châtillonnais et de Basse-Bourgogne, qui se raccordent à l'Est au plateau de Langres, constituent une région monotone et pauvre, dominée parfois de « tasselots » (plateaux rocheux) et entaillée de vallées sèches. Les forêts n'ont pu s'y maintenir que grâce à une forte pluviosité. Limitant à l'Est et à l'Ouest la Bourgogne et le Nivernais, la Saône et la Loire s'étalent chacune en une plaine alluviale parsemée de cultures et de prairies d'élevage.

LA FORMATION DU PAYS

Ère primaire. — Début il y a environ 600 millions d'années. Les eaux recouvrent l'emplacement actuel de la France. Puis un bouleversement de l'écorce terrestre, le « plissement hercynien », dont la forme en V apparaît en tireté sur la carte ci-dessous, fait surgir un certain nombre de hautes montagnes (Massif Armoricain, Massif Central, Vosges, Ardennes) dont le Morvan. Ces montagnes sont formées de roches cristallines : granit, gneiss, micaschistes, mêlées de roches éruptives, telles que le porphyre. Les mers qui occupent les Bassins parisien et rhodanien communiquent entre elles par un détroit, le seuil de Bourgogne.

L'érosion, c'est-à-dire l'action combinée des pluies, du vent, du gel, des eaux courantes, use et abaisse les parties les plus hautes : le Morvan est ainsi ramené à un état de socle montagneux. Le climat chaud et humide favorise le développement d'une végétation exubérante. Enfouis sous une épaisse masse d'alluvions, les débris végétaux sont peu à peu transformés en houille, par suite d'une longue fermentation. Des dépôts carbonifères se forment entre les massifs du Morvan et du Beaujolais dans la région d'Autun et de Blanzy.

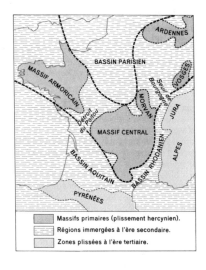

A cette époque vivent des batraciens, des insectes, des sauriens et des poissons géants.

Ère secondaire. — Début il y a environ 200 millions d'années. Par suite d'un lent affaissement du socle hercynien, les mers envahissent complètement le Bassin parisien et, continuant à s'avancer vers le Sud, submergent même les parties les plus élevées – Morvan, Beaujolais, Charollais – qu'elles recouvrent d'une carapace de

▨	Massifs primaires (plissement hercynien).
▨	Régions immergées à l'ère secondaire.
▨	Zones plissées à l'ère tertiaire.

marnes et de calcaires. Tous ces terrains sédimentaires s'empilent sur le soubassement granitique.

Après le retrait de la mer, l'érosion reprend son travail d'usure, décape le Morvan qu'elle abaisse d'au moins 1 000 m et rejette les marnes et les calcaires vers l'Auxois, le Bazois et le Châtillonnais. Les couches sédimentaires s'enfoncent vers le centre du Bassin parisien. C'est alors que les reptiles deviennent les plus puissants des animaux et qu'apparaissent les premiers oiseaux et les premiers mammifères.

Ère tertiaire. — Début il y a environ 60 millions d'années. Sous le contrecoup du gigantesque plissement alpin, le sol se relève évacuant les mers et le Massif Central se fissure. Sa bordure orientale se relève et se compose alors d'une série de rides parallèles : monts de l'Autunois, du Charollais, du Mâconnais, du Beaujolais; le massif du Morvan est affecté par ce mouvement de surrection.

Les grands reptiles ont été remplacés par les oiseaux et les mammifères tandis que la végétation est constituée d'essences très proches des espèces actuelles.

Ère quaternaire. — Début il y a environ 2 millions d'années. Les effets de l'érosion achèvent de donner à la région sa physionomie actuelle : les massifs anciens (Morvan, Beaujolais) voisinent avec les plateaux calcaires (Côte et Arrière-Côte), les bassins sédimentaires (Bazois, Terre-Plaine, Auxois) et les plaines d'effondrement (vallée de la Saône).

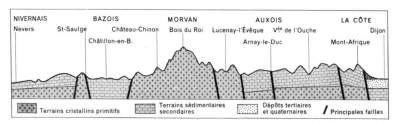

Coupe schématique du Morvan et de la Bourgogne.

Un relief original : la Côte d'Or. — La Côte d'Or est un escarpement dû aux cassures provoquées par l'effondrement des plaines de la Saône. Cet escarpement est le dernier rebord d'une série de gradins formant l'Arrière-Côte ou « Montagne ».

La Côte se caractérise par son tracé rectiligne, de direction grossièrement Nord-Sud; par la vigueur de son tracé, la dénivellation atteignant parfois 200 m; elle est échancrée par des « combes » terminées le plus souvent en « bouts du monde » ou en vallées encaissées.

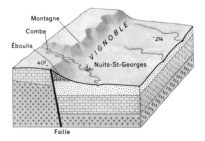

La Côte d'Or.

LES PAYS BOURGUIGNONS

De l'Auxois au Beaujolais, de la Saône à la Loire, les pays très divers dont l'assemblage a formé la Bourgogne ont su conserver chacun leur aspect, leur économie, leurs modes de vie particuliers.

Les liens historiques qui les ont réunis au 15e s. ont été assez forts pour que, de nos jours encore, des caractères communs réapparaissent. Les divisions administratives, les besoins économiques actuels ont pu détourner vers Paris une part des activités régionales, sans que cessent pour autant les liens de parenté entre les membres d'une province dont Dijon reste la capitale à plus d'un titre.

Le Senonais et le pays d'Othe. — Ils constituent la bordure septentrionale de la Bourgogne, aux confins de l'Ile-de-France et de la Champagne dont certains caractères apparaissent, notamment dans l'aspect physique et économique du pays.

Le Senonais, plus fertile que la Champagne pouilleuse, rappelle la Brie. Sa principale ressource, l'agriculture, est riche et variée, grâce à la diversité des sols et à l'épaisseur des limons.

Au Sud-Est, le pays d'Othe (altitude : 300 m), séparé du Senonais par la Vanne, domine les plaines de l'Yonne et de l'Armançon et présente des aspects très différents : la craie est presque toujours recouverte d'argile, de sables et de grès. Les pluies fréquentes et la présence d'argile expliquent l'existence d'une immense forêt. Défrichée au Moyen Age par les nombreuses communautés religieuses établies dans la région (Cisterciens et Prémontrés), la forêt d'Othe a été reconstituée avec soin à une époque récente (une importante scierie est installée à Estissac).

Si le vignoble détruit par le phylloxéra au siècle dernier n'a pas été replanté, l'on a développé les céréales et aménagé des prairies artificielles.

Des anciennes industries et activités de la région – tuileries, briqueteries, fours à chaux et à plâtre, exploitation du minerai de fer – peu ont subsisté. Une petite industrie textile s'est maintenue dans quelques centres tels que Villemaur-sur-Vanne (tissus élastiques), Aix-en-Othe (bonneterie de laine, coton, nylon, une industrie qui s'y rattache : matières premières plastiques et en outre une fabrique de meubles, une usine de fil de fer nickelé ou plastifié), Estissac (bonneterie et confection).

Le Gâtinais. — C'est le pays qui s'étend de Gien au Nord de Montargis, pays de sables et d'argiles, couvert de landes et de pins, coupé de cours d'eau et semé d'étangs, la plupart tributaires du Loing. Synonyme de « mauvaise terre », le Gâtinais est une région de chasse et de pêche fort appréciée des Parisiens. Près de Montargis, le paysage devient plus verdoyant et plus humide : aux couches d'argile correspond un bocage très morcelé.

Le Gâtinais, dont les ressources (élevage de vaches laitières) sont assez médiocres, se tourne vers la région parisienne beaucoup plus que vers la Bourgogne.

La Puisaye. — Elle est située au Sud-Est du Gâtinais avec lequel il présente de nombreuses ressemblances : mêmes terres de sables et d'argiles, climat humide, terroir propre aux forêts et aux étangs. Mais c'est aussi une région qui se prête aux cultures fourragères et à l'élevage (les pâturages couvrent le tiers du pays) et dont le caractère bocager est l'aspect le plus frappant.

La dispersion de l'habitat est générale, la maison est noyée au milieu des haies. Les activités sont variées : élevage de bœufs charollais, de porcs et de volailles, poteries, fabriques d'ocre et de ciment, exploitation de la forêt, scieries.

Le Nivernais. — Succession de plateaux et de collines se rattachant à l'Est au massif du Morvan et descendant en pente douce jusqu'au val de Loire, le Nivernais est avant tout un carrefour.

A l'ouest de Château-Chinon, s'étale le **Bazois**, riche pays formé de terres humides, partagées entre les cultures de céréales et de plantes fourragères sur les pentes, et les grasses prairies (prés d' « embouche ») dans les fonds. Là sont engraissés pour la boucherie les bœufs blancs des races charolaise et nivernaise qui alimentent le marché parisien.

Au Nord du Bazois, la région vallonnée (les collines atteignent parfois 450 m) de Clamecy et de Donzy, que parcourt un réseau de rivières assez dense – Nièvre, Beuvron, Yonne, Nohain –, est à la fois un pays d'élevage et de cultures. La présence d'importantes forêts, exploitées rationnellement, a permis l'installation à Clamecy et à Prémery de deux importantes usines traitant le bois par distillation *(voir p. 14)*.

De Nevers à Bonny, la Loire marque la limite entre le Nivernais et le Berry; les prairies d'élevage y alternent avec les éperons boisés. Entre Sancoins et Decize la limite avec le Bourbonnais est assez imprécise. Le style de construction des fermes et des châteaux montre une forte influence de cette province.

De Pougues à la Charité, la rive droite du fleuve est assez abrupte et boisée, tandis que la rive gauche est plate et basse. Pouilly est le centre d'un vignoble réputé qui s'étale sur les collines dominant la vallée de la Loire.

Au-delà de Pouilly, la vallée de la Loire se resserre, dominée à l'Ouest par les collines de Sancerre, puis s'élargit de nouveau à partir de Bonny.

Le Morvan. — Lors du contrecoup du plissement alpin, le massif granitique du Morvan a été disloqué sur ses bords : l'érosion, en usant les couches tendres du lias qui recouvraient la bordure du massif, a façonné une dépression qui l'entoure sur trois côtés; cette « dépression périphérique » est dominée vers l'extérieur par des plateaux calcaires. Le Morvan se signale par la masse de ses forêts, la médiocrité de ses sols et la rudesse de ses paysages.

L'importance de la forêt ne doit pas cacher le caractère bocager du pays : les champs et les prés, cloisonnés de haies vives, apparaissent comme une mosaïque de tons verts, bruns ou jaunes, sans cesse renouvelés.

Le Morvan qui compte peu de bourgs importants se caractérise par la dispersion extraordinaire de ses hameaux et de ses « écarts ». La maison morvandelle, restée longtemps une chaumière d'aspect misérable, est accolée le plus souvent aux bâtiments d'exploitation et à l'étable.

Isolé par la forêt autant que par le relief, le Morvan a vécu en économie fermée. Le progrès a fini par pénétrer dans les campagnes et les hameaux : les toits de chaume ont peu à peu été remplacés par les toits de tuiles ou d'ardoises, les

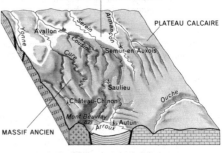

Le Morvan et sa bordure.

cultures se sont améliorées grâce au chaulage et aux engrais : les forêts ont été défrichées et le reboisement par des résineux compense l'exploitation méthodique de la forêt (voir p. 14).

L'élevage des bovins surtout s'est développé. L'ancienne race morvandelle à robe rouge a été supplantée par la race charolaise.

Le réseau hydrographique du Morvan alimente surtout le bassin de la Seine, mais les pluies abondantes provoquent parfois des perturbations dans le régime de ce grand fleuve. L'Yonne, la Cure et leurs affluents, longtemps utilisés pour le flottage des bois, ont vu leur cours régularisé par des barrages-réservoirs (Pannesière, Settons, Malassis, Chaumeçon, Crescent) doublés parfois d'une petite usine hydro-électrique. Toutefois, ce rôle de régulateur n'est pas suffisamment efficace lors des grandes crues de la Seine et de son bassin.

Le barrage de St-Agnan constitue pour les localités proches une réserve d'eau potable.

L'Auxois. — A l'Est du Morvan, l'Auxois est le pays du lias, pays de grasses et fortes terres burinées par les eaux. Là se sont installées les riches prairies d'élevage : la race charolaise – blanche – fournit la viande, tandis que la race tachetée de l'Est (race montbéliarde), que l'on trouve surtout dans le Haut-Auxois – région de Semur et de Montbard –, donne le lait. Les chevaux de trait de l'Auxois complètent cet important élevage.

Dominant les vallées verdoyantes, se dressent des éperons calcaires et des plateaux dénudés où, grâce au chaulage et aux engrais, ont pu se développer les cultures de céréales.

Les buttes rocheuses portent des bourgs fortifiés, tels que Semur, Flavigny-sur-Ozerain et Mont-St-Jean, ou d'anciens oppidums comme Alésia sur le mont Auxois, sentinelles isolées surveillant les passages et les voies de communication.

Le Charollais. — De toutes les régions bordant le Morvan, le Charollais, qui, au Sud, forme le département de Saône-et-Loire, est la seule qui ne soit pas une véritable dépression. C'est une région de collines et de plateaux aux ondulations larges. Les marnes donnant des prés excellents, l'élevage des bovins est la grande richesse du pays et la race charolaise s'est répandue jusqu'en Auxois, en Nivernais et en Puisaye. Engraissés dans les prés d' « embouche » pendant plusieurs mois, les bœufs blancs alimentent d'importantes foires et sont expédiés vers la région parisienne et dans plusieurs pays d'Europe.

Le bassin d'Autun. — Cette dépression a été, à l'époque primaire, un vaste lac peu à peu comblé par des dépôts houillers et des schistes bitumineux qui furent à l'origine du développement industriel de la région.

L'Autunois comprend : le bassin d'Autun proprement dit, drainé par l'Arroux, les croupes granitiques qui le dominent au Sud-Est et le sillon où coulent en sens inverse la Dheune vers la Saône et la Bourbince vers la Loire; les vallées de ces rivières sont empruntées par le canal du Centre, qui dessert le bassin minier de Blanzy-Montceau-les-Mines et le centre métallurgique du Creusot; longtemps utilisé par la batellerie comme voie navigable permettant de joindre Lyon et Paris (voir p. 88), il connaît actuellement un moindre trafic. Le bassin industriel de Blanzy-Montceau-les-Mines produit encore annuellement 1,55 million de tonnes de charbon. La dépression de la Dheune et de la Bourbince offre l'aspect d'une véritable rue de mines et d'usines.

Les plateaux bourguignons. — De la lisière septentrionale du Morvan au plateau de Langres et d'Auxerre à Dijon, s'étend une zone de plateaux calcaires qui constituent le cœur même de la Bourgogne. C'est le seuil de Bourgogne, zone de contact entre le bassin de la Seine et celui de la Saône, et entre les Vosges et le Morvan : là, s'est constitué l'État bourguignon, au point de jonction de régions différentes qu'il était ainsi possible de contrôler.

D'une altitude généralement médiocre (400 à 500 m), ces plateaux s'inclinent lentement au Nord-Ouest, mais s'abaissent brusquement au Sud-Est. Leur aspect sec contraste avec celui beaucoup plus riche et verdoyant des vallées : Yonne, Serein, Armançon. On distingue d'Ouest en Est les plateaux de l'Auxerrois, du Tonnerrois et du Châtillonnais.

L'**Auxerrois** est une plate-forme rocailleuse, fissurée de nombreuses vallées, où apparaît le calcaire d'un blanc souvent éclatant. Les versants bien exposés ont permis de développer la culture de la vigne dans la région de Chablis, d'Auxerre et d'Irancy ainsi que celle des cerisiers. Les plateaux du **Tonnerrois** présentent des caractères semblables à ceux du plateau de Langres, mais l'altitude est plus basse et le climat proche de celui du Bassin parisien.

Le **Châtillonnais** apparaît comme une suite de plateaux monotones, souvent dénudés, parfois surmontés de « tasselots » rocheux et creusés de vallées sèches. Des côtes se détachent des buttes-témoins (mont Lassois, signal de Bissey, Jumeaux de Massingy). C'est un pays pauvre, la sécheresse du sol ne permettant pas de grandes cultures. Les eaux s'infiltrent dans la croûte calcaire et réapparaissent sous forme de résurgences ou « douix » (telle la Seine à Châtillon), tandis qu'existe tout un réseau hydrographique souterrain.

11

Autrefois, la forêt couvrait presque tous ces plateaux. Les moines des abbayes de Molesmes, St-Seine, Fontenay, Clairvaux ont activement participé au défrichement. Plus tard, on a exploité le minerai de fer et de nombreuses forges, fonderies, clouteries existaient au 18ᵉ s.

Actuellement, le reboisement est organisé d'une façon méthodique. Les forêts de résineux (mélèze, pin noir, épicéa, pin sylvestre, pin argenté) côtoient les forêts de feuillus (chêne, hêtre, charme, frêne) et l'industrie du bois tient une place importante.

Dans toute la région, l'exploitation des carrières *(voir p. 14)* est depuis longtemps une source traditionnelle de richesse : les « perrières » fournissent pierre de taille, pierre à moellons, pierre de rechargement.

Le Dijonnais. — C'est là que se trouvent réunis, en une synthèse saisissante, tous les caractères des pays bourguignons : zone de plateaux calcaires, buttes-témoins, grasses prairies, vaste plaine alluviale, « côte » couverte de vigne.

Dijon, ancienne capitale du duché et grande capitale régionale, voit se cristalliser autour d'elle l'activité économique du Châtillonnais, de la Haute-Bourgogne, de la Côte, des plaines de la Saône, du Morvan et d'une partie de la Bourgogne méridionale, mais le Charollais et le Mâconnais sont plutôt attirés vers Lyon.

La région dijonnaise fournit à Dijon les produits de son agriculture et de son élevage, tandis que la grande ville a développé diverses industries. Au croisement des grandes routes de la Méditerranée vers Paris, au contact de la plaine, de la Montagne et de la Côte, la région de Dijon est le centre d'un commerce très actif, desservi par des voies de communication nombreuses et variées.

La Côte. — C'est le rebord du dernier gradin de la « Montagne » dominant la plaine de la Saône. Cet escarpement est dû aux cassures (failles) ayant accompagné l'effondrement de la plaine alluviale de la Saône. Tandis que le « plateau » est occupé par les cultures, les bois et les pâtures, le talus oriental est couvert de vigne. Les villages se sont installés en plein vignoble, au débouché des combes permettant de communiquer avec l'arrière pays et suffisamment bas pour profiter des sources, toujours abondantes au pied des versants.

« Le vignoble, a écrit Gaston Roupnel, se cantonne sur les pentes basses et faciles. Il appuie son bord supérieur sur les premiers bancs calcaires. Il finit en bas dès que cesse toute pente et que la plaine commence sa lourde terre. Cette étroite et lente montée de pierrailles, c'est le vrai territoire du vignoble. »

Il ne faut donc pas s'étonner que les vignerons considèrent leur tâche comme la plus belle et la plus noble de toutes et, étant pour la plupart des propriétaires exploitants, qu'ils mènent une vie généralement plus large que celle des agriculteurs. Leur maison, vaste et confortable,

(D'après photo Éd. La Cigogne.)

Maison de vignerons.

est le type de la « maison en hauteur » : les cuveries et les celliers sont au rez-de-chaussée, tandis que, « comme soulevées par la cave », les pièces d'habitation, auxquelles on accède par un escalier extérieur protégé par un auvent, occupent le premier étage *(illustration ci-dessus).*

Le choix du sol relève de certaines conditions : terrains calcaires s'échauffant rapidement au printemps, pentes abritées et bien orientées bénéficiant d'un ensoleillement suffisant. L'industrie humaine s'ingénie à réunir les facteurs favorables : recherche du plan le mieux adapté au sol, recherche de la qualité au détriment du rendement (10 à 15 pièces de 228 litres par ha), relations permettant l'écoulement des produits.

Les essais d'extension du vignoble vers la plaine se sont soldés par des échecs sur le plan de la qualité. Par contre la partie supérieure du plateau, favorable aux vignobles des Hautes-Côtes *(voir p. 86)* est progressivement replantée.

Au pied de la Côte, on exploite les carrières de pierre de taille et de marbre de Comblanchien et de Corgoloin *(voir p. 14).*

Le Mâconnais. — C'est le prolongement, au Sud, de la zone montagneuse que forme la Côte d'Or. Mais la différence avec cette région provient de ce que l'abrupt des côtes est tourné vers l'intérieur, tandis que dans la Côte d'Or l'abrupt domine la plaine de la Saône; c'est une région de collines couvertes de vignes ou de prairies d'élevage.

La zone de plaines est particulièrement bien développée au Sud de Chalon grâce à la vallée de la Grosne. Comme la Bresse, elle produit des céréales, des betteraves, des légumes et l'on y pratique l'élevage des volailles.

La « Montagne » beaujolaise. — La Montagne ou arrière pays est le domaine de la forêt, des cultures et de l'activité industrielle; elle s'oppose à la Côte, zone du vignoble qui surplombe le val de Saône *(voir guide Vert Michelin Vallée du Rhône).*

L'industrie est parvenue à fixer là une population nombreuse. Si le tissage de lin et de chanvre existait dès le Moyen Age, le coton et la soie, puis la rayonne n'ont fait leur apparition que bien plus tard. Aujourd'hui, les fils synthétiques constituent une grande partie de la matière première. Longtemps familiale et artisanale, l'industrie tend rapidement vers une structure proprement industrielle. La soie est encore travaillée à Belmont, à Chauffailles et dans la région de Charlieu, tandis qu'à l'Ouest prédomine le tissage de coton (Thizy), ainsi que la fabrication des couvertures (Cours).

En dehors de l'industrie textile, il faut noter les constructions mécaniques (charpentes, meubles métalliques, matériel de travaux publics) de la région de Charlieu.

La Montagne beaujolaise offre le plus souvent l'aspect d'un pays pauvre, avec ses landes couvertes de genêts. Mais on a développé depuis quelque temps les prairies d'élevage et le reboisement (sapins, épicéas) prend de plus en plus d'importance.

La vallée de la Saône. — Les pays de la Saône, voie de passage de premier ordre, s'étalent au pied des plateaux calcaires. Les terres alluviales des plaines de la Saône et de ses affluents – Ouche, Tille –, souvent inondées l'hiver, sont recouvertes de grasses prairies et de terres à cultures. La forêt y occupait aussi une place importante jusqu'au siècle dernier.

Actuellement, aux cultures de blé, de betteraves, de pommes de terre, s'ajoutent les cultures maraîchères, le maïs, le tabac, le houblon et les oléagineux.

Importée d'Alsace au 19e s., la culture du houblon s'est répandue en Bourgogne jusqu'à la crise économique de 1929. Actuellement les houblonnières *(en voie de disparition)* couvrent moins de 62 ha dans la région dijonnaise.

L'élevage bovin s'est beaucoup développé; la race tachetée de l'Est, appréciée pour ses qualités laitières et sa viande de boucherie, est de plus en plus concurrencée par la pie noire pour la production de lait et par la race charolaise pour la viande.

La vallée de la Saône est en pleine expansion économique. L'activité industrielle s'y manifeste principalement à Chalon, à Mâcon et à Tournus.

La Bresse. — Vallonnée, sillonnée de nombreux ruisseaux (les « caunes »), piquetée de boqueteaux, la plaine bressane s'étend de la Saône au Revermont jurassien. Bien que la brique et la tuile aient peu à peu remplacé le pisé et le chaume, les fermes, souvent isolées au milieu des champs, ont conservé leur aspect d'autrefois : constructions basses avec un large auvent pour le séchage du maïs, toits parfois encore coiffés de la cheminée sarrasine, traditionnelle « chambre de four ».

(D'après photo « Maisons paysannes de France ».)

Une résidence de ferme en Bresse.

Le pays est principalement orienté vers l'élevage : vaches, porcs et surtout volaille, dont la qualité a fait le renom de la Bresse. Les poulets s'ébattent en liberté durant leurs premiers mois, puis sont enfermés à « l'épinette » (cage étroite) et reçoivent une nourriture abondante à base de maïs et de sarrasin. Ils sont ensuite sacrifiés et plongés dans un bain de lait avant d'être dirigés sur les marchés de Louhans et Bourg-en-Bresse.

VIE ÉCONOMIQUE

Dans l'économie française, la province tient une place honorable; elle est représentée, dans presque tous les secteurs d'activités du monde rural ou industriel, par une production de qualité.

Son attachement aux ancestrales traditions, tout en conférant à chaque région son caractère distinctif original, n'a pas empêché la vie paysanne d'évoluer et de s'adapter aux méthodes d'exploitation les plus nouvelles et variées.

Vignoble. — La vigne est en Bourgogne une culture ancestrale *(voir p. 32 et 33)*. Les rendements sont généralement faibles et l'on sacrifie la quantité à la qualité, afin de maintenir la renommée séculaire du vignoble. Les grands crus, aux noms prestigieux, sont assurés de conserver une place de choix dans l'économie nationale. Pour travailler dans de meilleures conditions, les producteurs ont fondé des coopératives importantes, principalement en Saône-et-Loire. A côté du vignoble, des cultures fruitières sont apparues : cassis, groseilles, framboises, surtout dans les Hautes-Côtes.

Élevage. — L'élevage des bovins tient en Bourgogne une place de choix. Si la race charolaise (élevée pour la viande) est la plus répandue, on trouve dans la vallée de la Saône la race tachetée de l'Est (pour le lait et la viande) et, dans le Châtillonnais exclusivement, la race Schwitz (race brune des Alpes) pour le lait.

Le Charolais et le Brionnais sont de véritables « crus » de production de viande de haute qualité et les prés d'embouche sont à la belle saison constellés d'une infinité de points blancs Dans ces pays, la ferme tire presque uniquement ses ressources de la production animale. La vente des animaux peut se faire aux foires de St-Christophe-en-Brionnais ou de Charolles, mais de plus en plus les marchands de bestiaux les achètent directement à la ferme.

Les chevaux de trait élevés en Auxois se sont raréfiés. Les ovins au contraire, autrefois nombreux sur les plateaux de Bourgogne, se voient couramment dans les mêmes enclos que les bovins — les brebis de race charolaise surtout, South-down et Texel.

L'élevage des porcs et des volailles s'organise autour des exploitations céréalières comme complément, ou de façon intensive, notamment en Bresse.

Exploitation de la forêt. — La forêt occupe en Bourgogne une superficie très appréciable. Le taux de boisement, de l'ordre de 30 %, dépasse la moyenne française (21 %). Répartie sur l'ensemble de son territoire, la forêt est surtout importante à la lisière de la Champagne, dans le Morvan, le Dijonnais et une partie de la Basse-Bourgogne.

Les principaux massifs sont les forêts de Châtillon, d'Auberive, d'Arc, de Cîteaux, de Saulieu, de Fontenay-Jailly et l'important massif d'Othe. Ce dernier s'étend sur une largeur de 5 à 15 km entre la vallée de la Vanne et la vallée de l'Armançon.

Dans le Morvan, la forêt couvre environ 120 000 ha. Dans certaines communes, elle occupe plus de 50 % du territoire. Les espèces de base sont le hêtre, le chêne, le charme, le bouleau. Les moines des abbayes exploitèrent les forêts du Morvan à partir du 10e s. Mais le déboisement et le défrichement furent très lents. Plus tard, le bois a été utilisé à des titres divers : principalement bois de chauffage pour Paris (transport par flottage — *voir p. 80 et 91*), charbon de bois.

Les exploitations abusives qui en résultèrent ont réduit, la plupart du temps, la forêt à un taillis assez dégradé. Il est enrichi par un apport de conifères (forêts de Breuil au Nord et de St-Prix, près du Haut-Folin).

Les alluvions le long de la Saône sont couvertes, par endroits, de forêts de chênes souvent morcelées, mais fournissant des produits de qualité (région d'Auxonne et de Pontailler).

La vaste chênaie du plateau nivernais, d'une grande beauté, produit des bois de choix.

Enfin, des surfaces importantes du plateau de Langres et la côte surmontant le vignoble bourguignon, autrefois recouvertes de taillis ou de friches, ont en partie cédé la place à des cultures agricoles, ou ont été revalorisées par des transformations en futaie feuillue (forêt de Châtillon) ou localement par des plantations de pins noirs d'Autriche ou sylvestres et plus rarement, de cèdres.

D'importantes industries sont liées à la forêt : **distillation du bois** (usines à Clamecy et Prémery) pour la production de charbon de bois, acide acétique, méthylène et leurs dérivés; fabrications chimiques et de matières plastiques; scieries; fabrications de placages, de panneaux de particules, etc. Par ailleurs de grandes pépinières (à Leuglay en Côte-d'Or) alimentent un territoire débordant le cadre de la Bourgogne.

Sidérurgie, métallurgie, industries de transformation. — L'exploitation du charbon, commencée au début du 16e s. dans le bassin du Creusot, a été activement poussée au 19e s. à la suite du développement des voies de communication et, notamment, du creusement du canal du Centre. La sidérurgie se maintient au Creusot depuis le 18e s. et a pris au 20e s. une nouvelle extension *(voir p. 89)* grâce à la perfection de l'outillage et de la technique.

Montceau-les-Mines *(p. 90)* forme avec Blanzy et le Creusot un ensemble qui s'oriente vers la production d'aciers fins et spéciaux, les installations électriques et l'industrie du verre. Très proche, Montchanin et sa fonderie apporte sa contribution au développement de l'industrie lourde dans la région.

Chalon-sur-Saône, associée à la vie du Creusot, présente une large gamme d'industries de transformation : construction de chalands, verrerie, constructions électriques, laboratoires photographiques. Tournus est gros producteur d'articles de ménage. D'autres localités de Saône-et-Loire, entretenant une activité rurale, se sont tournées vers la construction mécanique comme en témoignent les appareils de levage à la Clayette.

Dans la Nièvre, la métallurgie est très développée à Imphy (fabrication d'aciers spéciaux), et à Nevers (matériel électrique et matériel de laiterie).

Dans la Côte-d'Or, la fabrication de tubes d'acier à Montbard et d'ustensiles ménagers (autocuiseurs) à Selongey sont des industries en expansion. A Dijon, construction électrique et constructions mécaniques complètent les activités d'ordre alimentaire. Dans l'Yonne, même phénomène d'évolution à Sens, Auxerre et St-Florentin.

Exploitation des carrières. — La **pierre de construction** et de décoration est abondante en Bourgogne. Sur les collines calcaires de la rive droite de la Saône, les pierres les plus plates étaient même utilisées pour les couvertures : ce sont les laves, le terme lave évoquant peut-être l'expression « laver (ou lever) la piarre ». La pierre est maintenant extraite surtout en Côte-d'Or. La région calcaire des grands crus, entre Chagny et Dijon, est jalonnée de carrières et d'usines de sciage de pierre où le travail s'effectue avec des moyens mécaniques modernes. Prenant un beau poli, ces pierres marbrières sont connues sous le nom de « pierres de Comblanchien » et sont utilisées pour les dallages, marches d'escaliers, revêtements. Les carrières les plus connues sont celles de Comblanchien, de Prémeaux et de Corgoloin, entre Beaune et Nuits-St-Georges. Les pierres de Chamesson, Magny-Lambert dans le Châtillonais et Ravières sont utilisées principalement pour le bâtiment.

Un autre matériau de construction prend de l'importance en Saône-et-Loire : l'amiante-ciment, fabriqué principalement à Vitry-en-Charollais.

La **céramique** qui occupe plus de 3 000 ouvriers en Saône-et-Loire est fort répandue en Bourgogne : les argiles sont d'une grande diversité et d'une qualité exceptionnelle, permettant d'obtenir les tonalités les plus variées, du blanc au brun presque noir, en passant par le jaune, l'ocre et le rouge.

Le Charollais et la vallée de la Bourbince sont des centres importants de céramique (faïences d'art, émaux, briques, tuiles, produits réfractaires, grès).

Le Nivernais (Nevers, Clamecy, Châtillon-en-Bazois) et les pays de l'Yonne, dont la Puisaye (St-Armand et St-Sauveur) sont également connus pour leurs faïences, poteries et grès, ainsi que Longchamp en Côte-d'Or.

(D'après photo Musées nationaux.)

Faïence de Nevers, 17e s.

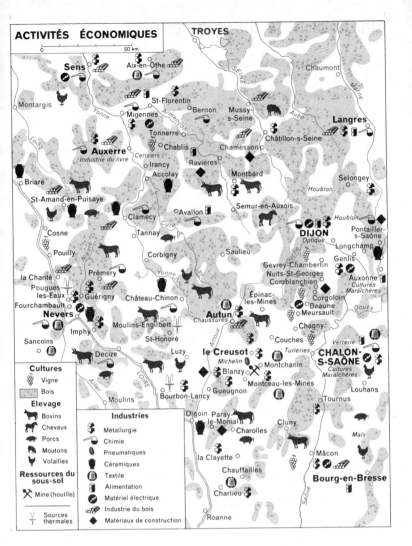

Industries alimentaires. — Les graines de moutarde étaient déjà connues des Égyptiens qui les croquaient en mangeant les viandes. Les Romains importèrent la **moutarde** en Gaule et son emploi devint au Moyen Age d'usage courant. La corporation des Moutardiers était créée au 15e s., mais ce n'est qu'au milieu du 18e s. que la moutarde est obtenue sous sa présentation actuelle : broyées sous des meules, les graines sont délayées dans du « verjus », jus de raisin très acide qui favorise le développement de ses qualités. Plus de 35 000 t, soit près des 3/4 de la production française, ont été fabriquées à Dijon en 1975.

Le **cassis,** connu depuis très longtemps pour ses propriétés médicinales (on consommait ses feuilles séchées sous forme d'infusions), est fabriqué industriellement depuis le siècle dernier. Dijon fournit environ 85 % de la production française de crème de cassis.

La fabrication du traditionnel **pain d'épice** de Dijon n'est plus le domaine exclusif de son département d'origine et se développe surtout dans la région de Besançon et en Sologne.

Un carrefour de routes. — C'est le rôle traditionnel de la Bourgogne d'assurer les communications entre les pays du Midi méditerranéen français et ceux du Nord et de l'Ouest. Elle poursuit une vocation remontant à de très anciens temps (voir p. 145).

Le réseau routier, très dense, s'est établi de part et d'autre du grand axe Nord-Sud constitué par la vallée de la Saône et le pied de la Côte ; le développement des autoroutes a donné au trafic une portée atteignant parfois la dimension internationale.

Les voies ferrées rayonnent autour de Dijon, dont la fonction de plaque tournante est farouchement défendue. Le flux des grands courants de circulation est intense : reliée à Paris en moins de 3 heures, Dijon est raccordée par de nombreuses lignes aux pays étrangers.

L'éventail des voies navigables est largement ouvert : canal de Bourgogne, opérant la jonction entre la Saône et l'Yonne; canal du Centre, reliant la Saône à la Loire, longée par un canal d'où part le canal du Nivernais réservé aux plaisanciers; canal de Briare (début du 17e s.), trait d'union entre le canal de Loire et le bassin de la Seine par le canal du Loing; enfin canaux de la Marne à la Saône et du Rhône au Rhin assurant des liaisons avec l'Est.

Les Bourguignons et l'esprit régionaliste. — Les Bourguignons dispersés à travers la France n'oublient pas leur province et ne renient pas leur origine. Ils se reconnaissent à leur accent savoureux et ont plaisir à se réunir pour évoquer les souvenirs de leur petite patrie.

Deux associations, les « Bourguignons de Paris » et la « Morvandelle », groupant de nombreux adhérents originaires de la Bourgogne et du Morvan, se sont donné pour tâche de maintenir, par de fréquentes rencontres, le goût du régionalisme.

QUELQUES FAITS HISTORIQUES

AVANT J.-C. ## ÉPOQUE PRÉHISTORIQUE

La Bourgogne a toujours été un lieu de passage et d'échanges entre le Bassin parisien et la vallée de la Saône, les pays du Nord et ceux du Midi méditerranéen.

De nombreux ossements mis au jour à Solutré *(voir p. 153)*, près de Mâcon, attestent l'existence d'établissements humains 12 ou 15 000 ans avant l'ère chrétienne.

La découverte du « trésor de Vix » *(voir p. 78)* témoigne des importants « courants » dont la région de Châtillon-sur-Seine fut le théâtre vers le 6e s. avant J.-C.

LA CONQUÊTE ROMAINE

59   César bat les Helvètes près de Bibracte capitale des Éduens *(voir p. 58)*.

52   César contraint Vercingétorix à capituler dans Alésia *(voir p. 41)*.

APRÈS J.-C.

1er-3e s.   La civilisation romaine s'étend en Bourgogne. Autun, la « Ville d'Auguste », devient la capitale de toute la Gaule du Nord-Est et supplante Bibracte.

fin 4e s.   Le christianisme pénètre peu à peu en Bourgogne.

LA BURGONDIE

5e s.   Originaires des rives de la Baltique, les Burgondes s'installent dans la plaine de la Saône. Plus évolués que les autres Barbares, ils font preuve d'une civilisation avancée et donnent leur nom à leur nouvelle patrie : Burgundia devient Bourgogne.

534   Les Francs s'emparent du royaume burgonde.

814   La mort de Charlemagne est suivie d'une période de troubles dans tout l'Empire. Les fils de Louis le Débonnaire se disputent son héritage.

841   Charles le Chauve bat son frère Lothaire à Fontanet (Fontenoy-en-Puisaye).

843   La Burgondie orientale (rive gauche de la Saône) est attribuée à l'empereur Lothaire : c'est la future Franche-Comté.

La Burgondie occidentale (rive droite de la Saône) revient à Charles le Chauve : c'est l'amorce du futur duché de Bourgogne.

fin 9e s.   La Bourgogne franque englobe Langres, Troyes, Sens, Nevers, Mâcon.

LE DUCHÉ DE BOURGOGNE

1016   A la suite d'une longue lutte entre le roi de France Robert II le Pieux et les héritiers du duc Henri le Vénérable, Dijon et « la comté » sont occupés par les troupes royales.

1031   Robert, second fils du roi, devient duc héréditaire de Bourgogne.

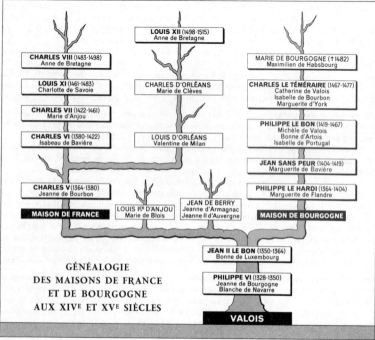

GÉNÉALOGIE
DES MAISONS DE FRANCE
ET DE BOURGOGNE
AUX XIVe ET XVe SIÈCLES

1031-1361 Sous les ducs capétiens, la Bourgogne est l'un des bastions de la Chrétienté : c'est l'époque du rayonnement de Cîteaux et de Clairvaux que domine la grande figure de saint Bernard (voir p. 30). Aux 11e et 12e s., s'élèvent de magnifiques édifices religieux.

La féodalité se développe.

Mort du jeune duc Philippe de Rouvres et extinction de la race des ducs capétiens.

LES GRANDS DUCS DE BOURGOGNE

1364-1477 Le roi de France Jean le Bon donne le duché de Bourgogne en apanage à son quatrième fils Philippe, dit « le Hardi ».

Sous son règne (1364-1404) et sous celui de ses successeurs, le duché de Bourgogne est à l'apogée de sa puissance (voir détails p. 93, 94 et carte ci-dessous).

L'acquisition de la Flandre et de nombreux autres territoires (Brabant, Hainaut, Luxembourg, Limbourg), permet aux « Grands Ducs d'Occident » de prétendre à l'hégémonie sur l'Europe occidentale.

Les parties Nord et Sud de leurs possessions ne furent réunies qu'en 1475, par l'acquisition temporaire du duché de Lorraine.

Le rayonnement artistique de la Bourgogne aux 14e et 15e s. est immense. Mort de Charles le Téméraire devant Nancy.

LE RETOUR A LA COURONNE

1477 Mariage de Marie de Bourgogne, fille du Téméraire, avec Maximilien de Habsbourg, à qui elle apporte en dot une partie du duché. Le reste des possessions bourguignonnes : Bourgogne, Mâconnais, Auxerrois, Charollais, est occupé par Louis XI.

1513 Dijon est assiégée par les Impériaux (voir p. 95).

1601 Bien que rattachée à la couronne, la Bourgogne mène une existence indépendante et acquiert la Bresse, le Bugey et le Valromey.

1631-1789 Les princes de Condé se succèdent comme gouverneurs du duché.

1794 Ouverture du canal du Centre reliant la Saône à la Loire et débuts de la métallurgie au Creusot.

LES 19e ET 20e SIÈCLES

1814-1815 Congrès de Châtillon-sur-Seine et Invasion de la Bourgogne par les Alliés.

1822 Invention de la photographie par Nicéphore Niepce à St-Loup-de-Varenne.

1842 Les Dijonnais font prévaloir un tracé de voie ferrée de Paris à Lyon desservant leur ville.

1914 A Châtillon-sur-Seine, Joffre lance l'ordre du jour qui doit conduire à la victoire de la Marne.

1940-1944 La Résistance est active en Bourgogne : Combat des Enfants de troupe d'Autun ; les forêts du Chatillonnais tiennent lieu de maquis.

14 sept. 1944 La division Leclerc et l'armée de Lattre de Tassigny opèrent leur jonction près de Châtillon-sur-Seine.

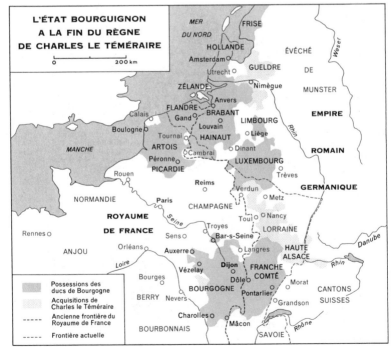

L'ÉTAT BOURGUIGNON A LA FIN DU RÈGNE DE CHARLES LE TÉMÉRAIRE

0   200 km

Possessions des ducs de Bourgogne

Acquisitions de Charles le Téméraire

---- Ancienne frontière du Royaume de France

----- Frontière actuelle

L'ART

ABC D'ARCHITECTURE

A l'intention des lecteurs peu familiarisés avec la terminologie employée en architecture nous donnons ci-après quelques indications qui leur permettront de prendre encore plus d'intérêt à la visite des monuments religieux, militaires ou civils.

ARCHITECTURE RELIGIEUSE

Plan-type d'une église. — Il est en forme de croix latine, les deux bras de la croix formant le transept.
1 Porche - 2 Narthex - 3 Collatéraux ou bas-côtés (parfois doubles) - 4 Travée (division transversale de la nef comprise entre deux piliers) - 5 Chapelle latérale (souvent postérieure à l'ensemble de l'édifice) - 6 Croisée du transept - 7 Croisillons ou bras du transept, saillants ou non, comportant

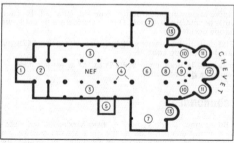

souvent un portail latéral - 8 Chœur, presque toujours « orienté » en direction de Jérusalem - très vaste et réservé aux moines dans les églises abbatiales - 9 Rond-point du chœur - 10 Déambulatoire : prolongement des bas-côtés autour du chœur permettant de défiler devant les reliques dans les églises de pèlerinage - 11 Chapelles rayonnantes ou absidioles - 12 Chapelle axiale. Dans les églises non dédiées à la Vierge, cette chapelle, dans l'axe du monument, lui est souvent consacrée - 13 Chapelle orientée.

Coupe d'une église. — 1 Nef - 2 Bas-côté - 3 Tribune - 4 Triforium - 5 Voûte en berceau - 6 Voûte en demi-berceau - 7 Voûte d'ogive - 8 Contrefort étayant la base du mur - 9 Arc-boutant - 10 Culée d'arc-boutant - 11 Pinacle équilibrant la culée.

Les maîtres d'œuvre romans (11e-12e s.) savaient construire des églises vastes et hautes, mais leurs lourdes voûtes de pierre tendaient à écraser et à renverser les murs. Il leur fallait donc réduire les fenêtres au minimum et édifier, jusqu'à la retombée des voûtes, des bas-côtés surmontés de tribunes destinés à soutenir et à équilibrer la nef assez obscure.
Dans les églises gothiques (12e-15e s.) les poussées de la voûte sont supportées et transmises par des arcs ; les murs ne subissent plus d'efforts qu'aux points de retombée des ogives. Les parties intermédiaires peuvent être évidées sans danger et laisser la place à des vitraux ; l'église est très lumineuse.

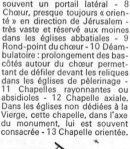

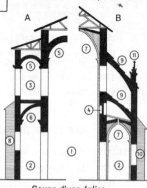

Coupe d'une église
romane (A) - gothique (B)

La plupart des monuments, grandes cathédrales ou modestes églises de campagne, forteresses féodales ou palais Renaissance et classiques, ont été construits en plusieurs époques, remaniés ou restaurés, soit en raison de difficultés financières, soit pour les agrandir, les moderniser ou les réparer. Aussi, un examen attentif des diverses parties d'un édifice, des remplois d'éléments anciens, des adjonctions d'un style plus récent, permet-il de retrouver dans la pierre toute l'histoire de la construction. Il rehausse l'intérêt d'une visite.

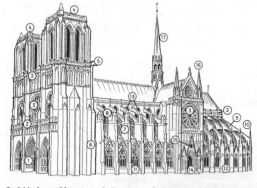

Cathédrale gothique. — 1 Porche - 2 Galerie - 3 Grande rose - 4 Tour clocher quelquefois terminée par une flèche - 5 Gargouille servant à l'écoulement des eaux de pluie - 6 Contrefort - 7 Culée d'arc-boutant - 8 Volée d'arc-boutant - 9 Arc-boutant à double volée - 10 Pinacle - 11 Chapelle latérale - 12 Chapelle rayonnante - 13 Fenêtre haute - 14 Portail latéral - 15 Gâble - 16 Clocheton - 17 Flèche (ici, placée sur la croisée du transept).

Façades

Romane

Gothique

Renaissance

Classique

18

Clochers

Clocher roman
toit en bâtière
1 Abat-son

Flèche romane
polygone sur
tour carrée

Flèche gothique
aiguë et
ajourée

Clocher
Renaissance
1 Lanternon

Dôme classique
avec coupole à lanterne
1 Pot à feu

Portail. — 1 Archivolte. Elle peut être en plein cintre, en arc brisé, en anse de panier, en accolade, quelquefois ornée d'un gâble, selon le style du monument - 2 Voussures (en cordons, moulurées, sculptées ou ornées de statues) formant l'archivolte - 3 Tympan - 4 Linteau - 5 Piédroit ou jambage - 6 Ébrasements, quelquefois ornés de colonnes ou de statues - 7 Trumeau - auquel est généralement adossé une statue - 8 Pentures.

La décoration des portails romans : motifs géométriques, floraux ou personnages fantastiques, est souvent d'un symbolisme difficile à interpréter. Celle des portails gothiques fait appel à des thèmes plus connus, tirés des Écritures : Ancien ou Nouveau Testament, vices et vertus, vies du Christ et des saints. La Renaissance mêle aimablement le mystique et le profane, la Bible et la mythologie, voire l'actualité de l'époque.

Avec le style classique le portail perd son caractère d'entrée mystique du paradis pour redevenir une simple porte.

Arcs et piliers. — 1 Nervures - 2 Tailloir ou abaque - 3 Chapiteau - 4 Fût ou colonne - 5 Base - 6 Colonne engagée - 7 Dosseret - 8 Linteau - 9 Arc de décharge - 10 Frise.

Poutre de gloire, ou tref. — Elle tend l'arc triomphal à l'entrée du chœur. Elle porte le Christ en croix, la Vierge, saint Jean et, parfois, d'autres personnages du calvaire.

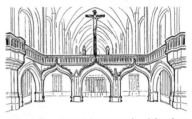

Jubé. — Remplaçant la poutre de gloire dans les églises importantes, il servait à la lecture de l'épître et de l'évangile. La plupart ont disparu à partir du 17e s. : ils cachaient l'autel.

Stalles. — 1 Dossier haut - 2 Pare-close - 3 Jouée - 4 Miséricorde.

Autel avec retable. — 1 Retable - 2 Prédelle - 3 Couronne - 4 Table d'autel - 5 Devant d'autel. Certains retables baroques englobaient plusieurs autels ; la liturgie contemporaine tend à les faire disparaître.

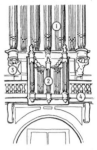

Orgues. — 1 Grand buffet - 2 Petit buffet - 3 Cariatide - 4 Tribune.

Quelques termes d'archéologie

Arcatures : suite de petits arcs accolés.
Boudin : nervure semi-cylindrique en fort relief.
Crédence : petite niche aménagée dans le mur, où sont placées les burettes.
Enfeu : niche funéraire.
Géminé (e) : groupé (e) par deux (arcs géminés, colonnes géminées).
Gloire : auréole entourant un personnage ; en amande, elle est appelée aussi mandorle (de l'italien « mandorla », amande).

Litre : Bande peinte en noir, portant les armoiries du seigneur, et faisant le tour d'une chapelle. La litre était placée d'autant plus haut que la noblesse du seigneur était plus grande.
Meneau : traverse de pierre compartimentant une baie ou une lucarne.
Modillon : console soutenant une corniche.
Oculus : baie de forme circulaire (latin : œil).
Phylactère : banderole portant une inscription.
Pilastre : pilier plat engagé dans un mur.

Voûtes et fenêtres

Au Moyen Age beaucoup d'églises étaient couvertes de charpente. Les risques d'incendie leur firent préférer les voûtes de pierre dont le poids posa un grave problème aux architectes. Pour consolider les **voûtes en berceau** — les plus simples — on utilisa le doubleau.

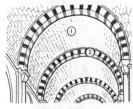

Voûte en berceau.
1 Voûte couvrant la nef - 2 Doubleau reposant sur les piliers.

Voûte d'arêtes
L'un des principaux modes de couverture romans - 1 Grande arcade - 2 Arête - 3 Doubleau.

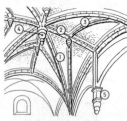

Voûte à clef pendante.
1 Croisée d'ogive - 2 Lierne - 3 Tierceron - 4 Clef pendante - 5 Cul de lampe.

Coupole sur trompes.
1 Coupole octogonale - 2 Trompe - 3 Arcade du carré du transept.

La **voûte d'arêtes** est formée par le croisement de deux voûtes en berceau qui se pénètrent à angle droit.

Dans la **voûte sur croisée d'ogive** la poussée est concentrée sur les arcs dont l'armature repose sur les piliers épaulés extérieurement par les arcs-boutants.

La **voûte d'ogive** était aisée à monter sur une travée carrée. Au 12e s., l'élargissement des nefs ne permit plus de faire des travées carrées : les piliers auraient été trop espacés. Les architectes tournèrent d'abord la difficulté en couvrant à la fois deux travées rectangulaires ou « barlongues », ce qui reformait le carré : un doubleau supplémentaire venant reposer sur des piles faibles alternant avec les piliers forts. Les voûtes portées par trois arcs d'ogives sont dites sexpartites.

A partir du 15e s. un souci de décoration amène à compliquer les nervures qui se ramifient en liernes et tiercerons ou en étoile. Les clefs de voûte s'allongent en stalactites.

L'emploi de **coupoles**, fréquent dans les églises romanes, abandonné à l'époque gothique, fut repris dans les constructions Renaissance et classiques.

Pour élever une coupole de plan octogonal sur le transept carré, on construit aux quatre angles de ce carré de petites voûtes, ou « trompes » destinées à supporter les faces complémentaires de l'octogone. S'il s'agit d'une coupole de plan circulaire on construit aux quatre angles du carré des surfaces concaves triangulaires ou « pendentifs » qui, en se rejoignant, forment un cercle complet.

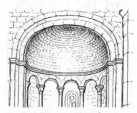

Voûte en cul de four.
Elle termine les absides des nefs voûtées en berceau.

Voûte sur croisée d'ogive.
1 Arc diagonal - 2 Doubleau - 3 Formeret - 4 Arc-boutant - 5 Clef de voûte.

Voûte à pénétration.
1 Voûte à pénétration - 2 Fenêtre à pénétration ou « lunette » - 3 Voûte en berceau.

Coupole sur pendentifs.
1 Coupole circulaire - 2 Pendentif - 3 Arcade du carré du transept.

Élévations romane et gothiques

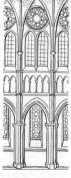

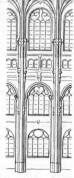

12e s.
Roman

13e s.
Gothique à lancettes

Fin 13e - 14e s.
Gothique rayonnant

15e s.
Gothique flamboyant

16e s.
Renaissance

ARCHITECTURE MILITAIRE

Enceinte fortifiée. — 1 Hourd (galerie en bois) - 2 Mâchicoulis (créneaux en encorbellement) - 3 Bretèche - 4 Donjon - 5 Chemin de ronde couvert - 6 Courtine - 7 Enceinte extérieure - 8 Poterne.

Tours et courtines. — 1 Hourd - 2 Créneau - 3 Merlon - 4 Meurtrière ou archère - 5 Courtine - 6 Pont dit « dormant » (fixe) par opposition au pont-levis (mobile).

Porte fortifiée. — 1 Mâchicoulis - 2 Échauguette (pour le guet) - 3 Logement des bras du pont-levis - 4 Poterne : petite porte dérobée, facile à défendre en cas de siège.

Fortifications classiques. — 1 Entrée - 2 Pont-levis - 3 Glacis - 4 Demi-lune - 5 Fossé - 6 Bastion - 7 Tourelle de guet - 8 Ville - 9 Place d'Armes.

Au Moyen Age, tant que les seigneurs conservent le droit de se battre entre eux, les châteaux sont des forteresses qui répondent à la nécessité de se défendre et d'assurer la subsistance de la population lors des sièges.

Avec la pacification du royaume, les châteaux forts sont détruits, abandonnés, transformés, ou remplacés par des châteaux conçus par des artistes. L'architecture civile se distingue de l'architecture militaire, qui devient l'affaire exclusive du roi, pour la défense des frontières. L'introduction de la poudre et des canons au 14e s., permit à Charles VII et à Louis XI, au 15e s, de venir à bout des dernières grandes forteresses féodales et entraîna, surtout au 16e s., une complète transformation de l'architecture militaire : pour s'adapter aux armes à feu les tours deviennent des bastions bas, très épais, les courtines s'abaissent et s'élargissent.

Au 17e s., Vauban, dont l'œuvre durera des siècles, porte ces nouvelles défenses à leur point de perfection. Son système *(croquis ci-contre)* est caractérisé par des bastions complétés par des demi-lunes et protégés par des fossés.

ARCHITECTURE CIVILE

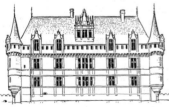

A partir du 15e s., les maîtres d'œuvre français, sous l'influence italienne, s'inspirent des proportions antiques. Les tours purement décoratives disparaissent dans la seconde moitié du 16e s. Statues et bandes sculptées décorent les façades. Les hautes cheminées et les fenêtres sont très ornées. La décoration intérieure est très riche : hauts lambris surmontés de panneaux peints, plafonds à poutres apparentes et à caissons.

Dès le règne d'Henri IV on adopte le style dit Louis XIII, caractérisé par l'emploi de panneaux de briques sertis de chaînages de pierre. Le plan, cessant d'entourer une cour, développe un corps de logis principal terminé par des pavillons. La décoration est réduite, l'aménagement discret. Au-dessus des lambris, des tapisseries ou des fresques couvrent le mur. Le plafond est à poutres apparentes décorées sans caissons.

Sous Louis XIV, François Mansart (1598-1666) recherche la grandeur des lignes : le château et le site dans lequel il s'inscrit revêtent un caractère monumental. Les façades sont sobrement ornées de colonnes, pilastres, mascarons. Le marbre décore les murs des appartements. Le plafond est divisé en grands compartiments peints d'allégories.

Dès 1700, la majesté des constructions s'adoucit, et sous Louis XV c'est le triomphe de la courbe ; les enjolivements baroques se compliquent jusqu'à ce que leur abus redonne, avant même la fin du règne de Louis XV, le goût des droites et du dépouillement. L'antiquité est remise à la mode, préparant le style pompéien puis le style Empire.

L'ART EN BOURGOGNE

Que la Bourgogne ait été de tous temps un incomparable foyer d'art ne saurait étonner si l'on songe qu'étaient réunies là, les conditions les plus favorables à un tel développement. Carrefour de routes, elle a connu depuis la plus haute antiquité les migrations de peuples et les influences les plus diverses s'y sont rencontrées, comme en témoigne la découverte du trésor de Vix, près de Châtillon-sur-Seine *(p. 78)*.

Au 15° s., sur l'initiative des Grands Ducs, de nombreuses équipes d'artistes, venues de Paris ou des Flandres, se sont installées à Dijon dont ils ont fait l'un des plus importants centres artistiques de l'Europe.

Cette pénétration des influences étrangères, la persistance de la civilisation romaine et d'anciennes traditions, ajoutées à l'expression d'un tempérament bourguignon, ont amené l'éclosion d'un art régional qui tient une place de choix dans l'histoire de l'art de notre pays.

L'ART GALLO-ROMAIN

L'occupation romaine vit éclore en Bourgogne de nombreux monuments. Autun, construite sur l'ordre d'Auguste pour remplacer Bibracte, ancienne capitale du pays éduen, évoque encore la civilisation romaine par ses deux portes monumentales et son vaste théâtre.

Des fouilles, entreprises à Alésia à l'emplacement présumé de l'oppidum où Vercingétorix opposa une ultime résistance aux légions de César, en 52 avant J.-C., ont amené la découverte de toute une ville édifiée un peu plus tard : une rue pavée, des substructions de temples, de forum ainsi que de nombreuses demeures ont été exhumées.

D'autres fouilles exécutées aux sources de la Seine ont mis au jour les ruines d'un temple, plusieurs statuettes de bronze et des sculptures en bois.

D'innombrables poteries d'époque gallo-romaine ainsi que des pièces d'orfèvrerie de grande valeur ont été découvertes depuis plus d'un demi-siècle à Vertault, non loin de Châtillon-sur-Seine. A Dijon, les restes du camp retranché (Castrum divionense) construit vers 273 ont été dégagés. Aux environs de St-Père, enfin, les fouilles des Fontaines-Salées révélèrent les vestiges de thermes gallo-romains particulièrement importants.

L'ART ROMAN

La période pré-romane

Après la période d'éclipse artistique du haut Moyen Age, l'époque carolingienne (8°-9° s.) connaît un renouveau de l'architecture. Les plans des édifices religieux sont simples et la construction, faite de pierres mal taillées, très rudimentaire. Une partie de l'ancienne crypte de St-Bénigne de Dijon, les cryptes de Flavigny-sur-Ozerain et de St-Germain d'Auxerre comptent parmi les monuments les plus anciens.

La sculpture s'exprime alors très maladroitement : la crypte de Flavigny-sur-Ozerain, vestige de la basilique construite au milieu du 8° s., conserve quatre fûts de colonnes dont trois semblent être romains et le quatrième carolingien. Les chapiteaux présentent un grand intérêt : ils portent un décor de feuilles plates, d'une facture très rudimentaire. Deux chapiteaux de la crypte de St-Bénigne de Dijon repré-

(D'après photo Trincano, Éd. Arthaud.)

Dijon. — Chapiteau de la crypte de St-Bénigne *(voir p. 100)*.

sentent, sur chaque face, un homme en prière, les mains levées vers le ciel. Travaillée sur place, la pierre témoigne des tâtonnements du sculpteur ; certaines faces sont restées à l'état linéaire *(illustration ci-dessus)*.

A la même époque, fresques et enduits ont été employés dans la décoration des édifices religieux.

En 1927, ont été mises au jour, dans la crypte de l'abbaye bénédictine de St-Germain d'Auxerre, d'admirables fresques représentant entre autres la lapidation de saint Étienne.

L'architecture romane

Bénéficiant de conditions particulièrement favorables à son expansion – villes nombreuses, riches abbayes, matériaux de construction abondants –, l'école romane bourguignonne s'est manifestée avec une extraordinaire vitalité aux 11° et 12° s. aussi bien en architecture qu'en sculpture ou en peinture et son rayonnement fut considérable.

L'an mille correspond à un élan nouveau dans le désir de bâtir qu'expliquent la fin des invasions, l'affermissement du pouvoir royal et la découverte de nouveaux procédés de constructions. « Au moment où allait s'ouvrir la troisième année après le millénaire, rapporte Raoul Glaber, moine de St-Bénigne de

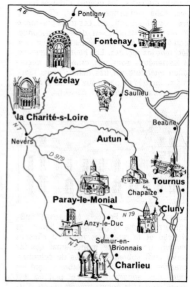

Les belles églises romanes de Bourgogne.

Dijon, on se mit dans toute la chrétienté et particulièrement en Italie et dans les Gaules à renouveler les églises... même celles qui n'avaient pas besoin d'être remplacées, les chrétiens les remplaçaient par d'autres plus belles... Il semblait que le monde eût secoué la poussière de son vieux vêtement pour revêtir partout la robe blanche de ses jeunes églises... ».

Les premières églises romanes. — Parmi les grands constructeurs de cette époque, l'abbé Guillaume de Volpiano, d'origine italienne et apparenté aux plus grandes familles, de son temps, édifia à Dijon, sur l'emplacement du tombeau de saint Bénigne, une nouvelle basilique.

Commencée en 1001, elle était consacrée en 1018. Si cette église abbatiale a complètement disparu dès le 12e s. par suite d'un incendie, l'église St-Vorles de Châtillon-sur-Seine – profondément modifiée dans les premières années du 11e s. par un parent de Guillaume de Volpiano, l'évêque de Langres Brun de Roucy – permet de définir les caractères de l'art roman de cette époque : construction sommaire faite de pierres plates mal assemblées, piliers massifs, décoration très rudimentaire de niches creusées dans les murs et de corniches à bandes lombardes.

(D'après photo Monuments historiques.)

Tournus. — Intérieur de l'église St-Philibert
(voir p. 158).

L'exemple le plus saisissant de l'architecture de cette période nous est offert par **St-Philibert de Tournus.** Le narthex et l'étage du narthex, édifiés au début du 11e s., sont les parties les plus anciennes actuellement connues. On est frappé par la sobriété poussée jusqu'à l'austérité de cette architecture puissante. L'extérieur est décoré d'arcatures et de bandes lombardes de moulures en dents de scie. A l'intérieur, le rez-de-chaussée du narthex offre des colonnes massives faites de moellons grossiers noyés dans un lit de mortier; l'église est voûtée d'arêtes au centre et de berceaux transversaux dans les collatéraux; l'étage supérieur, ou tribune St-Michel, est couvert dans la partie centrale d'un berceau en plein cintre, tandis que les collatéraux sont voûtés en demi-berceaux.

Cluny et son école. — Si l'art roman à ses débuts doit beaucoup aux influences étrangères, la période suivante voit avec Cluny le triomphe d'une formule nouvelle, dont les caractères vont se répandre à travers toute la Bourgogne et même jusqu'en Suisse.

C'est à Cluny que pour la première fois se sont trouvés réunis les principaux traits de l'architecture romane bourguignonne.

Jusqu'à la construction de St-Pierre de Rome, au 16e s., l'abbatiale de Cluny a été la plus grande église de toute la chrétienté; sa longueur intérieure dépassait de beaucoup celle des cathédrales gothiques que l'on se mit à élever à partir du 13e s. En 1247, un religieux italien passant à Cluny observait « que l'abbaye de Cluny est le plus noble couvent de moines noirs de l'ordre des Bénédictins en Bourgogne. Les bâtiments en sont si considérables que le pape avec ses cardinaux, toute sa cour, celle du roi et de sa suite peuvent y loger simultanément, sans que les religieux en éprouvent aucun dérangement et soient obligés de quitter leur cellule ».

Les fragments qui subsistent de l'abbatiale commencée par saint Hugues en 1088 et achevée vers 1130 *(voir reconstitution de l'abbaye, p. 82)*, encore impressionnants par leur ampleur et leurs dimensions exceptionnelles, permettent de dégager les caractères généraux de cette « école de Cluny » : la voûte est en berceau brisé, véritable innovation pour l'époque.

Les architectes bourguignons ont évité le plus possible l'emploi de la voûte en plein cintre et lui ont substitué la voûte en berceau brisé, dont la structure était d'une efficacité plus grande pour lutter contre la poussée. Cette voûte comporte à chaque travée un arc doubleau : en diminuant les poussées, l'utilisation d'arcs brisés permettait d'alléger les murs et ainsi d'élever les voûtes à une très grande hauteur. Les piliers sont cantonnés de pilastres cannelés à l'antique; les grandes arcades aiguës sont surmontées d'un faux triforium aux baies accostées de pilastres. Cette ordonnance – division en 3 étages, nef voûtée en berceau brisé, triforium aveugle surmonté de fenêtres hautes – se retrouve dans de nombreux édifices de la région.

La réalisation d'un monument d'une telle importance, auquel avaient travaillé une foule d'architectes et d'artistes, allait avoir une répercussion profonde sur la construction d'autres églises du Mâconnais, du Charollais et du Brionnais.

L'église du prieuré de **Paray-le-Monial** apparaît comme une réplique réduite de la grande abbatiale de Cluny. Elle fut, elle aussi, conçue par saint Hugues et offre un plan identique : le narthex surmonté de deux hautes tours *(illustration p. 131)* comprend au rez-de-chaussée un passage ouvert sur trois côtés et à l'étage une tribune voûtée et une chapelle; la nef, le chœur et le transept, pour avoir moins d'ampleur qu'à Cluny, sont remarquables d'équilibre et d'élégance; l'étagement du chevet, des chapelles absidales au clocher octogonal surmontant la croisée du transept, est extrêmement harmonieux.

A **La Charité-sur-Loire,** autre prieuré dépendant de la grande abbaye, se retrouve l'influence clunisienne.

D'autres monuments bourguignons dérivent plus ou moins directement de l'abbatiale de Cluny.

A St-Lazare d'**Autun**, consacrée en 1130, se retrouve le plan clunisien, très simplifié; par contre la tradition « romaine » l'emporte très souvent : sur les piliers, les pilastres cannelés imités de l'antique remplacent les colonnes engagées; sur l'arcature du triforium, on remarque le décor de la porte d'Arroux et cette ornementation n'est pas sans lourdeur *(illustration ci-contre)*.

A **Semur-en-Brionnais,** berceau de la famille de saint Hugues, l'église a une élévation qui se rapproche de celle de Cluny. Au revers de la façade, la tribune en surplomb rappelle la tribune St-Michel, qui se trouvait au revers de la façade de Cluny.

Par contre si la collégiale St-Andoche de Saulieu peut encore être rattachée à la grande famille des églises clunisiennes, Notre-Dame de Beaune et la cathédrale St-Mammès de Langres ont davantage de points communs avec St-Lazare d'Autun.

Parmi les nombreuses églises de village construites sous l'inspiration de Cluny et plus particulièrement dans la région du Brionnais *(voir schéma p. 65),* celles de St-Gengoux-le-National, Bois-Ste-Marie, Blanot, Monceaux-l'Étoile, Marcigny, Varenne-l'Arconce, Vareilles, Châteauneuf, Berzé-la-Ville, Iguerande sont remarquables.

(D'après photo Trincano, Éd. Arthaud.)

Autun.
Intérieur de la cathédrale *(voir p. 45).*

Vézelay et son rayonnement. — A cette école clunisienne s'oppose toute une famille d'églises aux caractères différents, dont le type le plus pur est la basilique de la Madeleine à Vézelay. Construite au début du 12e s. sur une butte dominant la vallée de la Cure, elle constitue la synthèse de la véritable architecture romane bourguignonne.

Différence essentielle avec les édifices romans antérieurs, la nef est voûtée d'arêtes alors que jusque-là seuls les collatéraux l'étaient, leurs faibles dimensions les mettant à l'abri du risque d'un effondrement de la voûte par suite de trop fortes pressions latérales. Cette solution téméraire, véritable nouveauté pour l'époque, marque une évolution considérable de l'architecture.

Les grandes arcades sont surmontées directement par des fenêtres hautes qui, s'ouvrant dans l'axe de chaque travée, distribuent la lumière dans la nef. Les pilastres sont remplacés par des colonnes engagées, à l'encontre des édifices de type clunisien. Les arcs-doubleaux qui soutiennent la voûte sont en plein cintre. Pour rompre la monotonie de cette architecture, on a recours à l'emploi de matériaux polychromes : calcaires de teintes variées, claveaux alternativement blancs et bruns *(voir illustration p. 163).*

C'est l'église d'Anzy-le-Duc qui aurait servi de modèle pour la construction de Vézelay; il est probable que Renaud de Semur – originaire du Brionnais – voulut réagir contre la toute-puissance de Cluny et prit pour modèle l'église d'Anzy-le-Duc qui était alors l'ensemble le plus parfait de l'architecture de la région. Les points de comparaison entre ces deux édifices ne manquent pas : même élévation à deux étages, même fenêtre unique au-dessus des grandes arcades, même aspect des arcs en plein cintre, même profil des piliers à demi-colonnes.

Cette formule, créée à Anzy-le-Duc et perfectionnée à Vézelay, a été reprise à St-Lazare d'Avallon et à St-Philibert de Dijon.

Fontenay et l'école cistercienne. — En Bourgogne, dans la première moitié du 12e s., le plan cistercien fait son apparition (cistercium est le nom latin de Cîteaux). Il est caractérisé par un esprit de simplicité qui apparaît bien comme l'expression de la volonté de saint Bernard, dont l'influence a été considérable sur son époque. Il s'efforce de lutter contre le luxe déployé dans certaines églises conventuelles. A la théorie des grands constructeurs des 11e et 12e s., comme saint Hugues, Pierre le Vénérable, Suger, qui estiment que rien n'est trop riche pour le culte de Dieu, il s'oppose avec une violence et une passion extraordinaires : « Pourquoi – écrit-il à Guillaume, abbé de St-Thierry, – cette hauteur excessive des églises, cette longueur démesurée, cette largeur superflue, ces ornements somptueux, ces peintures curieuses qui attirent les yeux et troublent l'attention et le recueillement?... nous les moines, qui avons quitté les rangs du peuple, qui avons renoncé aux richesses et à l'éclat du monde pour l'amour du Christ..., de qui prétendons-nous réveiller la dévotion par ces ornements? ».

(D'après photo Arch. photo).

Fontenay.
Intérieur de l'église abbatiale *(voir p. 105).*

La sobriété et l'austérité qu'il préconise ne manquent d'ailleurs pas de grandeur. Cette architecture dépouillée et d'un aspect sévère reflète bien les principes mêmes de la règle cistercienne *(voir p. 30),* qui considère comme nuisible tout ce qui n'est pas indispensable au développement et au rayonnement de la vie monacale.

Les Cisterciens imposent un plan presque toujours identique à toutes les constructions de l'Ordre, dirigeant eux-mêmes les travaux des nouvelles abbayes.

Le plan d'une abbaye cistercienne. — Le plan de l'abbaye de Fontenay montre la disposition habituelle des différents bâtiments composant une telle abbaye.

L'église (1) était orientée Est-Ouest. Au Nord ou au Sud, suivant les exigences du terrain, se trouvait le cloître (2) dont l'une des galeries longeait la nef de l'église. La galerie Est du cloître communiquait avec la salle capitulaire (3). Sur la galerie opposée à l'église s'ouvraient le chauffoir (4), le réfectoire (5) et les cuisines (6). Généralement, dans l'enceinte de l'abbaye étaient disséminés des bâtiments secondaires tels que : la forge (7), la conciergerie (8), l'hostellerie des étrangers (9), la boulangerie (10), les communs (11), le colombier (12), l'infirmerie (13).

On retrouve ce plan et ces méthodes architecturales à travers toute l'Europe, de la Sicile à la Suède.

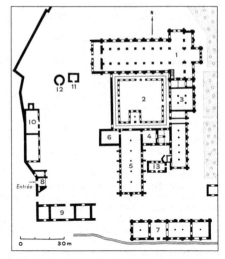

Plan de l'abbaye de Fontenay *(voir p. 105).*

Les églises cisterciennes. — La nef aveugle est couverte d'un berceau brisé comme dans l'architecture clunisienne *(illustration p. 24);* les bas-côtés sont généralement voûtés de berceaux transversaux et leur grande hauteur leur permet de contrebuter la nef principale.

Cette disposition se retrouve dans de nombreuses églises bourguignonnes du 12ᵉ s. Le transept, également voûté en berceau brisé, déborde largement et deux chapelles carrées s'ouvrent à chaque croisillon.

Le chœur, voûté en berceau brisé, de forme carrée et peu profond, se termine par un chevet plat, éclairé par deux rangées de fenêtres, en triplet. Cinq fenêtres sont percées au-dessus de l'arc triomphal et chaque travée des bas-côtés est également éclairée par une fenêtre.

Bien souvent l'absence de tout clocher de pierre témoigne de la volonté de saint Bernard de maintenir la pauvreté, l'humilité et la simplicité. Vivant loin des hommes, à l'écart des routes fréquentées, les communautés religieuses ne désiraient pas attirer les fidèles. C'est pourquoi les clochers, signalant au loin la présence d'une église par leur silhouette et par le bruit des cloches, étaient également proscrits.

En évitant tout décor peint et sculpté, en éliminant pratiquement tout motif d'ornementation superflu (vitraux de couleur, pavements historiés), les cisterciens parviennent à exécuter des monuments d'une remarquable pureté.

Sculpture

Le renouveau de la sculpture à partir du 11ᵉ s. correspond tout naturellement au renouveau qui se manifeste en architecture à la même époque. Mais avant que se développe en Bourgogne une technique qui triomphera au 12ᵉ s. au-delà même des limites de la province, la sculpture s'est montrée maladroite dans son expression. Le talent des artistes s'est exercé d'abord sur les chapiteaux, dont la masse se prêtait admirablement à la décoration, avant de meubler de personnages tympans et portails et d'y créer de savantes compositions.

Les ateliers du 11ᵉ s. — Au 11ᵉ s. apparaissent plusieurs écoles à la technique plus souple que celle des œuvres primitives de l'époque pré-romane, comme en témoignent certains chapiteaux du cloître St-Odilon à Charlieu, ceux du chœur et de la nef de l'église d'Anzy-le-Duc ainsi que le linteau et le tympan du portail occidental de l'ancien prieuré.

(D'après photo Arthaud, Grenoble.)

Cluny. — **Chapiteau du chœur**
(voir p. 84).

L'exemple de Cluny. — Mais c'est à Cluny, à la fin du 11ᵉ s., que s'affirme sur les chantiers de l'abbatiale une technique très évoluée qui produit un ensemble de chefs-d'œuvre. Les artistes et « maîtres imagiers » venus de régions très différentes et rassemblés à Cluny exécutèrent là, entre 1095 et 1115, des chapiteaux qui comptent parmi les œuvres les plus parfaites de la sculpture romane, qui n'avait jamais encore produit d'œuvres aussi achevées où l'expression et le mouvement témoignent d'un tel talent d'observation.

L'influence de Cluny se répandit rapidement à travers le Brionnais : l'un des traits les plus caractéristiques de cette école réside dans l'extrême allongement des figures des personnages. Cette disproportion apparaît surtout dans les grandes compositions telles que les portails (tympans et linteaux). Au 12e s., de nombreux ateliers bourguignons conservent ce goût pour les proportions allongées qui, s'il n'est pas exagéré, donne beaucoup d'élégance aux figures. C'est le cas à Charlieu, St-Julien-de-Jonzy, Montceaux-l'Étoile, Anzy-le-Duc et Perrecy-les-Forges. Cette influence se retrouve, à des degrés divers, à Saulieu, à Autun et à Vézelay.

St-Andoche de Saulieu s'enorgueillit à juste titre de ses chapiteaux qui, aux yeux de certains, sont les plus beaux de la Bourgogne. Quelques-uns copient la flore de la région, la plupart sont historiés, représentant la Fuite en Égypte, la Pendaison de Judas, le faux prophète Balaam.

St-Lazare d'Autun possède une intéressante suite de chapiteaux aux mêmes thèmes que ceux de Saulieu, mais c'est au portail occidental que s'inscrit l'un des chefs-d'œuvre de la sculpture romane : le Jugement dernier. L'allongement des figures, la disproportion voulue entre les personnages d'après l'importance du rôle qu'ils jouent font de cette composition qui couvre le tympan et le linteau de ce portail une œuvre extraordinaire qui n'a son égale qu'à Vézelay.

La Madeleine de Vézelay, outre ses chapiteaux rapportant des scènes empruntées à l'Ancien et au Nouveau Testament et à la Vie des saints, possède, à l'intérieur du narthex, un portail sculpté de la plus grande valeur : le tympan représente le Christ envoyant ses apôtres à la conquête du monde (illustration ci-contre). Cette œuvre, achevée vers 1120, présente plus d'un point commun avec le portail d'Autun.

Malgré certains défauts de technique – absence de perspective, raideur des gestes –, on est frappé par l'intensité de vie et l'expression dramatique qui se dégagent de cet ensemble magistralement traité.

(D'après photo Monuments historiques.)

Vézelay. — Tympan du narthex.
Le Christ en gloire (voir p. 163).

A la même époque une autre école de sculpture donne au contraire aux personnages des proportions courtes et ramassées : c'est le cas en particulier du portail de la façade de Semur-en-Brionnais, où le Christ apparaît entre les symboles des Évangélistes.

Malgré cette diversité dans l'interprétation, l'école bourguignonne de sculpture frappe par le goût de la richesse et de l'exubérance, la recherche de l'élégance des formes, de l'expression et du mouvement, qui ne va pas toujours sans une certaine mièvrerie ou sans maladresse d'exécution.

Peinture

A Auxerre, la crypte de la cathédrale renferme des fresques du 11e s., où l'on peut voir le Christ à cheval, tenant à la main droite une verge de fer.

A Anzy-le-Duc, des travaux exécutés au milieu du 19e s. ont amené la découverte, dans le chœur, d'un important ensemble de peintures murales où se retrouvent des caractères tout autres qu'à Auxerre : teintes mates, très atténuées, dessin au trait sombre recouvrant un fond composé de bandes parallèles.

Une autre tradition (fonds bleus) apparaît à Cluny, mais, de tout un ensemble de peintures murales ayant recouvert l'intérieur de l'église et le réfectoire de l'abbaye, ne subsistent aujourd'hui que quelques vestiges conservés au musée de Cluny à Paris.

A Berzé-la-Ville, dans la chapelle du « château des Moines », on peut admirer un très bel ensemble de peintures murales romanes (description p. 58). Ces fresques, exécutées dans les premières années du 12e s. ont été découvertes à la fin du 19e s. sous le badigeon qui les recouvrait mais qui en a en même temps sauvegardé la fraîcheur.

L'emploi de peinture brillante – et non mate comme à Anzy-le-Duc – est la caractéristique d'une technique différente de celle employée jusque-là. Berzé-la-Ville étant l'une des résidences des abbés de Cluny et saint Hugues étant venu s'y reposer à maintes reprises, il semble certain que ces fresques aient pour auteurs les artistes employés à la construction de la grande abbatiale de Cluny.

Le gigantesque Christ en majesté, entouré de six apôtres et de nombreux autres personnages, est d'inspiration byzantine et semble copié des mosaïques de l'impératrice Théodora à Saint Vital de Ravenne.

Cette correspondance entre l'art clunisien et l'art byzantin s'explique par l'action prépondérante de saint Hugues qui a utilisé les exemples fournis par les basiliques romaines et carolingiennes, dans lesquelles l'art d'origine byzantine avait fortement pénétré. Cette influence byzantine s'explique aussi par les rapports étroits qu'entretenaient les abbés de Cluny et les maîtres du Saint Empire Romain germanique.

Ainsi, en architecture, en sculpture ou en peinture, l'influence de Cluny a été déterminante sur l'art du 12e s. et la destruction de la majeure partie de la grande abbatiale à la fin du 18e s. peut être considérée comme une perte irréparable, les vestiges qui nous en sont parvenus ne donnant qu'une idée fort incomplète de ce qui était sans doute la synthèse de l'art roman.

L'ART GOTHIQUE

Dès le milieu du 12ᵉ s. et peut-être même auparavant, la croisée d'ogive apparaît en Bourgogne, prélude à une orientation nouvelle de l'architecture. Le style gothique – originaire de l'Ile-de-France – pénètre peu à peu en Bourgogne où il s'adapte selon les circonstances et selon les tendances.

Architecture

La période de transition. — En 1140, la tribune du narthex de Vézelay est voûtée d'ogive. Les Cisterciens sont parmi les premiers à adopter cette formule architecturale et l'utilisent vers 1150 à Pontigny. Le chœur de la Madeleine de Vézelay, œuvre de l'abbé Gérard d'Arcy, a été commencé à la fin du 12ᵉ s.; les arcs-boutants n'ont été ajoutés qu'au 13ᵉ s.

Les édifices religieux. — C'est seulement à cette époque que se précise un style « bourguignon ».

1ʳᵉ moitié du 13ᵉ s. — L'église Notre-Dame de Dijon, construite d'un seul jet de 1230 à 1251, en représente le type le plus parfait, et aussi le plus répandu. Ses caractéristiques se retrouvent en Bourgogne dans nombre d'édifices religieux de cette époque : au-delà du transept, le chœur, assez profond, est flanqué d'absidioles – deux généralement – et terminé par une haute abside. L'emploi de voûtes sexpartites permet de remplacer les piles uniformes par une alternance de piles fortes et de piles faibles. Un triforium court au-dessus des grandes arcades, tandis qu'au niveau des fenêtres hautes le mur de clôture de la nef, légèrement en retrait, permet l'établissement d'une galerie de circulation se superposant à celle du triforium.

Dans l'ornementation extérieure, la présence d'une corniche – dont la forme varie d'un monument à l'autre – se développant autour du chœur, de la nef, de l'abside ou du clocher est un mode de décoration typiquement bourguignon.

Parmi les édifices élevés selon ces principes, les plus importants sont : la cathédrale d'Auxerre, la collégiale St-Martin de Clamecy, l'église Notre-Dame de Semur-en-Auxois. Dans cette dernière, l'absence de triforium ajoute encore à l'impression de hauteur vertigineuse qui se dégage d'une nef étroite.

Fin du 13ᵉ s. — L'architecture devient alors de plus en plus légère et d'une hardiesse qui défie les lois de l'équilibre.

Tel apparaît le chœur de l'église de St-Thibault en Auxois, dont la clef de voûte s'élève à 27 mètres. Au-dessous de la verrière couvrant toute la partie supérieure, une claire-voie descendant jusqu'au sol se compose de trois parties : en haut, une galerie de circulation; au milieu, un mur de pierre percé dans chaque travée de deux baies rayonnantes; en bas, des arcatures aveugles *(illustration ci-contre).*

L'église de St-Père présente certaines ressemblances avec Notre-Dame de Dijon. Mais elle en diffère par son élévation qui est à deux étages avec une galerie devant les fenêtres.

14ᵉ s. — C'est alors qu'apparaît le gothique flamboyant, caractérisé par l'arc en accolade; les nervures des voûtes se multiplient, les chapiteaux sont réduits à un simple rôle décoratif et parfois même disparaissent.

Cette époque n'a pas produit, en Bourgogne, de monuments de premier plan. L'église St-Jean de Dijon a une nef unique entourée de nombreuses chapelles logées entre des contreforts non saillants.

(D'après photo Trincano, Éd. Arthaud.)

St-Thibault.
Chœur de l'église *(voir p. 144).*

L'architecture civile. — Dijon et un certain nombre de villes ont conservé des hôtels particuliers ou des maisons édifiés au 15ᵉ s. par de riches bourgeois; ainsi à Flavigny-sur-Ozerain et à Châteauneuf.

C'est également de cette époque que datent une partie du palais des Ducs de Bourgogne à Dijon (tour de la Terrasse, cuisines ducales), le palais synodal à Sens et l'Hôtel-Dieu de Beaune, triomphe de l'architecture de bois. Parmi les châteaux, dont beaucoup ont gardé l'allure des châteaux-forts du 13ᵉ s., signalons ceux de Châteauneuf, construit par Philippe Pot, sénéchal de Bourgogne, de Thoisy-la-Berchère et le Palais ducal de Nevers.

Sculpture

Elle ne le cède en rien en éclat et en qualité à la sculpture romane.

La sculpture au 13ᵉ s. — Elle hérite de l'influence de l'Ile-de-France et de la Champagne en ce qui concerne la composition et l'ordonnance des sujets traités. Mais le tempérament bourguignon apparaît dans l'interprétation même de certaines scènes, où les artistes locaux ont donné libre cours à leur truculence et à leur fantaisie. Une grande partie de la statuaire de cette époque a été détruite ou mutilée au cours de la tourmente révolutionnaire. Il nous reste heureusement à Vézelay, à St-Père, à Semur-en-Auxois, à St-Thibault, à Notre-Dame de Dijon, à Auxerre, quelques exemples de cet art du 13ᵉ s.

A Notre-Dame de Dijon, certains masques et figures sont traités avec un réalisme très poussé, d'autres avec une vérité et une expression empreintes d'une bonhomie qui laissent à penser que ce sont là des portraits de Bourguignons faits d'après nature.

Le portail de St-Thibault en Auxois nous présente plusieurs scènes consacrées à la Vierge mais surtout cinq grandes statues figurant entre autres le duc Robert II et sa famille. Cet exemple, d'ailleurs fort rare, de personnages « civils » représentés à un portail s'explique par le rôle important joué par le duc dans la construction de l'église.

A St-Père, le décor sculpté du pignon de la façade se double d'une intéressante décoration florale sur les chapiteaux. Il est probable que le pignon de St-Père ait inspiré par sa composition celui de la façade de Vézelay, mais les statues de St-Père sont d'une facture bien supérieure à celles de Vézelay.

Le tympan de la Porte des Bleds, à Semur-en-Auxois, rapporte la légende de saint Thomas : les figures sont lourdes, les draperies manquent d'élégance et cette lourdeur peut être interprétée comme un trait bourguignon.

Ce style se modifie et s'assouplit à la fin du 13e s. : les bas-reliefs des soubassements des portails de la façade occidentale de la cathédrale d'Auxerre sont d'une délicatesse d'exécution et d'une grâce encore jamais atteintes qui ouvrent la voie au maniérisme.

La sculpture au 14e s. — L'avènement des « Grands Ducs Valois », en 1364, correspond pour le duché de Bourgogne à une époque d'expansion politique et de grand rayonnement artistique.

Philippe le Hardi, dès 1377, conçoit le plan d'acquérir des terres proches de Dijon, sur lesquelles débutera en 1383 la construction de la Chartreuse de Champmol, destinée à être la nécropole de la nouvelle dynastie.

Pour décorer ce monastère, le duc dépense sans compter, attirant à Dijon un grand nombre d'artistes dont beaucoup sont originaires des Flandres.

Des artistes ayant successivement travaillé à la réalisation du magnifique tombeau actuellement exposé dans la salle des Gardes au musée de Dijon *(voir p. 96)*, **Claus Sluter** est incontestablement le plus grand. Il a su donner aux personnages qu'il a créés une allure, un mouvement, une expression d'une grande originalité. Claus de Werve, neveu de Sluter, continue l'œuvre de son maître mais il tempère par une plus grande douceur le réalisme souvent brutal de Sluter.

(D'après photo Trincano, Éd. Arthaud.)

**Puits de Moïse.
Buste du Christ.** *(voir p. 100).*

C'est Claus Sluter qui a exécuté au portail de la Chartreuse de Champmol les statues de Philippe le Hardi et de Marguerite de Flandre, qui passent pour être des portraits authentiques : les draperies et les vêtements sont traités avec un art consommé, les expressions des personnages sont d'un réalisme saisissant. La sculpture s'oriente là vers une interprétation toute nouvelle : les statues cessent désormais de faire corps avec les piliers des portails; les expressions des personnages sont traitées avec réalisme et l'artiste, cherchant avant tout la ressemblance, n'hésite pas à accuser les aspects de la laideur ou de la souffrance. Claus Sluter est aussi l'auteur de la « grande croix » qui devait surmonter le puits du cloître de la Chartreuse (« *Puits de Moïse* », *voir p. 99*). L'admirable buste du Christ *(illustration ci-dessus)*, échappé à la destruction, est conservé au musée archéologique de Dijon. Les visages des six prophètes représentés sur le socle du Calvaire, saisissants de vérité, les costumes – amples draperies aux plis cassés – étudiés avec une minutie extraordinaire, font, de cette composition, l'un des chefs-d'œuvre de la sculpture du 14e s.

La sculpture au 15e s. — Le tombeau de Philippe le Hardi a suscité de nombreuses imitations : le mausolée de Jean sans Peur et de Marguerite de Bavière en est la fidèle réplique; le tombeau de Philippe Pot, sénéchal de Bourgogne, fait preuve de plus d'originalité, puisque ce sont les pleurants qui soutiennent la dalle funéraire sur laquelle est étendu le gisant.

La sculpture s'oriente alors vers un style très différent de celui du 13e s. : les proportions plus harmonieuses et les draperies plus sobres. La Vierge du musée Rolin à Autun est un bon exemple de ce style spécifiquement bourguignon.

Une formule nouvelle apparaît : les Mises au tombeau ou Saint-Sépulcre se multiplient. Parmi ces compositions groupant autour du Christ mort sept personnages, le Saint-Sépulcre de l'hôpital

(D'après photo Éd. La Cigogne.)

Tonnerre. — Le Saint-Sépulcre *(voir p. 157).*

de Tonnerre *(illustration ci-dessus)*, celui de l'église Notre-Dame de Semur-en-Auxois, celui de l'hôpital de Dijon sont remarquables.

Des retables en bois sculpté et doré ont été exécutés à cette époque : Jacques de Baerze est l'auteur du retable de la Crucifixion et de celui des Saints et Martyrs exposés dans la salle des Gardes du musée de Dijon.

Peinture

Les Grands Ducs Valois s'entourent de peintres et d'enlumineurs qu'ils font venir de Paris ou de leurs possessions des Flandres. Originaires du Nord, Jean Malouel, Jean de Beaumetz, André Bellechose créent à Dijon un art remarquable par la richesse des coloris et la précision du dessin, synthèse de l'art flamand et de l'art bourguignon. Parmi les œuvres les plus célèbres, le polyptyque de l'Hôtel-Dieu de Beaune, dû à Roger Van der Weyden et les peintures conservées au musée de Dijon présentent un grand intérêt.

La fresque a connu à l'époque gothique un regain de faveur : outre les fresques de l'église Notre-Dame de Beaune, dues à Pierre Spicre, peintre dijonnais, citons la curieuse « Danse Macabre » de la petite église de la Ferté-Loupière (illustration p. 103).

Pierre Spicre est aussi l'auteur des cartons d'après lesquels ont été exécutées les admirables tapisseries de l'église Notre-Dame de Beaune, d'une fraîcheur de tons remarquable.

Les tapisseries de l'Hôtel-Dieu de Beaune, commandées au 15° s. par le chancelier Nicolas Rolin, comptent parmi les plus belles de cette époque.

L'ART DE LA RENAISSANCE

Sous l'influence de l'Italie, l'art bourguignon suit au 16° s. une orientation nouvelle marquée par un retour aux formes antiques.

En architecture, le passage de l'art gothique à l'art italianisant ne s'effectue pas sans quelque résistance. L'église St-Michel de Dijon le prouve : tandis que la nef – bien que commencée au début du 16° s. – est une imitation de l'art gothique, la façade, dont la construction s'échelonne entre 1537 et 1570, est un exemple parfait du style de la Renaissance (illustration p. 101) : les deux tours sont divisées en quatre étages où les ordres ionique et corinthien se superposent régulièrement; mais les trois portails en plein cintre et le porche, dont les berceaux en caissons sont abondamment sculptés, témoignent d'une très nette influence italienne.

Si l'architecture est caractérisée par le triomphe des lignes horizontales et des arcs en plein cintre, la sculpture utilise les médaillons à l'antique, les bustes en haut-relief, tandis que les sujets religieux font place à des sujets profanes.

(D'après photo Marc Foucault, Éd. « Tel ».)

Château d'Ancy-le-Franc. — Cour intérieure (voir p. 42).

Dans la seconde moitié du 16° s., triomphe à Dijon la décoration ornementale telle que la conçoit Hugues Sambin, auteur de la porte du Palais de Justice et vraisemblablement d'un grand nombre d'hôtels particuliers.

La Bourgogne qui n'a pas connu, comme le val de Loire, une floraison de châteaux de plaisance, s'enorgueillit cependant des magnifiques demeures d'Ancy-le-Franc (illustration ci-dessus), de Tanlay (illustration p. 155) et de Sully (illustration p. 154).

Le travail du bois – vantaux de portes, plafonds à caissons, stalles – prend au 16° s. une grande importance. C'est en 1522 que sont sculptées les 26 stalles de l'église de Montréal (illustration p. 119), œuvre d'inspiration locale, où se révèle l'esprit bourguignon.

L'ART CLASSIQUE

La réunion de la Bourgogne à la couronne marque la fin de son indépendance politique, mais son rôle artistique, pour effacé qu'il soit, ne disparaît pas pour autant. L'art classique, imité de Paris et plus tard de Versailles, est marqué à Dijon par l'aménagement de la place Royale, par la transformation de l'ancien Palais des Ducs, la construction du Palais des Ducs de Bourgogne. De nombreux hôtels particuliers sont édifiés par les familles de parlementaires : bien qu'ayant gardé les caractères de l'époque Renaissance, l'hôtel de Vogüé (1607-1614) présente l'aspect nouveau d'un corps de logis retiré au fond d'une cour, n'ayant accès à la rue que par une porte cochère, l'autre façade s'ouvrant sur des jardins.

Parmi les nombreux châteaux édifiés aux 17° et 18° s., il faut citer ceux de Bussy-Rabutin (illustration p. 66), de Commarin, de Grancey, de Beaumont-sur-Vingeanne, de Fontaine-Française, de Talmay. Les sculpteurs Dubois, au 17° s., Bouchardon et Attiret au 18° s. ont eu une grande influence sur leur temps. Il en est de même pour Greuze et François Devosge en dessin et en peinture, et surtout Mignard, premier peintre de Louis XIV.

Dans l'art musical, la Bourgogne s'enorgueillit d'avoir donné le jour à **Jean-Philippe Rameau**, né à Dijon, à la fin du 17° s. Contemporain de Bach et de Haendel, c'est l'un des grands musiciens français classiques. Outre de nombreuses pièces pour clavecin, il a composé des opéras, dont l'un, « Les Indes Galantes », a été repris naguère au répertoire de l'Opéra de Paris.

L'ART MODERNE

Élèves de Devosge, Prud'hon et Rude ont illustré la peinture et la sculpture au début du 19° s. Après eux, Cabet, Jouffroy et plus près de nous François Pompon, sculpteur animalier (illustration p. 100), ont contribué à maintenir le renom artistique de la Bourgogne.

LA VIE MONACALE EN BOURGOGNE

Après les troubles de la décadence carolingienne, l'Église, forte de son influence et de sa culture solidement établies depuis plusieurs siècles, reprend une place prépondérante comme puissance dirigeante et l'on assiste dans toute l'Europe occidentale à un renouveau de la vie monacale.

Ce rôle, elle le doit avant tout à la place que tiennent les ordres religieux – en premier lieu l'ordre de St-Benoît – qui se multiplient à partir du 10ᵉ s. La France s'est alors trouvée à l'avant-garde de ce mouvement religieux et, en France, c'est de Bourgogne qu'est partie l'impulsion la plus vive.

Les premiers ordres religieux - Saint Benoît et sa règle. — Benoît de Nursie, installé en 529 au mont Cassin, en Italie, où il mène une existence de reclus, élabore ses « Constitutions » qui seront bientôt suivies par de nombreux monastères. Ces conseils, d'où sortira la fameuse « règle bénédictine », témoignent d'une grande modération : si les jeûnes, le silence et l'abstinence sont prescrits, les mortifications et les pénitences douloureuses sont sévèrement condamnées. Saint Benoît accorde au travail manuel une grande place dans l'emploi du temps des moines (6 à 8 heures, contre 4 à la lecture et 4 à l'office divin). Élu à vie, l'abbé a une autorité absolue. Les relations avec l'extérieur sont à éviter et la communauté doit subvenir à ses besoins par le travail. La souplesse de cette règle explique le succès qu'elle remporte plus tard, en Italie, en Gaule, en Germanie, surtout à partir du 10ᵉ s.

Cluny et le triomphe de la règle bénédictine. — La fondation, en 910, d'un couvent sur les terres de son comté de Mâcon par le duc d'Aquitaine, Guillaume le Pieux, marque le début d'une importante réforme religieuse attachée au nom de Cluny. L'époque est en effet propice à une telle situation, le « climat » social – début de la féodalité, troubles politiques, instabilité du pouvoir royal – provoquant un mouvement mystique et un afflux d'hommes vers les cloîtres.

Le retour à l'esprit de la règle bénédictine est marqué par l'observance des grands principes – chasteté, obéissance, jeûnes – mais les offices divins occupent la plus grande partie du temps, réduisant et supprimant presque le travail manuel et le travail intellectuel.

La grande innovation consiste dans une indépendance complète de la nouvelle abbaye à l'égard de tout pouvoir politique. Cluny est, en vertu de la charte de fondation, directement rattachée au Saint-Siège, ce qui en fait lui assure, étant donné l'éloignement du pouvoir pontifical, une autonomie absolue. L'expansion de l'Ordre clunisien est extrêmement rapide, si l'on songe qu'au début du 12ᵉ s. 1450 maisons comptant 10 000 moines dépendaient de Cluny, réparties en France, en Allemagne, en Espagne, en Italie, en Grande-Bretagne. Parmi ses filiales bourguignonnes, citons les abbayes ou prieurés de Charlieu, de St-Germain d'Auxerre, de Paray-le-Monial, de St-Marcel de Châlon, de Vézelay, de Nevers (St-Sever et St-Étienne), de la Charité-sur-Loire.

Une telle expansion s'explique pour une grande part par la personnalité et aussi la longueur du « règne » des grands abbés de Cluny, choisissant eux-mêmes leur successeur et secondés par des hommes d'une haute compétence. Durant deux ou trois générations, Cluny est le centre d'un véritable empire. Mais l'organisation étant basée sur une centralisation extrême, tout le poids du pouvoir repose sur l'abbé de Cluny. Le jour où ce pouvoir suprême n'est plus exercé d'une façon efficace, l'ensemble de l'édifice est menacé.

Cîteaux et saint Bernard. — Pour lutter contre le luxe et le relâchement des moines clunisiens, illustrés par la splendide abbatiale de Cluny, s'élève la voix de saint Bernard, « ce Français de Bourgogne qui fut, de beaucoup, la personnalité la plus forte, la plus rayonnante, la plus influente d'Occident ». Étrange destinée que celle de ce jeune noble, né au château de Fontaine près de Dijon qui, en 1112, âgé de 21 ans, se présente avec 32 compagnons au monastère de Cîteaux, cherchant la miséricorde de Dieu.

En 1115, quittant Cîteaux qu'il laisse en plein développement, il va s'installer aux limites de la Bourgogne et de la Champagne, dans un pays pauvre. La vallée de l'Absinthe devient « Clairvaux » (la claire vallée). Bernard, promu abbé, accomplit là une œuvre gigantesque. Dénué de tout, il se heurte au début à de grandes difficultés : rigueur du climat, maladies, souffrances physiques dues à une existence de renoncement. Il impose à ses moines, comme à lui-même, les plus durs travaux, « mangeant légumes à l'eau et buvant de l'eau claire, couchant sur un bat-flanc ou sur un pauvre grabat, ne se chauffant pas l'hiver, portant jour et nuit les mêmes vêtements d'humble laine ».

Les fondations monastiques. — Mais la récompense est proche. Le renom de Bernard attire bientôt à Clairvaux un grand nombre de vocations monastiques si bien qu'en 1121 est fondée dans la Marne l'abbaye de Trois-Fontaines. A sa mort en 1153, Cîteaux compte 700 moines et son rayonnement est considérable : 350 abbayes lui sont attachées et, parmi elles, les 4 premières « Filles » : la Ferté, Pontigny, Morimond et surtout Clairvaux qui garde, grâce à saint Bernard, une place prépondérante au sein de l'Ordre de Cîteaux. Il est vrai que, sous son abbatiat, Clairvaux a connu une prospérité extraordinaire : dès 1135, 1 800 ha de forêts et 350 ha de prés et de champs dépendaient de l'abbaye où les bâtiments de pierre avaient remplacé les bâtisses de bois des premières années.

Pourtant, celui qui semblait destiné à mener une vie uniquement contemplative, ce mystique pénétré de la supériorité de la vie monastique, fut amené à jouer un rôle « politique » de première grandeur.

Lorsqu'il meurt, en 1153, son nom apparaît comme l'un des plus grands que l'Église ait produits. Écrivain, théologien, philosophe, moine, chef militaire, homme d'État, arbitre de l'Europe, saint Bernard est tout cela à la fois.

La règle cistercienne. — Saint Bernard a su définir d'une façon intransigeante et faire appliquer à la lettre la règle bénédictine promulguée avant lui. Il interdit de percevoir des dîmes, de recevoir ou d'acheter des terres et il impose à ses moines de Clairvaux – et par extension, à tous les moines de l'Ordre cistercien – des conditions de vie rigoureuses. La nourriture est frugale. Le repos est de 7 heures : les moines couchent tout habillés dans un dortoir commun.

L'emploi du temps d'une journée est réglé avec une précision rigoureuse : levés entre 1 h et 2 h du matin, les moines chantent matines, puis laudes, célèbrent les messes privées, récitent les heures canoniales – prime, tierce, sexte, nones, vêpres, complies –, assistent à la messe conventuelle. Les offices divins représentent ainsi 6 à 7 h et le reste du temps est partagé entre le travail manuel, le travail intellectuel et les lectures pieuses.

Chef de la communauté, l'Abbé vit avec ses moines dont il partage les repas, préside aux offices, au chapitre, aux réunions. Il est assisté d'un Prieur, qui le remplace en son absence.

Les abbayes cisterciennes au 20e s. — L'organisation de l'Ordre reste basée sur la « charte de charité », établie vers 1115, sorte de lien unissant les diverses abbayes, toutes égales entre elles.

Actuellement 3 200 Cisterciens réformés, gouvernés par un Abbé général portant le titre d'Archiabbé de Cîteaux et résidant à Rome, sont répartis à travers le monde dans quatre-vingt-huit abbayes, dont 16 en France. Tous les cinq ans, les Abbés de l'Ordre se réunissent à Rome à l'occasion du chapitre général. En 1978, on dénombre en outre 1 975 moniales dans cinquante-deux abbayes, dont 13 en France, conduites par le même Abbé général, mais dont le chapitre général est distinct.

LA VIE INTELLECTUELLE ET LITTÉRAIRE

Moyen Age et Renaissance. — Au Moyen Age, la vie intellectuelle se cristallise autour des églises et des monastères : l'abbaye de St-Germain d'Auxerre a joué le rôle d'une véritable Université au temps de Charlemagne et, un peu plus tard, c'est de l'abbaye de Cluny que rayonne la vie intellectuelle.

Saint Bernard domine le 12e s. de sa personnalité et de son génie : il réunit à Clairvaux une bibliothèque remarquable et nous apparaît lui-même comme l'un des plus grands écrivains de son temps. Mais le 12e s. est aussi l'époque de la chevalerie et les traditions légendaires inspirent des épopées mêlées de merveilleux : un peu partout éclosent les chansons de gestes. Avec « Girart de Roussillon », la Bourgogne revendique l'une des plus belles. Ce chef-d'œuvre littéraire est, avec le conte de « La châtelaine de Vergy », directement issu de l'histoire de la province. Les Mystères et les Passions – forme populaire du théâtre – appartiennent encore à la littérature médiévale : Passion d'Autun, Passion de Semur ont connu un vif succès.

Au 15e s., les ducs de Bourgogne aiment à s'entourer de chroniqueurs qui relatent, en les embellissant, les événements marquants de leur règne : Commynes et Olivier de la Marche sont les plus célèbres de ces « historiens ».

Tout imprégné d'humanisme, le 16e s. a connu avec **Pontus de Thiard,** né au château de Bissy-sur-Fley en Mâconnais, un grand philosophe et théologien, membre de la Pléiade, et en Guy Coquille, né à Decize, un célèbre jurisconsulte qui écrivit les « Coutumes du pays et duché de Nivernais ». Théodore de Bèze, leur contemporain, originaire de Vézelay, fut un humaniste d'une vaste culture : ayant embrassé le protestantisme et successeur de Calvin à Genève, il publia de nombreux ouvrages dogmatiques et théologiques. Quant à Bonaventure des Périers, d'Arnay-le-Duc, c'est un conteur spirituel et malicieux, souvent mordant et satirique.

17e et 18e s. — Le 17e s. est dominé en Bourgogne par la grande figure de **Bossuet,** dijonnais de naissance. Mais on peut lui associer Mme de Sévigné, qui passa sa jeunesse au château de Bourbilly, et son cousin Bussy-Rabutin (p. 66) qui, l'un et l'autre, eurent de fortes attaches en Bourgogne.

Vauban (voir p. 141) a été non seulement un grand ingénieur militaire, mais aussi un écrivain de talent, comme en témoignent ses « Oisivetés » et son « Projet d'une dîme royale ».

Au 18e s., Jean Bouhier, Président au Parlement, écrit « La coutume de Bourgogne ». Un peu plus tard, Charles de Brosses, Premier Président au Parlement de Bourgogne, se révèle humaniste de valeur et conteur plein de vie et d'humour dans ses « Lettres familières sur l'Italie ».

Bourguignon par ses origines et ses relations, **Buffon** a joué un rôle de premier plan dans le rayonnement de la science française (voir p. 117). **Alexis Piron** (voir p. 55) s'est illustré par ses épigrammes et ses comédies satiriques. **Rétif de la Bretonne,** romancier fécond, philosophe à ses heures, dont l'œuvre, souvent licencieuse mais basée sur la réalité, est une précieuse source de renseignements sur la société à la fin du 18e s., est né à Sacy, près de Vermenton.

Romantisme et époque contemporaine. — **Lamartine,** originaire de Mâcon, a été l'un des plus grands noms du romantisme français et son influence littéraire a été considérable au 19e s.; dans les « Méditations », il exalte la beauté de St-Point et de Milly, sa terre natale. **Lacordaire,** célèbre prédicateur et écrivain du 19e s. qui s'associa à Lamennais pour créer un mouvement catholique libéral, est né à Recey-sur-Ource. C'est lui qui rétablit en France l'ordre des Dominicains (voir p. 104).

Parmi les romanciers et les poètes de notre époque, nombreux sont ceux qui se sont attachés à décrire les aspects les plus typiques de la province. Colette, Marie Noël, Gaston Roupnel ont été les fidèles interprètes du terroir et de la pensée bourguignonne. Jacques Copeau, abandonnant le « Vieux Colombier », a puisé là les meilleures sources de son inspiration théâtrale.

Le poète Achille Millien a chanté la terre nivernaise et recueilli les vieilles traditions morvandelles. Après Claude Tillier, auteur de « Mon Oncle Benjamin », Clamecy a vu naître **Romain Rolland** à qui l'on doit « Jean-Christophe » et « Colas Breugnon ». Franc-Nohain et Maurice Genevoix, d'origine nivernaise, ont eux aussi décrit les paysages qu'ils ont connus et aimés.

LE VIGNOBLE

Si le nom de Bourgogne évoque pour l'amateur d'art les chefs-d'œuvre du Moyen Age et de la Renaissance, il est pour tous les gourmets synonyme de bon vin. Le vignoble bourguignon est en effet l'un des plus beaux du monde et sa renommée universelle.

Répartition du vignoble. — 37 500 ha de vignes produisant des vins à appellations contrôlées sont répartis sur les départements de l'Yonne, de la Nièvre, de la Côte-d'Or, de la Saône-et-Loire et du Rhône.

La production moyenne annuelle de vins fins est d'environ 1 800 000 hl.

Dans l'Yonne, la région de Chablis offre d'excellents vins blancs, secs et légers, tandis que les coteaux proches d'Auxerre donnent d'agréables vins rosés et rouges (Irancy, Coulanges-la-Vineuse). Pouilly-sur-Loire, dans la Nièvre, fournit des vins blancs très réputés (Pouilly-Fumé) au goût de pierre à fusil qui les apparente aux vins de Sancerre, leurs proches voisins.

En Côte-d'Or, se déroule de Dijon à Santenay, un prestigieux vignoble. La Côte de Nuits engendre presque exclusivement de très grands vins rouges, dont les plus célèbres sont produits dans les communes de Gevrey-Chambertin, Morey-St-Denis, Chambolle-Musigny, Vougeot, Vosne-Romanée, Nuits-St-Georges. La Côte de Beaune présente à la fois une gamme de très grands vins rouges, à Aloxe-Corton, Savigny-lès-Beaune, Pommard, Volnay, et de très grands vins blancs (Corton-Charlemagne, Meursault, Puligny-Montrachet, Chassagne-Montrachet).

En Saône-et-Loire, la région de Mercurey (Côte chalonnaise) a des vins rouges de qualité (Givry, Rully) mais aussi des vins blancs (Rully-Montagny), tandis que le Mâconnais s'enorgueillit de son Pouilly-Fuissé, vin blanc de grande classe.

Heurs et malheurs du vignoble bourguignon. — Les premiers plants de vigne sont introduits dès la conquête romaine et la culture de la vigne se généralise rapidement.

Mais c'est surtout à partir du Moyen Age que le défrichement, œuvre des moines et en particulier des moines cisterciens, permet de transformer en vignobles de nombreuses terres reçues en donation par les communautés religieuses; ainsi se constituent après le 12ᵉ s. les terroirs de Chablis, de Pommard, de Meursault, de Savigny, d'Aloxe-Corton, de Vosne, de Chambolle, de Morey, de la Perrière, du Clos-de-Vougeot. Au temps des Grands Ducs d'Occident, au 14ᵉ s., les vins de Bourgogne acquièrent une célébrité qui ne fera que se confirmer.

Au 18ᵉ s., s'organise le commerce des vins : à Beaune, puis à Nuits-St-Georges et à Dijon s'ouvrent les premières maisons de négociants qui envoient, tant en France qu'à l'étranger (Angleterre, Belgique, Pays scandinaves, Suisse, Allemagne), des représentants chargés d'ouvrir de nouveaux marchés aux vins de Bourgogne. Mais la culture de la vigne demande beaucoup de soins et le vigneron n'est pas toujours récompensé de ses peines. La grêle, les gelées font perdre en quelques heures le fruit de toute une année de travail.

Parmi les ennemis de la vigne, le phylloxera, petit insecte originaire d'Amérique, fait son apparition dans le département du Gard en 1863. En 1878, on le signale à

Meursault et il ravage en peu de temps tout le vignoble bourguignon.

C'est la ruine de toute la population viticole. Heureusement, la greffe de plants français sur des porte-greffes américains permet d'enrayer la crise et de reconstituer peu à peu l'ensemble du vignoble bourguignon, sans dommages pour la qualité des crus.

Ce qui fait le bon vin. — La qualité d'un vin dépend essentiellement de certains facteurs dont les plus importants sont le cépage, c'est-à-dire la variété de plant, le terroir, c'est-à-dire le sol sur lequel pousse la vigne, le climat enfin. Mais le travail du vigneron entre pour une bonne part dans la qualité des vins.

Le cépage. — Le pinot noir fin est depuis fort longtemps le plant noble produisant tous les grands vins rouges de la Bourgogne. Il était déjà fort prisé à l'époque des Grands Ducs, puisqu'une ordonnance de Philippe le Hardi, prise en 1395, le défendait contre le gamay. Spécifiquement bourguignon, ce cépage a été implanté avec succès en Suisse et même en Afrique du Sud, dans la région du Cap. Le jus du pinot noir est incolore et une vinification spéciale permet de produire le vin de Champagne. Le chardonnay est aux vins blancs ce que le pinot est aux vins rouges. Il produit tous les grands vins blancs de la Côte-d'Or (Montrachet-Meursault), les crus réputés de la région de Mercurey (Rully), du Mâconnais (Pouilly-Fuissé) – dont c'est le terrain de prédilection –, ainsi que les vins de Chablis (le plant étant connu dans la région sous le nom de « Beaunois »).

(D'après photo Éd. Confrérie des Chevaliers du Tastevin.)

Château du Clos de Vougeot.
Vieux pressoir (voir p. 81).

L'aligoté, cultivé en Bourgogne depuis très longtemps produit un vin blanc mi-fin, répandu dans les terres ne convenant ni au pinot ni au chardonnay. Ce vin, associé à la liqueur de cassis, constitue le « kir », apéritif apprécié des Bourguignons.

Le terroir. — Il joue un rôle très important dans le « comportement » du plant. C'est lui qui permet aux qualités du cépage de se développer, de s'affirmer et de se manifester pleinement. C'est dans les sols caillouteux et secs, laissant filtrer l'eau et s'échauffant facilement, que la vigne se plaît le mieux. Les terrains calcaires donnent des vins bouquetés, forts en alcool, et de longue conservation (Côte de Nuits, Côte de Beaune), les terrains composés de silice, de calcaire et d'argile, des vins légers (Chablis).

Le climat. — Il a lui aussi une action prépondérante. Les conditions générales de climat dues à la situation de la Bourgogne dans une zone tempérée, mais dont les gelées hivernales ne sont pas exclues, font place à de nombreux facteurs particuliers que le vigneron doit connaître pour obtenir les meilleurs résultats. Le vignoble bourguignon est généralement étagé sur des coteaux dont l'altitude varie entre 200 et 500 m. L'orientation la meilleure semble être le Sud-Est pour le vignoble de Chablis, le Sud-Ouest pour celui de Pouilly-sur-Loire, l'Est-Sud-Est pour le vignoble de la Côte-d'Or (Côte de Nuits, Côte de Beaune), l'Est et le Sud pour la région de Mercurey et le Mâconnais. Dans chaque village, le vignoble est divisé en « climats ». Le nom des climats les mieux situés, c'est-à-dire devant produire normalement les meilleurs vins, possède le privilège d'être accolé au nom du village : ainsi « Beaune-Clos des Mouches ». Parmi ces climats, certains bénéficient depuis fort longtemps d'une grande renommée : leur nom seul suffit à les désigner : Chambertin, Musigny, Clos de Vougeot, Richebourg.

Pour les grandes années : consulter le guide Michelin France.

Le service des vins. — Les vins rosés et les vins blancs assez légers, tels l'Irancy, le Chablis et l'Aligoté doivent être bus très frais. Les autres vins blancs, plus capiteux – Meursault, Montrachet –, doivent être servis froids, mais non frappés (6 à 12ºC) ou mieux à la température de la cave : ils accompagnent les potages, les poissons, les crustacés. De deux vins blancs, c'est toujours le plus capiteux qui doit être servi le second. La Bourgogne produit des vins blancs secs et demi-secs, mais pas de vins doux ou moelleux comme certains bordeaux.

Par contre, on trouve en Bourgogne, la gamme la plus complète de vins rouges, depuis les vins de primeur jusqu'aux crus les plus prestigieux, vins de longue conservation. Les vins rouges doivent toujours être bus chambrés (15 à 16ºC), mais non chauds. Ils accompagnent les viandes, les gibiers, les fromages. Les vins les plus légers sont servis les premiers, les plus corsés étant présentés avec les fromages, en une sorte d'apothéose; la règle d'or est que « la bouteille que l'on boit ne doit pas faire oublier celle que l'on vient de boire ». C'est ainsi que les vins du Beaujolais seront servis avant ceux de la Côte de Beaune, qui céderont le pas aux grands crus de la Côte de Nuits.

Nunc est bibendum. — Si les plus grands soins doivent présider au choix et à la « présentation » de la bouteille, la dégustation à elle seule est tout un art et s'accomplit en plusieurs temps : la vue, l'odorat... et le goût sont successivement sollicités.

Grâce à ses nombreuses facettes, le tastevin permet d'apprécier la tonalité du vin et l'intensité de la couleur. La forme du verre a une grande importance : le verre à dégustation – si possible de cristal blanc pour mettre mieux en valeur les reflets du vin – doit être large et renflé du bas (genre tulipe); cette forme facilite ainsi la rotation du liquide préalablement réchauffé sous la paume de la main et permet la concentration du bouquet qui s'exhale et se manifeste pleinement : il ne reste plus alors qu'à savourer, en connaisseur.

Certains établissements – « maison des vins », caveaux, etc. – offrent la possibilité de déguster les vins de la région.

Pour trouver la description d'une ville ou d'une curiosité isolée, consultez l'**Index alphabétique** à la fin du volume.

LA TABLE

« Par la gloire de son vignoble, a écrit l'un de nos plus éminents gastronomes, par la richesse de son sol, par l'excellence et la qualité de ses produits naturels aussi bien que par le talent et le goût de ses chefs et de ses cordons bleus qui, depuis des siècles, ont su maintenir les plus belles traditions, la somptueuse Bourgogne est un paradis de la gastronomie ». Cette réputation est solidement établie depuis très longtemps : si l'on en juge par les inscriptions et les enseignes culinaires gravées dans la pierre, actuellement conservées au musée archéologique, Dijon était dès l'époque gallo-romaine une ville gastronomique. Au 6e s., Grégoire de Tours vante la qualité des vins de Bourgogne et le roi Charles VI, encore sain d'esprit, proclame la renommée gastronomique de Dijon, tant pour ses vins que pour ses spécialités gastronomiques. Au temps des Grands Ducs d'Occident, la cuisine tient une place importante au Palais de Dijon. De nos jours, les États Généraux de Bourgogne et la Foire gastronomique de Dijon perpétuent la tradition du bien-boire et du bien-manger.

La matière première. — Heureuse province, la Bourgogne dispose de l'excellent élevage de l'Auxois, du Bazois et du Charolais et de l'un des plus succulents gibiers de France, elle produit des légumes incomparables, les poissons les plus variés – poissons blancs de la Loire et de la Saône, truites et écrevisses des rivières aux eaux vives du Morvan –, de délicieux champignons – mousserons, cèpes, morilles, girolles –, des escargots de renommée mondiale et des fruits succulents (cerises de la région d'Auxerre).

La cuisine bourguignonne. — Elle est plantureuse et substantielle et reflète le tempérament de fort mangeur – à la fois gourmet et gourmand – du Bourguignon. Le vin, gloire de la province, y joue naturellement un rôle de premier plan : les sauces au vin, orgueil de la cuisine bourguignonne, sont appelées des « meurettes »; elles sont à base de vin aromatisé et épicé, lié avec du beurre et de la farine. Les meurettes accompagnent avec bonheur les poissons – carpes, tanches, anguilles –, les cervelles, les œufs pochés, le bœuf (dit « bœuf bourguignon »).

Quant à la crème, elle entre dans la préparation de nombreux plats : jambon à la crème, champignons à la crème, et aussi du saupiquet (sauce piquante au vin et à la crème accompagnant le jambon) dont la création remonte au 15e s. et dont le nom dérive du vieux verbe « saupiquer » (piquer le sel).

Les **spécialités bourguignonnes** sont nombreuses : escargots (cuits dans leurs coquilles), jambon persillé, andouillette, saupiquet, coq au vin, pochouse (sorte de matelote de poissons variés faite avec du vin blanc), poulet « en sauce » (moitié crème, moitié vin blanc) constituent les éléments de base de la cuisine bourguignonne.

En Nivernais et en Morvan, jambon et saucisson « de ménage », œufs au jambon, tête de veau ou « sansiot », œufs au vin, grenadins de veau, « jau » au sang (jeune poulet de l'année au lard et aux petits oignons), figurent parmi les plats traditionnels d'un repas bien conduit.

Et pour accompagner et mettre en valeur ces plats délicieux, la Bourgogne offre une gamme incomparable de grands vins blancs et rouges *(voir p. 32 et 33)*.

Les fromages. — Bien que n'atteignant pas une valeur internationale, les fromages bourguignons ne sont pas négligeables. Les pays de l'Yonne produisent le St-Florentin, qui doit être consommé quand la pâte est blanche et encore humide. Époisses a donné son nom à un fromage à pâte molle, qui au bout de deux à trois mois présente une surface rouge-orangé, lisse et une pâte de teinte beurrée, très homogène et très onctueuse. Le fromage d'Époisses a une saveur très prononcée. Le Chaource, fabriqué dans les cantons de Chaource, Ervy-le-Châtel et Bar-sur-Seine, a une pâte blanche; consommé frais, il peut être légèrement salé. Quant au Soumaintrain, produit dans le canton d'Ervy-le-Châtel, il présente, lorsqu'il est « à point », une croûte et une pâte jaune d'or. Ce fromage à croûte lavée rappelle le Munster par sa forme, sa couleur, son goût; il est consommé dans toute la Bourgogne. Les fromages de chèvre du Sancerrois (« crottins » de Chavignol) et du Morvan sont de très petit format. Ils accompagnent les vins blancs secs de Sauvignon, de Sancerre et de Pouilly-sur-Loire.

Eaux-de-vie, liqueurs et friandises. — Parmi les douceurs les plus connues, citons les pains d'épices et cassissines (bonbons au cassis) de Dijon (célèbre aussi par sa moutarde), les anis de Flavigny, les nougatines de Nevers. Pour terminer un bon repas, la dégustation de cassis de Dijon ou d'un marc de Bourgogne longuement vieilli en fût de chêne est particulièrement agréable.

JOYEUX ENFANT DE LA BOURGOGNE, JE N'AI JAMAIS EU DE GUIGNON

OÙ GOÛTER DANS UN CADRE AGRÉABLE

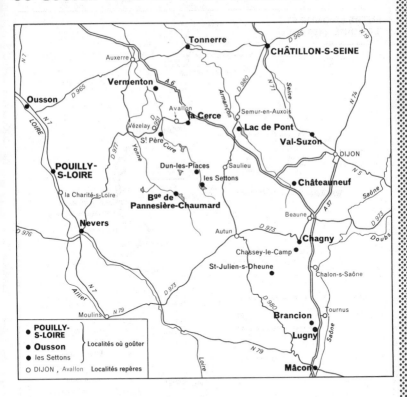

	Page du guide ou renvoi à la carte Michelin	ÉTABLISSEMENT Nom et n° de téléphone	Très confortable •• Confortable • Simple •	Cadre et agrément ⟵ Vue étendue ou intéressante
Brancion	64	Aub. du Vieux Brancion ☎ 51.03.83	••	Décor rustique.
Cerce (La) 65-⑯		Relais Fleuri ☎ 34.02.85 . . .	••	Salle à manger rustique.
Chagny	88	Host. de Bellecroix ☎ 87.13.86 . .	••	Parc (croix du 13ᵉ s.).
Chassey-le-Camp 69-⑨		Aub. du Camp Romain ☎ 87.09.91	•	⟵ campagne.
Châteauneuf	77	Host. Château ☎ 33.00.23 . . .	•	Jardin avec ⟵ château.
Châtillon-sur-Seine . . .	78	Côte d'Or ☎ 91.13.29	••	Jardin et bel intérieur.
Dun-les-Places . . . . (au pont du Montal)	122	Chalet du Montal ☎ 84.61.38 .	•	⟵ torrent et bois.
Lugny	115	Caveau St-Pierre ☎ 33.20.27 .	••	⟵ vignoble et vallée de la Saône.
Mâcon	112	Maison Mâconnaise des Vins ☎ 38.36.70	••	Beau décor intérieur.
Nevers	124	La Crêperie ☎ 57.28.61 . . .	••	Rustique Morvandiau.
Ousson 65-②		La Chaumière ☎ 31.45.66 . .	••	⟵ Loire.
Pannesière-Chaumard . . (Barrage)	130	La Chaumière ☎ 84.73.59 . .	••	⟵ barrage et lac.
Pont (Lac de)	149	Hôtel du Lac ☎ 97.11.11 . . .	••	Proximité immédiate du lac de Pont.
Pouilly-sur-Loire	111	Le Relais Fleuri ☎ 39.12.99 . .	••	⟵ jardin fleuri et belle vue sur la Loire.
St-Julien-sur-Dheune . . 69-⑧		Restaurant Maillot ☎ 78.10.04	•	⟵ étang de Montaubry.
St-Père	141	Espérance ☎ 33.20.45 . . .	•	⟵ jardin fleuri, parc.
Settons (Les)	153	Plage ☎ 84.53.78	•	⟵ lac.
Tonnerre	156	Abbaye St Michel ☎ 55.05.99 .	•••	Parc fleuri.
Val-Suzon	101	Host. du Val-Suzon ☎ 31.60.15 . .	••	Jardin fleuri avec volière.
Vermenton	92	Le Moulinot ☎ 53.53.83 . . .	••	Jardin au bord de l'eau.

ITINÉRAIRES DE VISITE RÉGIONAUX

ENTRE L'YONNE ET LA LOIRE (498 km)

0 10 20 30 km

★★SENS

N 60

N 6

Villeneuve-s-Yonne

45   D 905

St. Julien-du-Sault   p.166

Joigny   ★ St. Florentin

75   D 943   Yonne

la Ferté-Loupière   ★ Pontigny ★

D 56   Châtillon-Coligny   **★★AUXERRE**   46   D 91

les Bézards   D 965

la Bussière   Rogny   D 955   p. 51

19   D 90   40   Toucy   D 958

St. Fargeau   la Puisaye   64   p.166

BRIARE   N 7   42   St. Sauveur-en-Puisaye   p.136   Mailly-le-Château

★ Ratilly   ▲ Rochers du Saussois

31   Surgy +   Châtel-Censoir

LOIRE   Clamecy ★   p.167

19   ★ Metz-le-Comte

Cosne-s-Loire   Tannay ×

D 34

Pouilly-s-Loire   ★ Butte de Montenoison

52   65   ▲

★★la Charité-s-Loire   Prémery

N 7   D 977

Pougues-les-Eaux

NEVERS ★

○	Ville d'étape
×	Château
✝	Edifice religieux
∴	Ruines intéressantes
▲	Autre curiosité
⬊ p. 51	Parcours décrit p. 51

LA BOURGOGNE ROMANE (606 km)

0 10 20 30 km

Prieuré de Vausse   67   ○ Montbard

Talcy   D 980

D 957   Montréal

★ Avallon   **SEMUR-EN-AUXOIS ★**

★★ Vézelay   13   D 970

Ste. Magnance   N 6

39   St. Thibault

48   p.130

Yonne   p.135   43   Dijon ★★★

Cure   Saulieu   Pouilly-en-Auxois   Commarin ★   N 74

Liernais   Châteauneuf ★

Bard-le-Régulier   D 15   39

43   Nuits-St-Georges

p. 87

★★AUTUN   **BEAUNE ★★**

A 6

Arroux   Chalon-s-Saône   SAÔNE

D 994   55

77   Toulon-s-Arroux

Gueugnon

Digoin   ★ Chapaize   Tournus ★★

D 14

38   p.114

Taizé   Brancion ★

D 987   D 981

Paray-le-Monial ★★   **CLUNY ★★**

5   ★ Berzé-le-Châtel ★

★ Anzy-le-Duc   46   7   Berzé-la-Ville ★

Marcigny   60

★ Semur-en-Brionnais   la Clayette

St. Julien-de-Jonzy   D 20   Châteauneuf

D 987

✝ Charlieu ★★

36

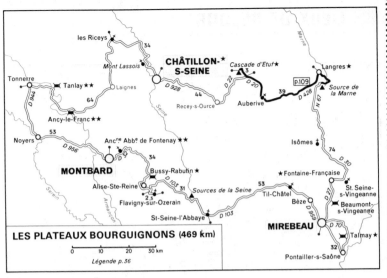

LES PLATEAUX BOURGUIGNONS (469 km)

les Riceys
★ CHÂTILLON-S-SEINE
Cascade d'Etuf ★
Langres ★
34
Mont Lassois
D 20
p.109
Source de la Marne
Tonnerre
★ Tanlay ★★
Laignes
D 928
44
39
D 428
N 67
64
D 944
Recey-s-Ource
Auberive
Ancy-le-Franc ★★
Isômes
74
D 30
53
Noyers
D 956
Anc.ne Abbe de Fontenay ★★
34
D 4
★ Fontaine-Française
St. Seines-Vingeanne
MONTBARD
Bussy-Rabutin ★
D 103
31
53
Til-Châtel
D 22
Bèze
Beaumont-s-Vingeanne
Alise-Ste-Reine
Sources de la Seine
Flavigny-sur-Ozerain
2,5
D 959
D 70
St-Seine-l'Abbaye
D 103
MIREBEAU
★ Talmay ★
32
Pontailler-s-Saône

0   10   20   30 km
Légende p. 36

LE MORVAN (319 km)

AVALLON ★
★★ Vézelay
D 957
15
Fontaines
Marrault
★ St. Père
Salées
D 10
★ Pierre-Perthuis
44
B.ge du Crescent
Chastellux-s-Cure
Quarré-les-Tombes
p.121
57
B.ge de Chaumeçon
D 944
p.121
D 977 bis
SAULIEU ★
Lormes
Dun-les-Places
D 6
D 6
33
p.122
Saut de Gouloux
Montsauche
Ouroux-en-Morvan
Châlaux
★ B.ge de Pannesière-Chaumard
Lac des Settons ★
p.121
32
53
★ CHÂTEAU-CHINON
Cussy-en-Morvan
Lucenay-l'Evêque
p.122
D 27
27
D 980
D 123
58
Mont Beuvray
N 81
Autun ★★
le Puits
D 5
Arroux
p.123

0   10   20   30 km
Légende p. 36

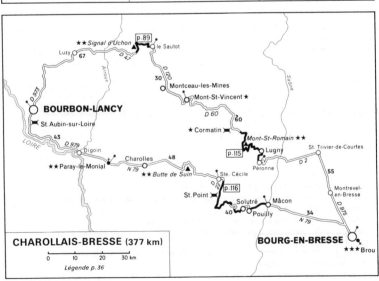

CHAROLLAIS-BRESSE (377 km)

★★ Signal d'Uchon
p.89
le Sautot
Luzy
67
D 47
30
D 120
Montceau-les-Mines
D 973
Arroux
Mont-St-Vincent ★
BOURBON-LANCY
D 60
60
★ St. Aubin-sur-Loire
★ Cormatin
Mont-St-Romain ★★
43
D 979
LOIRE
Digoin
Charolles
48
p.115
Lugny
St. Trivier-de-Courtes
★★ Paray-le-Monial
N 79
★★ Butte de Suin
Péronne
D 2
55
Ste. Cécile
Montrevel-en-Bresse
p.116
St. Point
Solutré
Mâcon
D 975
40
Pouilly
34
N 79
BOURG-EN-BRESSE
★★★ Brou

0   10   20   30 km
Légende p. 36

37

LIEUX DE SÉJOUR

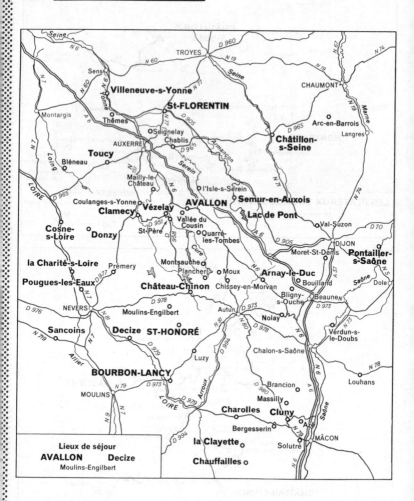

LA PÊCHE

La Bourgogne et le Morvan offrent de nombreuses possibilités de pêche en rivière et en étang, mais quel que soit l'endroit choisi il convient d'observer la réglementation en vigueur.

Quelques rappels utiles. — Sur le domaine privé (rivières ni navigables, ni flottables), le droit de pêche appartient au propriétaire riverain et l'on ne peut pas pêcher sans son autorisation ni, bien entendu, sans une carte et un timbre piscicole.

Sur le domaine public (canaux, rivières navigables ou flottables, grands lacs), le droit de pêche appartient à l'État.

Chacun peut y pêcher à une seule ligne flottante tenue à la main, s'il est porteur d'une carte de la société de son choix revêtue du timbre piscicole. Pour pêcher à trois cannes, il y a obligation de s'inscrire à l'association locale.

Pour pêcher dans une des retenues des barrages de l'E.D.F. situées dans les départements de la Nièvre et de l'Yonne, il suffit d'être membre d'une Association de Pêche et Pisciculture du département.

La législation et les périodes d'ouverture différent selon que le cours d'eau est classé en 1re catégorie (salmonidés dominants) ou 2e catégorie (salmonidés non dominants).

Longueurs minimum des prises. — *Réglementation nationale.* Brochet : 40 cm, sandre : 35 cm ; truite, saumon de fontaine et omble chevalier : 23 cm ; écrevisse : 9 cm.

Pour connaître les réglementations locales : prendre contact avec la Fédération départementale de Pêche et les associations de Pêche et de Pisciculture locales.

Dans le **guide Michelin France** *de l'année*
vous trouverez un choix d'hôtels agréables, tranquilles, bien situés
avec l'indication de leur équipement :
piscines, tennis, plages aménagées, aires de repos...
ainsi que les périodes d'ouverture et de fermeture des établissements.

Vous y trouverez aussi un choix révisé de maisons qui se signalent
par la qualité de leur cuisine :
repas soignés à prix modérés, étoiles de bonne table.

	Altitude	Hôtellerie = H (1)	Camping = C (1)	Bureau de Tourisme = T (2)	Médecin	Pharmacien	Site agréable	Plan d'eau ou rivière	Station thermale	Piscine, ou baignade (3)	Sentiers de promenade balisés	Tennis	Équitation	Société de pêche (4)	Page du guide ou renvoi à la carte Michelin
Arc-en-Barrois	270	H	C	-	⚕	℞	◁	●	-	-	⌂	-	♞	-	110
Arnay-le-Duc	374	H	C	TL	⚕	℞	◁	●	-	≈	⌂	✕	-	✒	44
Avallon	254	H	C	TL	⚕	℞	◁	●	-	≈	⌂	✕	-	✒	52
Azé	250	-	C	T	⚕	℞	◁	-	-	⊿	⌂	-	♞	-	115
Bergesserin	460	H	-	-	-	-	◁	-	-	-	-	-	-	-	69-⑱
Bléneau	171	-	C	T	⚕	℞	◁	●	-	⊿	⌂	-	-	-	65-③
Bligny-sur-Ouche	362	H	-	T	⚕	℞	◁	●	-	-	-	⌂	-	♞	130
Bouilland	410	H	-	-	-	-	◁	-	-	-	-	⌂	-	✒	87
Bourbon-Lancy	276	H	C	TL	⚕	℞	-	●	♨	⊿	⌂	✕	-	✒	59
Brancion	350	H	-	TL	⚕	℞	◁	●	-	⊿	⌂	-	-	✒	64
Chablis	144	H	-	T	⚕	℞	-	●	-	≈	-	✕	-	✒	67
Charité-sur-Loire (La)	175	H	C	TL	⚕	℞	◁	●	-	⊿	-	-	-	✒	70
Charolles	282	H	C	TL	⚕	℞	◁	●	-	⊿	⌂	✕	-	✒	74
Château-Chinon	534	H	-	TL	⚕	℞	◁	●	-	-	⌂	✕	-	✒	75
Châtillon-sur-Seine	224	H	C	TL	⚕	℞	◁	●	-	⊿	⌂	✕	-	✒	78
Chauffailles	405	H	-	TL	⚕	℞	◁	-	-	⊿	⌂	✕	-	✒	73-⑧
Chissey-en-Morvan	368	H	-	-	-	-	◁	●	-	-	⌂	-	-	-	122
Clamecy	160	H	C	TL	⚕	℞	◁	●	-	⊿	⌂	✕	-	✒	79
Clayette (La)	369	H	C	TL	⚕	℞	◁	●	-	⊿	⌂	✕	-	✒	81
Cluny	248	H	C	TL	⚕	℞	-	●	-	⊿	⌂	✕	-	✒	82
Cosne-sur-Loire	148	H	C	TL	⚕	℞	◁	●	-	⊿	⌂	✕	-	✒	85
Coulanges-sur-Yonne	148	H	C	-	⚕	℞	◁	●	-	-	-	-	-	✒	65-⑮
Cousin (Vallée du)	250	H	-	-	-	-	◁	●	-	-	-	-	-	-	54
Decize	197	H	C	T	⚕	℞	◁	●	-	⊿	⌂	✕	-	✒	92
Donzy	188	H	C	TL	⚕	℞	◁	●	-	⊿	⌂	-	-	✒	102
Isle-sur-Serein (L')	196	H	-	-	⚕	℞	◁	●	-	⊿	⌂	-	-	✒	65-⑥
Louhans	181	H	C	TL	⚕	℞	◁	●	-	⊿	-	✕	-	✒	112
Luzy	272	H	C	TL	⚕	℞	◁	●	-	⊿	-	✕	-	✒	69-⑥
Mailly-le-Château	170	H	C	-	-	-	◁	●	-	-	-	-	-	✒	166
Massilly	235	H	-	-	-	-	-	●	-	-	-	-	-	-	69-⑲
Montsauche	650	H	-	TL	⚕	℞	◁	●	-	-	⌂	-	-	✒	121
Morey-St-Denis	270	H	-	-	-	-	◁	-	-	-	⌂	-	-	-	65-⑳
Moulins-Engilbert	210	H	-	-	⚕	℞	◁	●	-	-	-	-	-	✒	124
Moux	500	H	-	-	-	-	◁	●	-	-	⌂	✕	♞	✒	65-⑰
Nolay	324	-	C	T	⚕	℞	◁	●	-	≈	-	✕	-	-	128
Planchez	618	-	C	-	-	-	-	-	-	-	⌂	-	-	-	121
Pont (Lac de)	300	H	-	-	-	-	◁	●	-	≈	⌂	✕	-	✒	149
Pontailler-sur-Saône	183	H	C	T	⚕	℞	◁	●	-	-	-	-	-	✒	145
Pougues-les-Eaux	192	H	C	TL	⚕	℞	◁	-	♨	⊿	⌂	-	-	-	135
Prémery	237	H	-	-	⚕	℞	-	●	-	-	-	✕	-	✒	136
Quarré-les-Tombes	460	H	-	TL	⚕	℞	◁	-	-	-	⌂	-	-	✒	137
St-Florentin	105	H	C	TL	⚕	℞	◁	●	-	⊿	⌂	✕	-	✒	139
St-Honoré	302	H	C	TL	⚕	-	-	●	♨	⊿	⌂	✕	-	✒	139
St-Père	148	H	-	-	-	-	◁	●	-	-	⌂	-	-	✒	141
Sancoins	206	H	-	TL	⚕	℞	-	●	-	-	-	✕	♞	✒	144
Seignelay	126	H	-	TL	⚕	℞	-	-	-	⊿	-	-	♞	-	147
Semur-en-Auxois	290	H	C	TL	⚕	℞	◁	●	-	≈	⌂	✕	-	✒	147
Solutré	325	H	-	-	-	-	◁	-	-	-	⌂	-	-	-	153
Thêmes	100	H	-	-	-	-	-	●	-	-	⌂	-	♞	✒	166
Toucy	202	H	C	TL	⚕	℞	◁	●	-	⊿	⌂	✕	-	✒	157
Val-Suzon	363	H	-	-	-	-	◁	●	-	-	⌂	-	-	-	101
Verdun-sur-le-Doubs	180	H	C	TL	⚕	℞	◁	●	-	⊿	⌂	-	-	✒	145
Vézelay	302	H	-	TL	⚕	℞	◁	●	-	-	-	-	-	✒	161
Villeneuve-sur-Yonne	74	H	-	TL	⚕	℞	◁	●	-	≈	⌂	✕	♞	✒	165

(1) La lettre H signale des ressources hôtelières (avec possibilité d'hébergement et de restauration) sélectionnées par le guide Michelin France.
La lettre C signale des terrains sélectionnés par le guide Michelin Camping Caravaning France.

(2) La lettre T signale l'existence d'un bureau d'informations touristiques ou d'un Syndicat d'initiative. La lettre L indique des possibilités de locations.

(3) Le signe ⊿ désigne une piscine chauffée; le signe ⊿ une piscine non chauffée; le signe ≈ signifie une baignade surveillée.

(4) Le signe ✒ indique l'existence d'une Société de pêche dans la localité.

SIGNES CONVENTIONNELS

Curiosités

★★★ Vaut le voyage	**DIJON**	
★★ Mérite un détour	**Beaune**	***Mont Beuvray***
★ Intéressant	*Avallon*	*Lac des Settons*
A voir éventuellement	Planchez	*Rochers du Saussois*

Les caractères penchés désignent des curiosités naturelles.

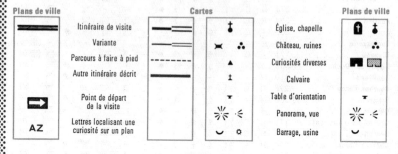

Plans de ville		Cartes		Plans de ville
	Itinéraire de visite		Église, chapelle	
	Variante		Château, ruines	
	Parcours à faire à pied		Curiosités diverses	
	Autre itinéraire décrit		Calvaire	
	Point de départ de la visite		Table d'orientation	
AZ	Lettres localisant une curiosité sur un plan		Panorama, vue	
			Barrage, usine	

Voirie

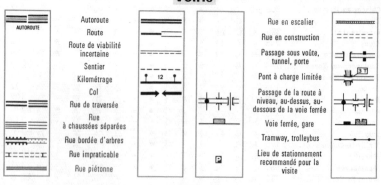

Autoroute	Rue en escalier	
Route	Rue en construction	
Route de viabilité incertaine	Passage sous voûte, tunnel, porte	
Sentier	Pont à charge limitée	
Kilométrage	Passage de la route à niveau, au-dessus, au-dessous de la voie ferrée	
Col		
Rue de traversée		
Rue à chaussées séparées	Voie ferrée, gare	
Rue bordée d'arbres	Tramway, trolleybus	
Rue impraticable	Lieu de stationnement recommandé pour la visite	
Rue piétonne		

Signes divers

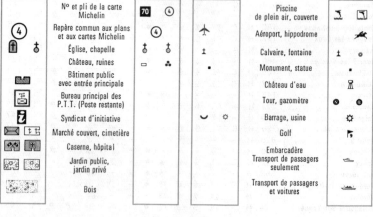

N° et pli de la carte Michelin	Piscine de plein air, couverte	
Repère commun aux plans et aux cartes Michelin	Aéroport, hippodrome	
Église, chapelle	Calvaire, fontaine	
Château, ruines	Monument, statue	
Bâtiment public avec entrée principale	Château d'eau	
Bureau principal des P.T.T. (Poste restante)	Tour, gazomètre	
Syndicat d'initiative	Barrage, usine	
Marché couvert, cimetière	Golf	
Caserne, hôpital	Embarcadère Transport de passagers seulement	
Jardin public, jardin privé	Transport de passagers et voitures	
Bois		

14280 h.	Population totale	P	Préfecture, Sous-Préfecture	N	Route nationale
AR	Aller et retour	POL.	Police (dans les grandes villes, commissariat central)	D	Chemin départemental
C	Chambre de commerce			RF	Route forestière
G	Gendarmerie	T	Théâtre	GR	Sentier de grande randonnée
H	Hôtel de ville	U	Université	Prégilbert	Localité repère
J	Palais de Justice			△ 1174	Cote d'altitude
M	Musée	Thiers (R.)	Rue commerçante		

■ **Où goûter dans un cadre agréable ?** Consultez la carte et le tableau p. 35

VILLES
CURIOSITÉS
RÉGIONS TOURISTIQUES

ALISE-STE-REINE

Carte Michelin n° **65** – Nord du pli ⑱ – 16 km au Nord-Est de Semur-en-Auxois – 708 h.

Adossée au mont Auxois, butte de 407 m aux versants abrupts, qui sépare les vallées de l'Oze et de l'Ozerain et domine la vaste plaine des Laumes, Alise-Ste-Reine tire la première partie de son nom du célèbre oppidum d'Alésia *(1)* qui, en 52 avant J.-C., vit César et son armée triompher, après un siège resté fameux, de l'héroïque résistance de l'armée gauloise commandée par Vercingétorix et des assauts d'une puissante armée de secours.

Elle doit l'autre partie de son nom à une jeune chrétienne martyrisée en cet endroit, dit-on, au 3ᵉ s. et dont la fête, en septembre, attire les pèlerins.

Le siège d'Alésia. — Après son échec devant Gergovie près de Clermont-Ferrand au printemps de 52 *(voir le guide Vert Michelin Auvergne)*, César bat en retraite vers le Nord, afin de rallier, près de Sens, les légions de son lieutenant Labienus. Cette jonction opérée, et alors qu'il se dirigeait vers ses bases romaines, il est rejoint et attaqué, près d'Alésia, par l'armée gauloise de Vercingétorix. Malgré l'effet de surprise et l'avantage du nombre, les Gaulois subissent un cuisant échec et Vercingétorix, poursuivi à son tour par César, décide de ramener ses troupes dans l'oppidum d'Alésia.

Alors commence un siège mémorable. Maniant la pelle et la pioche, l'armée de César entoure la place d'une double ligne de tranchées, murs, palissades de pieux, tours; la première ligne, face à Alésia, doit interdire toute tentative de sortie des assiégés, la seconde, face à l'extérieur, devra contenir les assauts de l'armée gauloise de secours.

Pendant six semaines, Vercingétorix essaie en vain de briser les lignes romaines. L'armée gauloise de secours, forte de plus de 250 000 hommes, ne parvient pas davantage à forcer le barrage et bat en retraite. Manquant de vivres, les assiégés capitulent. Pour sauver ses soldats, Vercingétorix se livre à son rival. Celui-ci le fera figurer dans son « triomphe » six ans plus tard et étrangler au fond du Tullianum, cachot de la prison de Rome.

Une bataille d'érudits. — L'emplacement d'Alésia a été vivement contesté sous le Second Empire par quelques érudits qui situaient à Alaise, petit village du Doubs, le lieu du fameux combat.

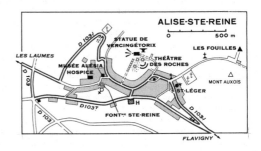

Pour mettre fin à ces controverses, Napoléon III fit exécuter des fouilles autour d'Alise-Ste-Reine de 1861 à 1865. Ces recherches permirent de découvrir de nombreux vestiges d'ouvrages militaires exécutés par l'armée de César : fossés enfouis dans le sol, ossements d'hommes et de chevaux, armes ou débris d'armes, meules à grain, pièces de monnaie. L'érection, sur le plateau, en 1885 d'une colossale statue en bronze de Vercingétorix, œuvre de Millet n'a pas pour autant mis un terme aux polémiques.

La thèse comtoise retrouva un ardent défenseur en **Georges Colomb** (1856-1945) qui fut aussi, sous le pseudonyme de Christophe, le spirituel auteur de livres pour la jeunesse, « la Famille Fenouillard » et « l'Idée fixe du savant Cosinus ».

Plus récemment, c'est à Syam (Jura), à 7 km au Sud-Est de Champagnole, qu'une équipe d'archéologues a pensé pouvoir situer le site de la bataille.

La photographie aérienne et les sondages exécutés depuis 1956 sur la contrevallation (1ʳᵉ ligne de fortifications face à l'oppidum) et sur la circonvallation (2ᵉ ligne tournée vers l'extérieur) semblent étayer la thèse bourguignonne; des bornes et plaques posées le long des routes qui entourent le mont Auxois signalent le passage des fossés romains.

■ ALÉSIA *visite : 1 h 1/2*

Les fouilles. — *Visite du 1ᵉʳ juillet au 15 septembre de 9 h à 19 h; de fin mars au 30 juin et du 16 septembre au 31 octobre de 10 h à 18 h. Entrée : 7 F – billet valable pour le musée.*

Les vestiges d'une ville gallo-romaine ont été mis au jour : théâtre, temple, forum et basilique civile, rues, maisons avec boutiques, portiques et sous-sols, puits, hypocaustes (fourneaux souterrains), installations utilisées par les bronziers gallo-romains. Le monument à crypte, précédé d'une cour à portique, est particulièrement remarquable.

Une église mérovingienne dédiée à sainte Reine a été mise au jour *(les fouilles continuent)*. Sur un sentier, vestiges d'habitations de type gaulois, taillées dans le roc.

(1) Pour plus de détails, lire : «Alésia, archéologie et histoire», par J. Le Gall (Paris Fayard).

41

ALISE-STE-REINE

Des abords de la statue de Vercingétorix, le panorama *(table d'orientation)* sur la plaine des Laumes et les emplacements occupés par l'armée romaine lors du siège d'Alésia s'étend jusqu'aux environs de Saulieu. Un escalier donne accès au centre du village.

Musée Alésia. — *Mêmes conditions de visite que pour les fouilles.*

Propriété de la Société des Sciences de Semur-en-Auxois, ce musée renferme les objets découverts au cours des fouilles de la ville gallo-romaine : statues et statuettes, fragments d'architecture, monnaies gauloises et romaines, céramiques, outils et objets divers en bronze, en fer, en os; service eucharistique du 4e s. dédié à Ste-Reine; souvenirs du siège d'Alésia dont des coupes des fossés romains.

Église St Léger. — Cette église des 7e et 10e s., restaurée dans son état primitif, a été construite sur le plan des anciennes basiliques chrétiennes avec une nef couverte en charpente et une abside en cul-de-four. Le mur Sud est mérovingien, le mur Nord carolingien.

■ LE PÈLERINAGE A STE-REINE

Fontaine Ste-Reine. — On rapporte qu'une fontaine miraculeuse aurait jailli sur le lieu où fut décapitée sainte Reine, jeune chrétienne qui refusa d'épouser le gouverneur romain Olibrius. Jusqu'au 18e s., la vertu curative de ses eaux fut renommée. Près de la fontaine, fréquentée par les pèlerins depuis le Moyen Age, la chapelle abrite une statue vénérée de la sainte (15e s.).

Hospice Ste-Reine. — Fondé en 1660 par saint Vincent de Paul, il a été conçu pour loger les malades venus en pèlerinage. Il a gardé sa fonction hospitalière, mais a subi des transformations à partir de 1975, une partie des anciens bâtiments ayant été démolie au bénéfice d'une construction neuve. Dans la chapelle, grille du chœur, en fer forgé, et suite de tableaux offerts par Anne d'Autriche relatant la vie et le martyre de sainte Reine.

Théâtre des Roches. — Créé en 1945, sur le modèle des théâtres antiques, pour les représentations du Mystère de sainte Reine *(voir tableau des manifestations p. 6)*, il peut contenir 4 000 personnes. Il sert en été pour des représentations.

ANCY-LE-FRANC (Château d') **

Carte Michelin n° **65** - pli ⑦ – 18 km au Sud-Est de Tonnerre.

Le château d'Ancy-le-Franc compte parmi les plus belles demeures Renaissance de Bourgogne; sa décoration intérieure, restaurée au 19e s., vaut par son unité.

Antoine III de Clermont-Tonnerre, Grand-Maître des Eaux et Forêts et époux d'Anne-Françoise de Poitiers, sœur de la célèbre Diane, fit construire le château en 1546 sur les plans de Sébastien Serlio, architecte italien venu à la cour de François Ier, et en confia la décoration intérieure au Primatice. En 1684, le domaine fut vendu à Louvois et conservé par ses descendants. Au milieu du siècle dernier, la famille de Clermont-Tonnerre en redevint propriétaire; à la mort du dernier duc, le château revint à ses neveux, les princes de Mérode.

Visite accompagnée du 1er mars au 30 novembre à 11 h, 14 h, 15 h, 16 h et 17 h précises et en outre du 1er mai au 30 septembre à 10 h et 18 h. Fermé le mardi. Entrée : 9 F.

Extérieur. — Par une belle allée, on accède à la cour d'Honneur. Le château se compose de 4 corps de bâtiments reliés par des pavillons d'angle. Les quatre façades sont semblables.

Cette architecture est le premier modèle de la Renaissance classique en France; son caractère simple, presque austère, ne laisse pas prévoir le décor raffiné de la cour intérieure *(illustration p. 29)*; le vaste quadrilatère a ici l'ampleur d'un véritable palais. Les façades Nord et Sud comportent une longue galerie ouvrant par trois arcades. Entre les pilastres du rez-de-chaussée, la devise des Clermont-Tonnerre « Si omnes ego non » : « si tous t'ont renié, moi pas » rappelle que jadis un comte de Clermont aida à rétablir sur le siège de saint Pierre le pape bourguignon Calixte II, élu à Cluny lors de la querelle des Investitures (12e s.).

Intérieur. — La visite des galeries et appartements – 19 pièces – permet d'admirer la somptueuse décoration exécutée par Niccolo dell' Abbate et d'autres élèves du Primatice. On remarque entre autres la vaste salle des Gardes, avec sa monumentale cheminée surmontée du portrait équestre de Henri III, la chapelle avec ses boiseries aux panneaux sculptés et sa décoration murale polychrome, la bibliothèque, le salon bleu et or, la chambre des Arts ornée de médaillons attribués au Primatice et figurant les Arts libéraux, la galerie des Sacrifices, décorée de panneaux en grisaille et enfin de la Bataille de Pharsale à la belle peinture murale en camaïeu ocre.

Un important mobilier, provenant en majeure partie de l'ameublement initial du château, contribue à l'harmonie de l'ensemble.

ANZY-LE-DUC *

Carte Michelin n° **69** - pli ⑰ – 20 km au Sud de Paray-le-Monial – *Schéma p. 65* – 447 h.

Ce village du Brionnais possède l'une des plus belles églises romanes de la région.

Église*. — *Visite : 1/2 h.* Sa construction aurait été entreprise au début du 11e s. La beauté de l'édifice est encore rehaussée par les tons dorés de la pierre.

Laisser la voiture devant l'église, que précédait autrefois un admirable portail, exposé au musée du Hiéron, à Paray-le-Monial *(voir p. 132)*. L'église est surmontée d'un magnifique clocher roman, tour polygonale à trois étages de baies. Faire le tour de la ferme *(entrée interdite)* qui occupe les dépendances de l'ancien prieuré dont une tour carrée forme l'élément principal. Un **portail** très primitif percé dans le mur d'enceinte comporte un tympan représentant à gauche l'Adoration des Mages, à droite le Péché originel. Le linteau figure la séparation des élus et des damnés au Jugement dernier.

Revenir à l'entrée de l'église. Bien que sa décoration ait été mutilée, son portail est encore très beau : il figure le Christ en gloire de l'Apocalypse.

La nef, couverte de voûtes d'arêtes et directement éclairée par des fenêtres hautes est très pure et remarquable par l'harmonie de ses lignes. Les chapiteaux sont fort bien conservés : ils représentent des scènes bibliques et des allégories. Les fresques du chevet, en assez mauvais état, évoquent la vie des saints Jean-Baptiste et Hugues d'Anzy, celles du chœur représentent l'Ascension du Christ. L'une d'elles fait allusion à Letbaldus, viguier de Semur qui, au 9e s., fit don de sa villa d'Anzy-le-Duc pour y établir une colonie bénédictine.

APREMONT *
Carte Michelin n° 69 - pli ③ – 144 h.

Bâti sur une butte boisée qui lui sert de parc, le puissant château d'Apremont, dominant le village, s'impose aux regards de toutes parts, à travers bois ou le long de l'Allier.

Le village. — Au pied du château et construit dans les mêmes tons d'ocre rose, il s'allonge au bord de l'Allier. L'ensemble constitué par les vieilles maisons, en partie reconstruites, depuis 1930, dans le style médiéval berrichon, paraît sortir d'un vieux livre d'images. Plusieurs linteaux de portes montrent les dates attestant leur âge; la plus ancienne de ces maisons serait celle des « mariniers », du 15e s. Les épaisses frondaisons qui parent les rives, le bruit de l'eau vive ajoutent au charme des vieilles pierres.

Château. — *On ne visite pas.* Très soigneusement restaurée et entretenue, cette forteresse au donjon armé de mâchicoulis fut pendant la guerre de Cent Ans une place forte bourguignonne. Un boulet, daté de 1429, envoyé par Jeanne d'Arc en route pour la Charité-sur-Loire, est resté incrusté dans un mur.

Les bois environnants. — Sous des noms différents : bois d'Apremont, des Ribaudières, de Neuvy, de la Boulée, toute la région comprise entre la vallée de l'Aubois et celle de l'Allier forme un massif forestier aux belles futaies, sillonné de ruisseaux et d'étangs.

ARCHÉODROME
Carte Michelin n° 69 - pli ⑨ – 6 km au Sud de Beaune – *Schéma p. 87.*

Accès par l'autoroute A6 : aires de stationnement de Beaune-Tailly dans le sens Paris-Lyon et de Beaune-Merceuil dans le sens inverse.
Accès au départ de Beaune (voir p. 58).

Visite du 1er mai au 30 septembre de 10 h à 20 h; le reste de l'année de 10 h à 18 h. Entrée : 5 F.

Aménagé sur une plate-forme de 2 ha, au bord de l'autoroute A6, l'archéodrome, dont le nom traduit la vocation culturelle, a été inauguré en juillet 1978. Il offre un panorama de l'histoire de la Bourgogne, depuis l'époque paléolithique *(voir Solutré p. 153)* jusqu'à la période gallo-romaine, à l'aide de reconstitutions grandeur nature, dont le sujet est emprunté aux découvertes archéologiques faites dans la région.

La salle d'exposition présente des moulages d'objets, maquettes, photographies, à l'appui de rétrospectives de la vie au temps préhistorique, et dans le patio, un habitat gaulois. On voit ensuite le long du parcours des huttes néolithiques évoquant l'habitat de l'âge de la pierre, une antique sépulture sous tumulus, puis la reconstitution sur près de 100 m de long de la ligne fortifiée (profonds fossés, pièges et tours de défense) aménagée par César devant Alésia *(voir p. 41).* L'époque gallo-romaine est illustrée par un petit sanctuaire, une nécropole, et, près d'une voie romaine, un atelier de potier et son four suivi d'une villa romaine avec ses dépendances.

ARCY-SUR-CURE (Grottes d')
Carte Michelin n° 65 - Sud des plis ⑤ ⑥ – *Schéma p. 91.*

En amont du village d'Arcy, la rive gauche de la Cure est dominée par de hautes falaises calcaires percées de nombreuses grottes.
Une route se détachant de la N 6, à proximité du tunnel routier, conduit à la Grande Grotte mais on y accède de façon plus attrayante par l'étroit chemin de Val Ste-Marie (voir p. 91).

La Grande Grotte. — *Visite de mars à novembre, de 9 h à 12 h et de 14 h à 18 h. Durée : 3/4 h. Entrée : 10 F.*

La Grande Grotte se ramifie, sur 2,5 km, en une succession de salles et de galeries décorées de draperies, stalactites et stalagmites, que l'on peut visiter sur 950 m. Les plafonds plats alternent avec les concrétions de formes curieuses, se transforment au gré de l'imagination en bêtes et fleurs étranges ou en décor fantastique. Près de l'entrée, à l'intérieur, se trouve un petit lac.

Les bords de la Cure. — *1 h 1/2 à pied AR.* Suivre, au départ de la Grande Grotte un agréable chemin ombragé remontant la rive gauche de la Cure au pied d'escarpements calcaires, forés d'une vingtaine de grottes non aménagées. Parmi elles on peut citer, dans l'ordre, les grottes préhistoriques de l'Hyène, du Cheval ou du Mammouth, des Fées. Buffon les visita en 1740 et 1759.

Le Grand Abri est une roche qui surplombe le terrain sur plus de 20 m de longueur et 10 m de profondeur. Sa masse est imposante.

En suivant le sentier, on atteint la **fontaine de St-Moré.**

A partir de la fontaine, un sentier difficile, à flanc de coteau, conduit à la carrière de sarcophages mérovingiens connue sous le nom de la Roche Taillée *(1/2 h à pied AR).*

ARNAY-LE-DUC

Carte Michelin n° 65 - Sud du pli ⑱ – 2 473 h. (les Arnétois) – *Lieu de séjour* p. 39.

Cette petite ville ancienne aux toits pointus dominant la vallée de l'Arroux évoque les premières armes (1570) du jeune Henri de Navarre – le futur Henri IV – aux côtés de Coligny, contre les troupes de Mayenne, commandées par le Maréchal de Cossé-Brissac, au cours de la guerre entre protestants et catholiques.

C'est à Arnay – relais de la poste – que Mesdames Adélaïde et Victoire, tantes de Louis XVI, émigrant vers l'Italie, furent arrêtées; après le passage des royales voyageuses, leurs deux prénoms firent fureur dans le pays.

Église St-Laurent. — Elle date des 15e et 16e s. Une de ses chapelles possède un intéressant plafond Renaissance à caissons. Un vestibule avec dôme du 18e s. précède la nef du 15e s. dont la voûte a été refaite « à la Philibert Delorme » en 1859.

Tour de la Motte-Forte. — Derrière le chevet de l'église, cette grosse tour du 15e s., couronnée de mâchicoulis, est le seul vestige d'un important château féodal. Pendant les guerres de Religion, le château fut pris et repris par catholiques et protestants et presque complètement détruit.

AUTUN ★★

Carte Michelin n° 69 - pli ⑦ – *Schémas p. 120 et 123* – 22 949 h. (les Autunois).

La ville d'Autun est adossée à des collines boisées, dominant la vallée de l'Arroux et la vaste dépression qui s'étend au-delà. Cette calme cité a eu un passé prestigieux; ses vestiges romains, sa cathédrale, les collections de ses musées en témoignent.

Grâce aux forêts de l'Autunois, Autun a développé une industrie réputée du meuble.

UN PEU D'HISTOIRE

La Rome des Gaules. — « Sœur et émule de Rome » au temps de sa splendeur, Autun doit son nom à l'empereur Auguste qui, afin de mieux lutter contre les Eduens et ruiner Bibracte, leur place forte installée au sommet du mont Beuvray *(p. 58)*, décida de fonder « Augustodunum ». Une grande route commerciale et stratégique allant de Lyon à Boulogne et passant par Autun allait faire de la ville une cité très riche et florissante. De l'enceinte fortifiée ne restent que deux portes et les vestiges d'un théâtre romain.

Après avoir exercé un extraordinaire rayonnement dans tout le monde gallo-romain, Autun, victime de nombreuses convoitises, subit invasions et pillages.

Le siècle des Rolin. — Autun allait connaître au Moyen Age un regain de prospérité. Elle le doit en grande partie au rôle important joué par Nicolas Rolin et l'un de ses fils.

Né à Autun en 1376, **Nicolas Rolin**, dont le nom est lié à la fondation de l'Hôtel-Dieu de Beaune *(description p. 55)*, devint un des avocats les plus célèbres de son temps. Remarqué par le duc de Bourgogne, il reçut de lui la charge de chancelier. Parvenu au faîte des honneurs, il n'oublia jamais sa ville natale. L'un de ses fils, le **cardinal Rolin**, devenu évêque d'Autun, fit de la ville un grand centre religieux. De cette époque datent l'achèvement de la cathédrale St-Lazare, l'édification de remparts au Sud et la construction de nombreux hôtels particuliers.

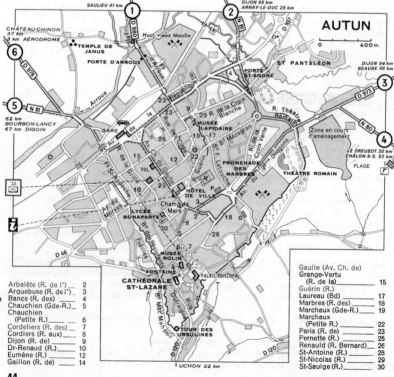

■ PRINCIPALES CURIOSITÉS *visite : 1 h 1/2*

Cathédrale St-Lazare**. — L'édifice, construit presque entièrement en grès du pays, de 1120 à 1146, fut consacré par le pape Innocent II en 1130.

Destinée à recevoir les précieuses reliques de saint Lazare ramenées de Marseille par Gérard de Roussillon en 1079, l'église St-Lazare, promue cathédrale à la fin du 13ᵉ s., fut aussi conçue pour accueillir la multitude des pèlerins.

Extérieurement, la cathédrale a perdu son caractère roman : le clocher et la haute flèche de style flamboyant datent de la fin du 15ᵉ s. ainsi que la partie supérieure du chœur et les chapelles du bas-côté droit; les chapelles du bas-côté gauche sont du 16ᵉ s.

Quant aux deux tours du grand portail – inspirées de celles de Paray-le-Monial – elles datent du siècle dernier.

Façade. — Le célèbre **tympan***** du portail central, représentant le Jugement dernier, compte parmi les chefs-d'œuvre de la sculpture romane.

Œuvre du sculpteur Gislebertus *(1)* dont le nom figure à la partie supérieure du linteau, sous les pieds du Christ, ce tympan a été exécuté entre 1130 et 1135, dans une pierre calcaire demi-dure assez blanche, qui ne provient pas des carrières locales.

L'inscription figurant sur les bords de la « gloire » entourant le Christ nous aide à le déchiffrer : les élus sont représentés à gauche, les damnés à droite. Il faut remarquer cependant qu'en fait la place occupée par l'Enfer est réduite à l'extrême droite du tympan, le ciel dominant dans le registre supérieur. La technique est d'une grande hardiesse : les disproportions, voulues, mettent en valeur une hiérarchie indiscutée : le Christ est immense, tandis que, parmi les apôtres, saint Pierre l'emporte par la taille sur tous les autres. Malgré une apparence confuse, la composition est très ordonnée :

1) Le « Christ en majesté » siège entouré de la « gloire » soutenue par quatre anges dont deux s'envolent la tête en bas.
En 1766, les chanoines du chapitre de la cathédrale firent plâtrer le tympan, supprimant la tête du Christ trop en relief; dégagé en 1837, il fut restauré en 1858 par Viollet-le-Duc. Identifiée parmi les collections léguées au musée Rolin, l'admirable tête a repris sa place en novembre 1948. A l'annonce du Jugement dernier proclamé par quatre anges soufflant dans de longues trompettes (4, 7, 8, 9), les morts sortent de leurs tombeaux. Un ange situé sous les pieds du Christ sépare les élus des damnés.

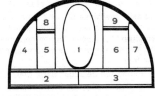

2) Les élus. Parmi eux figurent deux évêques tenant la crosse; à leur droite, trois enfants s'agrippent à un ange; un peu plus loin, deux pèlerins de Compostelle et de Jérusalem, reconnaissables à la coquille de saint Jacques et à la croix inscrite sur leur sacoche, portent le bâton sur l'épaule.

3) Les damnés. Ils donnent tous les signes d'une vive terreur. Remarquer la femme dont les seins sont dévorés par des serpents (symbole de luxure), l'avare, sac au cou, à côté d'un damné happé par les pattes du diable.

4) Les élus franchissent la « porte étroite » du ciel, figuré par trois rangées d'arcades superposées. Saint Pierre, reconnaissable à sa clef, prête main-forte à un bienheureux; à gauche, une âme tente de s'envoler en s'accrochant au manteau d'un ange à la trompette.

5) Les apôtres, serrés les uns contre les autres, assistent à la Pesée des âmes.

6) La Pesée des âmes : une main sortant des nuages tient la balance. L'archange saint Michel s'oppose à Satan qui, les jambes enroulées d'un serpent à trois têtes, appuie sur le fléau pour fausser la pesée, aidé par un démon accroupi dans le plateau.

7) L'enfer. D'une chaudière léchée par les flammes émergent des jambes. Un diable grimaçant s'apprête à jeter dans la fournaise un couple de damnés enlacés.

8) et 9) Le Ciel. A gauche, la Vierge assise; à droite deux personnages, peut-être des apôtres ou bien Élie et Enoch transportés vivants au Ciel.

La voussure extérieure du portail est ornée de médaillons représentant, alternés, les Travaux des mois et les signes du Zodiaque. Au centre, entre les Gémeaux et le Cancer, le personnage accroupi symbolise l'année. Chaque médaillon a été sculpté à part; à la pose, le dernier à droite a dû être amputé de moitié.

Sur la voussure centrale serpente une guirlande de fleurs et de feuillage. La voussure intérieure est nue : les personnages qui l'ornaient ont disparu lors des plâtrages de 1766.

Sur le trumeau, les statues de saint Lazare et de ses deux sœurs datent du 19ᵉ s. De chaque côté du portail, intéressants chapiteaux : sur le côté droit sont figurés la purification de la Vierge et la Présentation de Jésus au Temple, la légende de saint Eustache, saint Jérôme tirant une épine de la patte d'un lion; sur le côté gauche, 6 Vieillards de l'Apocalypse munis de leur viole, Abraham qui renvoie sa servante dans le désert, enfin, la fable d'Ésope reprise plus tard par La Fontaine : le loup et la cigogne.

Intérieur. — Se placer sous le grand orgue pour avoir une vue d'ensemble du vaisseau *(illustration p. 24 – plan p. 46).*

Les piliers et les voûtes datent de la première moitié du 12ᵉ s. Le caractère roman clunisien subsiste malgré de nombreux remaniements.

A la fin du 15ᵉ s., le cardinal Rolin éclaira par de hautes fenêtres le chœur alors voûté en cul-de-four.

L'abside et le chœur furent recouverts de marbre en 1766 par les chanoines, quand le tombeau de saint Lazare, mausolée monumental dû au talent de sculpteurs bourguignons et viennois, fut mutilé et dispersé (on en verra des fragments au musée Rolin – p. 46); ce marbre fut enlevé en 1939.

Les vitraux des baies gothiques datent du 19ᵉ s.; ceux des baies romanes ont été mis en place en 1939.

En remontant la cathédrale par le côté droit, on pourra examiner les chapiteaux les plus intéressants et admirer les curiosités essentielles en utilisant le plan page suivante :

---

(1) Lire « Le Monde d'Autun », par D. Grivot (collection « Zodiaque » exclusivité Weber), « Autun » et « La sculpture du 12ᵉ de la cathédrale d'Autun » (SAEP Colmar), du même auteur.

AUTUN ★★

1) et 2) Simon le magicien tente de monter au Ciel en présence de saint Pierre, clef en main, et de saint Paul. Simon tombe, la tête la première, sous le regard satisfait de saint Pierre. Le diable, que l'on peut voir en se plaçant dans la grande nef, ne manque pas de pittoresque.

3) Lapidation de saint Étienne.

4) Samson renverse le temple, représenté de façon symbolique.

5) Chargement de l'arche de Noé. Noé, à la fenêtre supérieure, surveille les travaux.

6) Porte de la sacristie du 16ᵉ s.

7) Statues funéraires de Pierre Jeannin, Président du Parlement de Bourgogne et ministre de Henri IV, mort en 1623, et de sa femme.

8) Les reliques de saint Lazare sont placées sous le maître-autel.

9) Apparition de Jésus à sainte Madeleine. Admirer les volutes du feuillage à l'arrière-plan.

10) Seconde tentation du Christ. Assez curieusement, le diable seul est juché au sommet du temple.

11) Dans la chapelle de sépulture des évêques d'Autun, vitrail du 16ᵉ s., représentant l'arbre de Jessé.

12) Tableau d'Ingres (1834) représentant le martyre de saint Symphorien à la porte St-André.

13) La Nativité. Saint Joseph médite, assis sur une curieuse chaise à arcades.

14) **La Vierge et l'Enfant ★**, en marbre blanc, de la fin du 15ᵉ s.

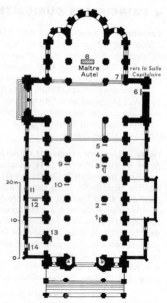

Plan de la cathédrale St-Lazare.

La plupart de ces chapiteaux ont été traités dans le même calcaire que celui du tympan, à l'exception de quelques-uns au grain plus rude.

La **salle capitulaire** (accès par un escalier partant de la chapelle à droite du maître-autel) abrite de beaux **chapiteaux★★** en pierre grenée contenant du mica, qui ornaient à l'origine les piliers du chœur. Les plus remarquables sont groupés à droite de l'entrée.

— Pendaison de Judas entre deux démons qui tirent les cordes.

— La Fuite en Égypte. On ne manquera pas de rapprocher ce chapiteau de celui de Saulieu, qui traite du même sujet mais avec moins de bonheur.

— Le Sommeil des Mages. Les Mages, couronnés, sont couchés dans le même lit. Un ange montrant l'étoile en forme de marguerite touche la main du plus proche qui ouvre les yeux : la scène est traitée avec une naïveté charmante.

— l'Adoration des Mages; Joseph, relégué à droite, semble attendre la fin de la cérémonie.

Le clocher. — Montée possible de Pâques à la Toussaint. Frappé par la foudre, il fut refait en 1462, à 80 m au-dessus du sol, par l'évêque Jean Rolin. On y accède par 230 marches. Au sommet une belle **vue★** se déploie sur les vieux toits de la ville, l'évêché, la curieuse silhouette conique des deux terrils des Télots (vestiges d'une exploitation de schistes bitumineux, naguère importante pour l'économie autunoise) et, à l'Est, les confins bleutés du Morvan.

Fontaine St-Lazare. — Elle se dresse près de la cathédrale. Ce charmant édifice à coupole et lanternon a été construit en 1543 par le chapitre de la cathédrale. Un premier dôme, d'ordre ionique, en supporte un autre plus petit, d'ordre corinthien, coiffé d'un pélican dont l'original est déposé aux réserves du musée Rolin.

Musée Rolin★. — Visite du 15 mars au 30 septembre, de 9 h 30 à 12 h et de 14 h 30 à 19 h ; du 1ᵉʳ octobre au 14 mars, de 10 h à 12 h et de 14 h à 16 h (17 h le dimanche). Fermé en février ainsi que les mardis hors saison et les 1ᵉʳ janvier, 1ᵉʳ mai, 14 juillet, 1ᵉʳ novembre et Noël. Entrée : 5 F.

Le musée, artistement présenté, est installé dans une aile de l'ancien hôtel construit au 15ᵉ s. pour le chancelier Nicolas Rolin et dans l'hôtel Lacomme établi au 19ᵉ s. à l'emplacement du corps principal de l'hôtel Rolin.

Au rez-de-chaussée de l'hôtel Lacomme, sept salles abritent les collections gallo-romaines : remarquer dans la 2ᵉ salle un petit taureau tricorne sur un autel de pierre, dans la 3ᵉ, un casque d'apparat romain à face humaine, orné de lauriers, des divinités gauloises, dans la 5ᵉ, un choix de fibules, bijoux et statuettes montrant les variations de la mode.

Traverser la cour pour accéder au rez-de-chaussée de l'hôtel Rolin.

Deux salles abritent des chefs-d'œuvre de la **statuaire romane★★** : notamment la face du Christ de St-Odon, provenant du monastère de St-Martin-lès-Autun, la **Tentation d'Ève** due au ciseau de Gislebertus et qui ornait le linteau du portail latéral de la cathédrale avant 1766; les longues statues, poignantes, du **tombeau de saint Lazare** : saint André, les sœurs du ressuscité, Marthe se bouchant le nez et Madeleine. Une maquette et un schéma du monument qui recouvrait autrefois la crypte funéraire de saint Lazare dans le chœur de la cathédrale permettent de situer l'emplacement des fragments lapidaires exposés.

Au 1ᵉʳ étage de cet hôtel sont rassemblées les sculptures des 14ᵉ et 15ᵉ s., provenant des ateliers d'Autun, et des peintures de Primitifs français et flamands. Une salle abrite la Résurrection de Lazare, en pierre polychromée du 15ᵉ s. La salle, consacrée aux Rolin, renferme en particulier le célèbre tableau de la **Nativité★★** par le Maître de Moulins, où le cardinal Rolin (voir p. 45) est présenté en donateur, puis la **Vierge★★** d'Autun, pierre polychromée ainsi que **sainte Catherine**, chefs-d'œuvre de la statuaire bourguignonne du 15ᵉ s.

Au second étage, des salles sont consacrées à l'archéologie régionale. Revenir au 1ᵉʳ étage de l'hôtel Lacomme où sont exposés des peintures, sculptures et meubles de la Renaissance à nos jours (Tête de femme de Lagneau - 16ᵉ s., dessin d'un curieux réalisme).

Porte St-André★. — C'est là qu'aboutissaient les routes du pays des Lingons venant de Langres et de Besançon. La porte St-André est l'une des 4 portes qui, avec 62 tours demi-circulaires, formaient l'enceinte gallo-romaine. Elle présente deux grandes arcades pour le passage des voitures et deux plus petites pour le passage des piétons. Elle est surmontée d'une galeries de dix arcades. Un des corps de garde qui la flanquaient est resté intact grâce à sa conversion en église au Moyen Age.

C'est près de cette porte que la tradition place le martyre de saint-Symphorien.

(D'après photo Archives T.C.F.)

Autun. — La porte St-André.

■ AUTRES CURIOSITÉS

Lycée Bonaparte. — Cet ancien collège de jésuites, construit en 1709, termine noblement la perspective de la place du Champ-de-Mars. Ses **grilles★** élégantes, forgées en 1772, sont rehaussées de motifs dorés : médaillons, mappemondes, astrolabes, lyres.

Sur la gauche, l'église Notre-Dame (17e s.) servit de chapelle à ce collège qui abrita le fantasque Bussy-Rabutin, puis Napoléon, Joseph et Lucien Bonaparte. Napoléon lui-même n'y resta que quelques mois en 1779, avant d'entrer à l'école de Brienne.

Hôtel de Ville. — Il abrite une importante bibliothèque contenant une riche collection de **manuscrits★** et d'incunables, occasionnellement présentée.

Théâtre romain. — Dans un site agréable, le touriste admirera les vestiges de ce théâtre, le plus vaste de toute la Gaule. Il pouvait contenir 15 000 spectateurs. Remarquer, encastrés dans les murs de la buvette du stade, des sculptures et bas-reliefs gallo-romains.

Porte d'Arroux. — C'était la porta Senonica (porte de Sens) donnant accès à la voie d'Agrippa qui reliait Lyon à Boulogne-sur-Mer.

La porte d'Arroux est de belles proportions, moins massive mais aussi moins bien conservée que la porte St-André. Comme celle-ci, elle possède deux grandes arcades pour le passage des voitures et deux plus petites pour les piétons. La galerie qui surmonte les arcades, ornée d'élégants pilastres cannelés aux chapiteaux corinthiens, a été édifiée à l'époque constantinienne. Les architectes clunisiens s'en inspirèrent et généralisèrent leur emploi dans toute la Bourgogne.

Musée lapidaire. — *Pour visiter, s'adresser au musée Rolin ; ouvert de 9 h 30 à 12 h et de 14 h 30 à 18 h en saison ; de 10 h à 12 h et de 14 h à 16 h hors saison. Fermé les mardis, dimanches, 1er janvier, 1er mai, 14 juillet, 15 août, 1er septembre, 1er novembre et en février.*

L'ancienne chapelle St-Nicolas, édifice roman du 12e s., qui se dresse au fond d'un joli jardin, abrite des antiquités romaines et médiévales.

Temple de Janus. — Cette tour quadrangulaire, haute de 24 m, dont il ne reste que deux pans, se dresse solitaire au milieu de la plaine, au-delà de l'Arroux. Il s'agit de la « cella » d'un temple dédié à une divinité inconnue.

Promenade des Marbres. — Près de cette promenade, s'élève un bel édifice du 17e s. précédé d'un jardin à la française. Construit par Daniel Gitard, architecte d'Anne d'Autriche, c'est l'ancien séminaire, devenu l'École militaire préparatoire.

Le tour des Remparts. — C'est une promenade très recommandée en partant du boulevard des Résistants-Fusillés, à l'Ouest de la ville. Longer les remparts en direction du Sud jusqu'à la tour des Ursulines, ancien donjon du 12e s.

EXCURSIONS

Croix de la Libération★. — *6 km. Sortir d'Autun par le D 120, Sud du plan, et prendre à droite le D 256.* Au cours de la montée en lacet on jouit d'une excellente vue sur la cathédrale, la vieille ville, les cônes des terrils des Télots (*voir p. 46*), le Morvan à l'horizon.

On laisse, à gauche, le pavillon d'entrée du **château de Montjeu,** dont le **parc★,** de 850 ha renferme des arbres magnifiques et plusieurs étangs. *On ne visite pas.*

50 m au-delà de l'entrée du château, à droite, un chemin en forte montée (20 %) conduit à la Croix de la Libération, croix de granit édifiée en 1945 pour commémorer la libération d'Autun. De la croix, **vue★** sur la dépression d'Autun et la vallée de l'Arroux. Plus loin, de gauche à droite, on découvre les monts du Morvan, la forêt d'Anost et le revers de la côte.

Cascade de Brisecou et Pierre de Couhard. — *2 km, plus 3/4 h à pied AR. Quitter Autun par le D 120, Sud du plan. Laisser la voiture à Couhard près de l'église.*

Un sentier longeant un ruisseau conduit à la cascade de Brisecou qui coule dans un joli **site★** d'arbres et de rochers. Au retour, vue sur la Pierre de Couhard, (curieuse pyramide très dégradée édifiée, croit-on, à l'époque romaine) que l'on peut gagner par le sentier partant du parking.

Château de Sully★★. — *Circuit de 37 km — environ 2 h. Quitter Autun par le D 973. A la sortie du hameau de Creusefond, prendre à gauche le D 326. Après la visite extérieure du château (description p. 154), suivre le D 26 jusqu'au D 973 que l'on prend à droite. Presque aussitôt, emprunter à gauche la route pittoresque traversant la forêt des Battées. On rejoint le D 973 qui ramène à Autun.*

Signal d'Uchon★★. — *Circuit de 68 km — environ 2 h. Sortir d'Autun par l'itinéraire de la Croix de la Libération (p. 47). Laissant à droite le chemin d'accès à la croix, poursuivre, le long du D 256 et du D 46. La route, pittoresque, domine la vallée de l'Arroux, tandis qu'au-delà apparaissent le mont Beuvray et la chaîne des monts du Morvan.*

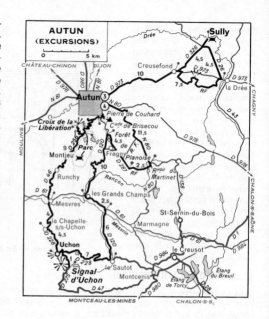

Au-delà de Mesvres, après avoir franchi le Mesvrin sur un pont étroit, prendre à droite le D 228. A la Chapelle-sous-Uchon, prendre à gauche la route d'Uchon, qui devient très accidentée et étroite 2 km avant le village (pente à 18 %).

Uchon★. — A flanc de pente, dans un décor assez rude de blocs granitiques épars, ce petit village occupe un **site★** remarquable. On en aura une vue d'ensemble depuis le signal d'Uchon, dominant un vaste paysage; d'un peu haut, on détaillera : un pan de tour en ruines, une vieille église et un oratoire abritant une colonne surmontée d'une Vierge, où se réunissaient au 16ᵉ s. les fidèles venus en pèlerinage prier pour éloigner les épidémies de peste.

Du village d'Uchon, monter au signal.

Signal d'Uchon. — *1,4 km au Sud par le D 228 puis à droite, au monument aux Morts, le D 275. Au sommet de la montée, 100 m environ après l'hôtel Bernard, prendre à droite un chemin goudronné. Laisser la voiture au parc de stationnement aménagé. De là gagner à pied le rocher sur lequel se trouve la table d'orientation, à 650 m d'altitude.*

Le **panorama★★** semi-circulaire, s'étend sur la dépression de l'Arroux, large et verdoyante jusqu'aux monts de la Madeleine et aux monts Dômes. Plus près, se dressent les sommets du Morvan : le mont Beuvray à la masse trapue, le mont Préneley et le Haut-Folin.

Après avoir accédé au signal d'Uchon, faire demi-tour et, au monument aux morts, prendre à droite le D 228 jusqu'au Sautot, au carrefour du D 120, que l'on prend à gauche. Rejoindre le D 61 (tourner à gauche) que l'on abandonne 2,5 km plus loin pour reprendre le D 120 en direction d'Autun. Après avoir longé un moment la vallée du Mesvrin, la route s'élève, procurant des échappées sur le vallon du Rançon.

A un croisement, 600 m après un étang, prendre à droite le D 287. 2 km après le hameau de Fragny, on trouve à gauche la route forestière de la Grande Rivière qui traverse une belle futaie de hêtres, puis le réservoir du Martinet, avant de déboucher sur la N 80 que l'on prend à gauche.

On traverse la forêt de Planoise où dominent les hêtres. Une longue descente au milieu des vallons boisés conduit à Autun.

AUXERRE ★★

Carte Michelin nᵒ **65** - pli **⑤** – *Schéma p. 167* – 39 955 h. (les Auxerrois).

Capitale de la Basse-Bourgogne, Auxerre (prononcer Ausserre) point de départ du canal du Nivernais (p. 92), s'étage harmonieusement sur une colline, au bord de l'Yonne; elle doit à sa situation privilégiée la création d'un port de plaisance. Ses beaux monuments, témoins d'un grand passé, ses boulevards ombragés, ses rues animées et accidentées, forment un ensemble d'un incontestable intérêt : on en a, depuis le pont Paul-Bert, une vue agréable. La ville est au centre d'un vignoble dont le cru le plus renommé est le Chablis.

Auxerre a donné le jour à **Marie Noël** (1883-1967), poète dont les œuvres (Les Chansons et les heures, Chants et psaumes d'automne, L'Ame en peine, Le Cru d'Auxerre, Chants d'arrière-saison) sont empreintes de sérénité et d'espérance.

A proximité d'une simple bourgade gauloise (Autricum), les conquérants romains établirent la ville d'Autessiodurum, située sur la grande voie de Lyon à Boulogne-sur-Mer. Vers la fin du 4ᵉ s., c'était déjà une ville importante.

Évêque malgré lui. — Germain naît à Auxerre, de parents fortunés, vers 378. Après de solides études à Rome, il devient avocat. Nommé gouverneur et duc de la Marche armorique alors qu'il n'a pas 30 ans, il lutte contre les Barbares qui envahissent l'Empire. Si l'on en croit la légende, saint Amâtre, alors évêque d'Auxerre, réussit à le soustraire aux influences païennes et le tonsure. A la mort de saint Amâtre, Germain devenu prêtre est élu par le clergé et le peuple d'Auxerre pour lui succéder. Le nouvel évêque distribue ses biens et commence une vie austère, consacrée à la prière et à l'apostolat. Il combat l'hérésie en Grande-Bretagne, réorganise l'église bretonne, bénit Geneviève, future patronne de Paris, et après trente ans d'épiscopat meurt à Ravenne à la cour impériale, le 31 juillet 445. On rapporte que son corps fut embaumé et ramené à Auxerre, en grande pompe, aux frais de l'Empereur. Il fut inhumé dans un oratoire, dédié à saint Maurice d'Agaune, qu'il avait fait construire lui-même.

Au Moyen Age, ce sont les évêques qui administrèrent la ville et en organisèrent la protection, méritant le titre de « défenseurs de la cité ».

Deux hôtes illustres. — Auxerre s'est trouvé sur le passage de deux héros de notre histoire : en 1429, **Jeanne d'Arc** y passe deux fois, d'abord avec la poignée de hardis compagnons qui l'accompagnent de Vaucouleurs à Chinon, puis, quelques mois plus tard, à la tête d'une armée de 12 000 hommes et en compagnie de Charles VII qu'elle conduit à Reims pour la faire couronner.

Le 17 mars 1815, **Napoléon,** au retour de l'île d'Elbe, arrive à Auxerre; le maréchal Ney, envoyé pour le combattre, tombe dans ses bras, et ses troupes renforcent la petite armée de l'Empereur.

■ PRINCIPALES CURIOSITÉS *visite : 2 h*

Vue d'ensemble sur la ville. — Des deux ponts et de la rive droite de l'Yonne, on a de très belles vues d'ensemble sur la ville. Avant d'en commencer la visite, le touriste ne doit pas manquer de se rendre sur le pont qui porte la statue de Paul Bert, physiologiste et homme politique du siècle dernier; puis, longeant la rive droite de l'Yonne, de suivre à gauche le quai St-Marien puis la rue St-Martin-lès-St-Marien pour franchir de nouveau la rivière sur le pont de la Tournelle. Les **vues** sur Auxerre sont d'autant plus remarquables que les chevets de toutes les églises se dressent perpendiculairement à la rivière.

Cathédrale St-Étienne**. — Ce bel édifice gothique a été construit du 13ᵉ au 16ᵉ s. A cet emplacement, un sanctuaire fondé vers 400 par saint Amâtre, et embelli au cours des siècles suivants, fut incendié en 1023. Hugues de Châlon entreprit aussitôt la construction d'une cathédrale romane, mais, en 1215, Guillaume de Seignelay fit reprendre l'œuvre de fond en comble. En 1400, le chœur, la nef, les collatéraux, les chapelles et le croisillon Sud s'achevaient. L'édifice était pratiquement terminé vers 1560.

Façade. — De style flamboyant, la façade est encadrée de deux tours aux contreforts ouvragés; la tour Sud reste inachevée. La façade est ornée de 4 étages d'arcatures surmontées de gâbles. Au-dessus du portail central, légèrement en retrait, une rosace de 7 m de diamètre s'inscrit entre les contreforts. Les célèbres sculptures des 13ᵉ et 14ᵉ s. ont été mutilées au 16ᵉ s. lors des guerres de Religion et la tendre pierre calcaire a souffert des intempéries.

Au portail central, le Christ trône au tympan, entre la Vierge et saint Jean. Le linteau évoque le Jugement dernier. Le Christ préside, ayant à sa droite les Vierges sages et à sa gauche les Vierges folles (tenant leur lampe renversée). Ces 12 statuettes s'étagent au long des piédroits. Sous les niches des soubassements abritant des personnages assis, des bas-reliefs illustrent, à gauche sur deux registres, la vie de Joseph (à lire de droite à gauche) et à droite la parabole de l'Enfant prodigue (se lit de gauche à droite).

Au portail de gauche, les sculptures des voussures retracent la vie de la Vierge, de saint Joachim et de sainte Anne. Au tympan, le couronnement de la Vierge. Les médaillons du soubassement traitent différentes scènes de la Genèse.

Le portail de droite est du 13ᵉ s. Le tympan, divisé en 3 registres, et les voussures sont consacrés à l'enfance du Christ et à la vie de saint Jean-Baptiste. Au registre supérieur des soubassements, sont représentées 6 scènes des amours de David et de Bethsabée — 8 statuettes placées entre les pignons symbolisent la Philosophie (à droite avec une couronne) et les 7 Arts Libéraux.

A droite du portail, un haut-relief représente le Jugement de Salomon.

Des deux portails latéraux, celui du Sud, du 14ᵉ s., consacré à saint Étienne, est le plus intéressant. Le portail Nord est dédié à saint Germain.

Intérieur. — La nef, construite au 14ᵉ s., a été voûtée au 15ᵉ s.

Au mur du fond du croisillon droit, on remarque 4 consoles dont les figures sont d'un réalisme étonnant. Au-dessus, les verrières de la rosace, datant de 1550, montrent Dieu le Père entouré des Puissances célestes. La rosace du croisillon Nord du

(D'après photo Arthaud, Grenoble)

Auxerre. — La cathédrale.

transept (1530) représente la Vierge entourée d'anges et d'emblèmes de Notre-Dame.

Le chœur et le déambulatoire datent du début du 13ᵉ s. En 1215, Guillaume de Seignelay, évêque d'Auxerre, grand admirateur de l'art nouveau appelé alors « style français » (le terme gothique n'a été employé qu'à partir du 16ᵉ s.), décida de raser le chœur roman et, sur la crypte du 11ᵉ s., fit élever ce beau morceau d'architecture, achevé en 1234.

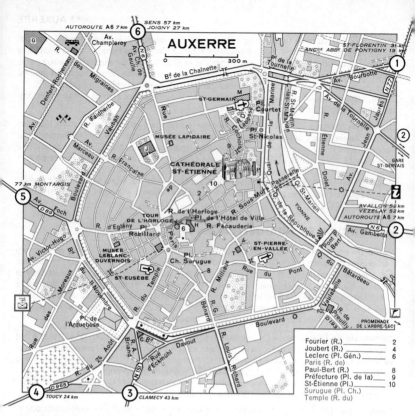

Tout autour du déambulatoire, se déroule un magnifique ensemble de **vitraux **** à médaillons du 13e s., où dominent les tons bleus et rouges. Ils représentent des scènes de la Genèse, l'histoire de David, celle de Joseph, celle de l'Enfant prodigue et de nombreuses légendes de saints. Le soubassement est souligné par une arcature aveugle ornée de têtes sculptées, figurant surtout prophètes et sibylles.

Dans la partie gauche du déambulatoire, on peut voir un tableau sur bois du 16e s., représentant la Lapidation de saint Étienne. Le beau vitrail de la grande rosace est du 16e s.

Pour visiter la crypte, le trésor et monter à la tour, s'adresser au sacristain : sonnette dans le déambulatoire à droite du chœur. Visites de 9 h à 12 h et de 13 h 45 à 19 h (18 h du 1er novembre à Pâques). Entrée : crypte 2 F, trésor 2 F, montée à la tour 2 F.

Crypte romane*. — Ce seul vestige de la cathédrale romane du 11e s. qui constitue un bel ensemble architectural, abrite des fresques réputées, du 11e au 13e s. A la voûte, celle représentant le Christ monté sur un cheval blanc et entouré de 4 anges équestres est « un exemple unique dans l'histoire de l'art ». L'autre fresque, dans le cul-de-four, montre le Christ en majesté entouré des symboles des 4 Évangélistes et de deux chandeliers à sept branches.

Trésor *. — Il renferme, parmi de nombreuses pièces intéressantes, une collection d'émaux champlevés des 12e et 13e s., des manuscrits, des livres d'heures, des miniatures et des ivoires.

Montée à la tour. — Du sommet, on découvre une belle vue sur la ville.

Tour de l'Horloge. — De style flamboyant, cette tour, construite au 15e s. sur les fondations de l'enceinte gallo-romaine, était appelée aussi tour Gaillarde (du nom de la porte qu'elle défendait) et faisait partie des fortifications; le beffroi et l'horloge symbolisaient les libertés communales accordées par le duc de Bourgogne. L'horloge (17e s.) présente un double cadran indiquant sur une face les mouvements apparents du soleil et de la lune et, sur la face opposée, les heures. Le cadran astronomique fut célébré par Restif de la Bretonne, qui a vécu plusieurs années de sa jeunesse dans un atelier d'imprimeur au pied de cette tour.

Un passage voûté, attenant à la tour de l'Horloge, donne accès à la place du Maréchal-Leclerc; sous la voûte, une plaque rappelle la mémoire de **Cadet Roussel** (1743-1807), huissier à Auxerre, dont les déboires inspirèrent l'auteur de la célèbre chanson.

Maisons anciennes. — Parmi de nombreuses maisons anciennes, citons celles **rue de l'Horloge** n° 6, **place Charles-Surugue** n° 4, **rue Fécauderie** nos 23 et 28.

Ancienne abbaye St-Germain*. — Cette célèbre abbaye bénédictine fut fondée au 6e s. par la reine Clothilde à l'emplacement d'un oratoire où saint Germain avait été inhumé le 1er octobre 448 *(voir p. 48)*. Au temps de Charles le Chauve, l'abbaye possédait une école célèbre où enseignèrent des maîtres réputés comme Héric et Rémi d'Auxerre, qui fut le maître de saint Odon de Cluny.

Eglise abbatiale. — *Visite de 9 h à 12 h et de 14 h à 18 h. Entrée : 3 F, valable pour l'église, la crypte, le cellier et le musée Leblanc-Duvermoy.*

L'église supérieure, de style gothique, a été édifiée du 13e au 15e s.; l'unique chapelle axiale à sept pans date de 1277 : elle est reliée par un beau passage au déambulatoire et repose sur les solides assises des chapelles semi-souterraines *(voir p. 51)* construites à la même époque. La démolition, en 1811, des travées occidentales de l'édifice a isolé de ce dernier le beau clocher du 12e s., de construction romane, haut de 51 m : sa base, de plan carré, surmontée du beffroi, ses gables étagés, donnent un puissant relief à l'élan de sa flèche de pierre.

L'intérieur de l'église est de belles proportions; une collection de sculpture religieuse médiévale est présentée dans les collatéraux.

Crypte*. — *Mêmes conditions de visite que pour l'église, mais les visiteurs ne sont plus admis 1/2 heure avant la fermeture.*

Elle comprend une véritable église semi-souterraine, à trois nefs voûtées en berceau remontant à l'époque carolingienne.

Au centre de la crypte, la « confession » offre, du haut de ses trois marches, une belle perspective sur la succession des voûtes carolingiennes, romanes et gothiques; quatre colonnes gallo-romaines aux chapiteaux composites (feuilles d'acanthe et crochets), soutiennent deux poutres millénaires en cœur de chêne.

Dans le couloir de circulation, des fresques de 850, comptant parmi les plus anciennes de France, représentent la vie et la mort de St Étienne, deux évêques et une adoration des Mages, aux tons rouges et ocre.

Le caveau, profond de 5 m, où le corps de St Germain fut déposé, est surmonté d'une voûte étoilée de soleils peints (symbole de l'éternité), rappelant les mosaïques de Ravenne où St Germain est mort.

La chapelle d'axe, ou chapelle Ste-Maxime, reconstruite au 13e s. à l'emplacement qu'occupait autrefois la rotonde de la crypte carolingienne, comporte une belle voûte d'ogives à dix pans. Elle se superpose à la chapelle St-Clément, à laquelle on accède par un escalier étroit *(à droite en sortant de la chapelle Ste-Maxime);* une cheminée a été ménagée dans le mur. Les deux chapelles, bénificiant de la déclivité du terrain, sont semi-souterraines : des ouvertures procurent une clarté suffisante et quelques vues sur la vallée.

Bâtiments conventuels. — Des expositions temporaires sont organisées dans le **cellier** (14e s.) de l'ancienne abbaye.

■ AUTRES CURIOSITÉS

Église St-Eusèbe. — L'édifice, vestige d'un ancien prieuré, conserve une belle tour du 12e s. décorée d'arcs polylobés. La flèche de pierre est du 15e s.

A l'intérieur, remarquer le chœur Renaissance surmonté d'une coupole à étages, la belle chapelle axiale et des vitraux du 16e s. Une magnifique étoffe byzantine du 9e s., dite « suaire de saint Germain » *(provisoirement déposée),* est conservée dans la chapelle de la 4e travée du bas-côté sud *(s'adresser au presbytère).*

Église St-Pierre-en-Vallée. — Rue Joubert, un portail Renaissance, encastré entre deux immeubles modernes, s'ouvre sur une place où s'élève l'église St-Pierre. C'est un édifice de style classique où subsistent des éléments décoratifs de la Renaissance. Les trois ordres architecturaux se superposent régulièrement.

La tour, très ouvragée, est de style flamboyant.

Musée Leblanc-Duvernoy. — *Visite du 21 juin au 16 septembre, de 13 h 30 à 17 h 30; le reste de l'année de 14 h à 17 h. Fermé le mardi et les 1er janvier, 1er mai, 14 juillet et Noël. Entrée : 1 F.*

Aménagé dans une demeure ancienne, ce musée renferme une série de magnifiques tapisseries de Beauvais du 18e s., figurant entre autres des scènes chinoises, une importante collection de faïences de l'Auxerrois et de différentes régions, une iconographie de la famille de Louvois par Girardon et Coysevox.

Musée Lapidaire. — *Visite en été de 10 h à 12 h et de 14 h à 17 h.*

Cette ancienne chapelle des visitandines de la première moitié du 18e s est devenue dépôt archéologique.

Maisons anciennes. — **Place Robillard** n° 5, **rue Sous-Murs** n° 16 (cette rue tire son nom des murailles de la cité gallo-romaine qui la bordaient), **rue de Paris** nos 21-23 et 37, **place de l'Hôtel-de-Ville** nos 16-17-18, **place St-Nicolas et place Courtet.**

EXCURSIONS

Circuit autour d'Auxerre. — *40 km – environ 1 h 1/2.*

Cette excursion dans les environs immédiats d'Auxerre présente un intérêt tout particulier en avril, à l'époque des cerisiers en fleurs. Le vignoble alterne avec les vergers et ajoute à l'attrait du paysage souvent vallonné. Autour de jolis villages, de vastes cerisaies recouvrent les coteaux bordant la vallée de l'Yonne et descendent jusqu'au creux de la vallée même.

Quitter Auxerre par ②, N 6. A 4,5 km d'Auxerre, prendre à gauche le D 956.

La route s'élève le long des coteaux qui prennent l'aspect d'un immense jardin coupé de petits bois.

St-Bris-le-Vineux. — 896 h. Ce joli village (quelques maisons des 14e et 15e s.) du vignoble d'Auxerre possède une église gothique du 13e s., avec voûte du chœur et du bas-côté gauche de la Renaissance. Remarquer les vitraux Renaissance, la chaire sculptée, une fresque immense de l'Arbre de Jessé (généalogie du Christ), datant de 1500, dans la 1re travée droite du chœur. Dans le collatéral droit, une petite chapelle abritant le sarcophage de saint Cot montre une clef pendante très basse, portant un blason sculpté aux armoiries des Coligny et des Dreux de Mello.

A 1,5 km de St-Bris-le-Vineux, prendre à droite la route qui rejoint le D 38. Pittoresque, elle offre de nombreuses échappées sur la vallée de l'Yonne.

Irancy. — 387 h. Au creux d'un vallon couvert d'arbres fruitiers, le petit village d'Irancy, patrie de l'architecte Soufflot, produit le vin (rouge et rosé) le plus réputé du vignoble auxerrois.

Dans la traversée d'Irancy, prendre à gauche un chemin goudronné traversant les vignes jusqu'à **Cravant** *(description p. 91). A partir de Cravant, suivre la rive droite de l'Yonne jusqu'à Vincelottes. Traverser la rivière. Prendre la N 6 sur la droite, puis à gauche le D 563 jusqu'à Escolives-Ste-Camille.*

Escolives-Ste-Camille. — Située à flanc de coteau, l'église, précédée d'un joli porche ajouré à arcades, possède une flèche octogonale recouverte de briques à plat.

Regagner Auxerre par le D 563 qui rejoint la N 6 puis le D 163 qui longe la rive gauche de l'Yonne.

Gy-l'Évêque. — 431 h. *9,5 km au Sud par ③, N 151.* Petite commune rurale animée par la circulation de la route Auxerre-Clamecy. Un clocher massif du 12ᵉ s. émerge des ruines de l'église située en bordure de la nationale.

Dans le village, prendre le chemin d'Escamps qui conduit à la chapelle provisoire (croix en fer sur la façade) où est exposé le magnifique **Christ aux Orties★** en bois (13ᵉ s.), qui était autrefois dans l'église (*s'adresser pour visiter à M. Pringot, maison voisine*).

AUXONNE

Carte Michelin n° **66** - pli ⑬ – 6 943 h. (les Auxonnais).

Cette ancienne place forte, longtemps ville frontière où Bonaparte, alors lieutenant, tint garnison de 1788 à 1791, a encore fière allure grâce à la Saône majestueuse bordée d'allées ombragées.

Le lieutenant Bonaparte. — Le régiment d'artillerie de la Fère est en garnison à Auxonne (prononcer : Aussonne) depuis le 25 décembre 1787 quand Bonaparte y arrive, le 1ᵉʳ mai 1788, en qualité de lieutenant en second. Il a alors 18 ans. Comme à Valence, où il avait tenu garnison auparavant, il se fait remarquer par son sérieux, son désir le plus vif de s'instruire, consacrant à l'étude le temps que ses camarades passent à se divertir.

Épuisé par ses veilles et par les privations auxquelles sa maigre solde le contraignait, il quitte Auxonne le 1ᵉʳ septembre 1789 pour sa Corse natale. Le 1ᵉʳ juin 1790, il est de retour, accompagné de son frère Louis dont il devient le mentor. La Révolution marche à grands pas, les événements se précipitent et le jeune Bonaparte assiste en spectateur attentif à ces remous politiques, d'où surgira quelques années plus tard un régime nouveau, le sien.

En avril 1791, il quitte définitivement Auxonne pour Valence, où il rejoint le régiment de Grenoble en qualité de lieutenant en premier. C'est le début d'une prodigieuse destinée.

■ CURIOSITÉS *visite : 1/2 h*

Église Notre-Dame. — C'est un édifice du 13ᵉ s. Le transept est flanqué à droite d'une tour romane du 12ᵉ s. Le porche, du 16ᵉ s., abrite les statues des prophètes reconstruites en 1853 par le sculpteur Buffet; six d'entre elles sont les copies fort libres du puits de Moïse (*voir p. 99*).

Remarquer dans la 3ᵉ chapelle du bas-côté droit une belle Vierge bourguignonne au raisin, de la fin du 15ᵉ s., de l'École de Claus Sluter; dans la 1ʳᵉ chapelle du bas-côté gauche, un Christ aux liens du 16ᵉ s. et un saint Antoine ermite; dans le chœur, un aigle en cuivre servant de lutrin, datant de 1652, des stalles du 16ᵉ s.

Près de l'église, au centre de la place d'Armes et face à l'**hôtel de ville,** édifice en brique du 15ᵉ s., s'élève la **statue du « Lieutenant Napoléon Bonaparte »** par Jouffroy.

Musée Bonaparte. — *Visite du 2 mai au 15 octobre, en semaine de 14 h 30 à 16 h 30, les dimanches et jours fériés de 15 h à 17 h. Fermé le jeudi sauf du 14 juillet au 31 août. Entrée : 3 F.*

Trois salles sont installées. L'une d'elles présente d'intéressants souvenirs napoléoniens (dont une statue de Bonaparte, en marbre de Carrare, de 1,35 m de hauteur due au sculpteur Pietreli de Florence); une autre est consacrée à l'archéologie préhistorique et gallo-romaine, la troisième, au folklore et à l'histoire locale.

AVALLON ★

Carte Michelin n° **65** - pli ⑯ – *Schémas p. 120 et 122* – 9 255 h. (les Avallonnais) – *Lieu de séjour, p. 39.*

Avallon, perchée sur un promontoire granitique isolé entre deux ravins, occupe un **site★** pittoresque au-dessus de la vallée du Cousin. Puissamment fortifiée, Avallon devint au Moyen Age une des « clés » de la Bourgogne, mais, son rôle militaire terminé, Louis XIV vendit à la municipalité les remparts devenus inutiles. La ville ne manque pas d'attraits avec sa ceinture de fortifications, ses jardins et ses maisons anciennes. C'est aussi un excellent point de départ pour la visite de l'Avallonnais et du Morvan.

Un fameux aventurier. — En 1432, alors que Philippe le Bon se trouve en Flandre, **Jacques d'Espailly** surnommé Fortépice, parvient, à la tête d'une bande d'aventuriers, à se rendre maître des châteaux de la Basse-Bourgogne. Il va même jusqu'à menacer Dijon. Les Avallonnais, fiers de leurs murailles, dorment sans inquiétude. Par une nuit de décembre, Fortépice surprend la garde, escalade les remparts, enlève la ville et organise sa résistance.

Philippe le Bon, alerté, revient en hâte. Il fait diriger contre Avallon une « bombarde » : les boulets de pierre ouvrent dans la muraille une large brèche par laquelle se précipite l'armée bourguignonne. Mais l'assaut est repoussé. Exaspéré, Philippe le Bon envoie chercher chevaliers et arbalétriers. Alors, Fortépice s'affole et disparaît dans la nuit par une des poternes qui ouvrent sur la rivière, abandonnant dans sa fuite ses compagnons.

■ PRINCIPALES CURIOSITÉS *visite: 1 h*

Église St-Lazare. — Au 4ᵉ s., un édifice fut fondé ici sous le vocable de sainte Marie. De ce premier sanctuaire subsiste une crypte *(on ne visite pas)* sous le chœur actuel. Au début du 11ᵉ s., l'église reçut du duc de Bourgogne, Henri le Grand, le chef de saint Lazare, insigne relique à l'origine du développement de ce culte.

Dès la fin du 11ᵉ s., l'affluence des pèlerins était telle qu'il fut décidé, en accord avec les moines constructeurs de Cluny, d'agrandir l'église. Le chœur, les absidioles en cul-de-four et les portails de l'ancien édifice tel que nous le voyons ont été remaniés.

Consacré en 1106 par le pape Pascal II, le sanctuaire fut vite trop petit et on reporta la façade à une vingtaine de mètres en avant pour allonger la nef.

Les portails*. — La façade était autrefois flanquée au Nord d'une tour-clocher au pied de laquelle était percé le portail Nord; le clocher, incendié puis ruiné plusieurs fois, s'écroula à nouveau en 1633, écrasant dans sa chute ce petit portail et une partie de la façade. Il fut remplacé en 1670 par la tour actuelle. L'intérêt de la façade réside dans les deux portails qui subsistent.

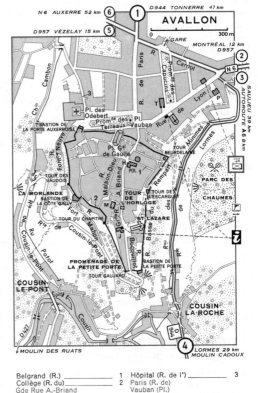

Les voussures du grand portail, composées de 5 cordons sculptés, sont particulièrement remarquables : angelots, vieillards musiciens de l'Apocalypse, signes du Zodiaque et travaux des mois, feuilles d'acanthe et feuilles de vigne y apparaissent, tandis que le décor des voussures du petit portail latéral Sud est uniquement d'inspiration végétale : guirlandes de roses épanouies, giroflées, arums stylisés. Une seule statue-colonne aux fines draperies rigides se trouve contre le piédroit du grand portail, à un emplacement qui n'est pas celui d'origine; admirer les élégantes colonnettes à cannelures en hélice et les colonnes torses alternant avec

Belgrand (R.) _____	1	Hôpital (R. de l') _____ 3
Collège (R. du) _____	2	Paris (R. de)
Gde Rue A.-Briand		Vauban (Pl.)

les colonnes droites. Les soubassements aux chapiteaux historiés du portail de droite sont délicatement ouvragés.

Le tympan et le linteau du grand portail sont dépourvus de leurs anciennes sculptures. Ceux du petit portail portent encore leurs sculptures mais mutilées; on croit reconnaître l'Adoration des Mages, la Présentation au Temple, la Descente aux Limbes.

À droite, dans le prolongement de la façade, vestiges de l'ancienne église St-Pierre qui servit d'église paroissiale jusqu'à la Révolution.

Intérieur. — La façade, lors de son déplacement, s'est trouvée orientée en biais par rapport à l'axe de la nef qui suit, par paliers successifs, la déclivité du sol (le chœur se trouve 3 m plus bas que le seuil). Dans le bas-côté Sud : statues en bois peint (17ᵉ s.), sainte Anne et la vierge (15ᵉ s.) et un St-Michel terrassant le dragon, en pierre (14ᵉ s.).

Tour de l'Horloge. — Édifiée au 15ᵉ s., sur la porte de la Boucherie, cette belle tour, flanquée d'une tourelle coiffée d'ardoise et surmontée d'un campanile qui abritait le guetteur, se dresse au point culminant de la ville.

Promenade de la Petite-Porte. — De cette terrasse plantée de tilleuls et aménagée le long des anciens remparts, on a une belle **vue** sur la vallée du Cousin, à 100 m en contrebas, et sur les monts du Morvan.

■ AUTRES CURIOSITÉS

Le tour des Remparts. — On peut y flâner à loisir. A l'Ouest, l'enceinte domine le ravin du ru Potot. Depuis l'hôpital, bâtiment du 18ᵉ s., face au bastion de la porte Auxerroise (1590) flanqué d'une échauguette, suivre la rue Fontaine-Neuve dominée par la tour des Vaudois; le bastion de la Côte Gally surplombe une petite promenade. Par la rue du Fort-Mahon on gagne la promenade de la Petite-Porte où se trouvent la tour du Chapitre et la tour Gaujard. Il est possible de poursuivre à l'Est ce tour des remparts. En suivant en contre-haut le ravin des Minimes, on voit la tour de l'Escarguet – bien conservée – puis la tour Beurdelaine, la plus ancienne, construite en 1404 par Jean sans Peur, renforcée en 1590 par un bastion couronné d'une échauguette en encorbellement.

AVALLON ★

Musée. — *Visite du 15 juin au 10 septembre, de 10 h à 12 h et de 15 h à 19 h.; fermé lundi du 15 au 30 juin et lundi-mardi du 15 juin au 10 septembre. Du 11 octobre au 14 juin sur rendez-vous, (86) 34.03.19. Fermé du 11 septembre au 10 octobre. Entrée : 2 F.*

Plusieurs salles sont consacrées à la minéralogie, à la géologie et à la préhistoire de la région, en particulier aux fouilles d'Arcy-sur-Cure. Ensemble important de statues gréco-romaines. Salles d'art religieux et populaire; collection de monnaies et de médailles; orfèvrerie; salles de peinture où l'on peut voir des œuvres de Jacques Callot, Forain, Toulouse-Lautrec, Rouault, etc.

Maisons anciennes. — Avallon conserve un certain nombre de demeures du 15ᵉ s., avec tourelle en encorbellement, et des 16ᵉ et 18ᵉ s. Le touriste aura plaisir à les découvrir, au hasard de ses flâneries à travers la vieille ville.

Parc des Chaumes. — *2 km par ③, N 6 (rue de Lyon), puis à droite la rue des Minimes, le chemin de la Goulotte et l'avenue du Parc. Laisser la voiture à l'entrée du parc.*

Traverser le parc. La **vue** sur Avallon est remarquable : surplombant les jardins étagés en terrasses, la ville couronne un éperon granitique et l'on distingue les remparts, l'abside de St-Lazare et la tour de l'Horloge.

EXCURSION

Vallée du Cousin*. — *Circuit de 33 km – environ 1 h – schéma p. 122. Sortir d'Avallon par ⑥, N 6; à 4 km prendre à gauche le D 128 vers la vallée du Cousin (lieu de séjour, p. 39).*

Vault-de-Lugny. — *Page 161.*

Le D 142 suit une boucle du Cousin et laisse sur la gauche un château entouré de douve.

Pontaubert. — 243 h. La localité, qui s'étage sur la rive gauche du Cousin, possède une église de style roman bourguignon.

Quitter Pontaubert par le D 427 qui longe le Cousin dans une gorge granitique et boisée.

Moulin des Ruats. — La route, qui longe le cours de la rivière, serpente dans un charmant décor de verdure. D'anciens moulins ont été aménagés en hostelleries, dans un site agréable. La route passe au pied de l'éperon que domine Avallon et continue à remonter la rive droite du Cousin.

Méluzien. — Site charmant au confluent du ru des Vaux et du Cousin dont on quitte la vallée. La route s'élève à travers bois jusqu'à Magny; on emprunte, à partir de là, le D 75 descendant, sinueux vers le Cousin.

Moulin-Cadoux. — Un vieux pont, avec parapet en dos d'âne, franchit la rivière dans un joli site.

Marrault. — On aperçoit, à droite, un château du 18ᵉ s. où Pasteur fit plusieurs séjours et, aussitôt après, à gauche, l'étang du Moulin.

Le D 10, traversant le vallon boisé, ramène à Avallon, offrant une jolie vue sur la ville.

BARD-LE-RÉGULIER
Carte Michelin n° 65 - angle Sud-Est du pli ⑰ – 19 km de Saulieu par le D 15 – 120 h.

Église. — L'église que domine une élégante tour octogonale date des 12ᵉ et 13ᵉ s. Elle appartenait au Prieuré de St-Augustin.

A l'intérieur *(visite du 1ᵉʳ avril au 15 novembre de 14 h à 18 h; s'adresser à Mme Hoffman, près de l'église)*, le sol présente cette particularité de s'élever par trois fois jusqu'au sanctuaire. On peut voir 34 belles stalles des 12ᵉ et 14ᵉ s. Sur les accoudoirs sont représentées des figurines du bestiaire de saint Jean, sur les faces latérales, l'Annonciation, la Visitation, la Nativité, la Cène, le martyre de saint Jean l'Évangéliste, patron de l'église, etc.

Signal de Bard. — *1 km plus 1 h 1/2 à pied AR. A la sortie, sur la route de Vianges (D 15ᴱ) qui part à gauche, prendre à droite. Environ 25 m après un passage à niveau, suivre à gauche le sentier d'accès au signal, en très mauvais état.*

Du signal (554 m), vue étendue, au Nord-Est sur l'Auxois, au Sud-Ouest sur le Morvan.

EXCURSION

Manlay. — 286 h. *4 km au Sud-Est par le D 11ᴬ.*

L'église fortifiée du 14ᵉ s., possède une façade flanquée de deux tours rondes percées de meurtrières.

Le chœur, restauré, est situé dans un donjon carré, avec un maître-autel du 20ᵉ s.

BEAUMONT-SUR-VINGEANNE (Château de)
Carte Michelin n° 66 - Nord du pli ⑬ – 7,5 km au Sud de Fontaine-Française, par D 27.

Le petit village de Beaumont-sur-Vingeanne possède un charmant édifice du 18ᵉ s., type même de ce que l'on appelait alors architecture « de Folie » et l'un des très rares exemples existant encore en France. Ce château, de dimensions réduites mais de productions parfaites, aurait été construit aux environs de 1724 par l'abbé Claude Jolyot, chapelain du Roi, qui vint y faire de nombreux séjours pour y goûter le repos, loin de Versailles et de la cour.

Château. — *Visite du 1ᵉʳ août au 15 septembre, de 15 h à 18 h. S'adresser au gardien.*

C'est une demeure fort agréable dont la façade harmonieuse est ornée de fenêtres cintrées couronnées de masques et dont l'intérieur offre une suite de salons, de chambres et de boudoirs meublés et décorés avec le goût le plus parfait.

Le parc est simple mais bien dessiné.

Cet ensemble évoque bien la douceur de vivre, telle qu'on l'entendait au 18ᵉ s.

BEAUNE **

Carte Michelin n° 69 - pli ⑨ – *Schéma p. 87* – 19 972 h. (les Beaunois).

Au cœur du vignoble bourguignon, Beaune, prestigieuse cité du vin, est aussi une incomparable ville d'art. Son Hôtel-Dieu, ses musées, son église Notre-Dame, sa ceinture de remparts dont les bastions abritent les caves les plus importantes, ses jardins, ses maisons anciennes, constituent un des plus beaux ensembles de Bourgogne.

La visite de la Côte et du vignoble *(voir p. 86)* est le complément indispensable de la visite de Beaune : les amateurs d'art et de bons vins sont également comblés.

UN PEU D'HISTOIRE

La naissance d'une ville. — Sanctuaire gaulois, puis romain, Beaune a été jusqu'au 14° s. la résidence habituelle des ducs de Bourgogne, avant qu'ils ne se fixent définitivement à Dijon. Les archives de la ville possèdent la charte originale des libertés communales accordées par le duc Eudes, en 1203.

C'est en 1368 qu'ont été édifiées l'enceinte et les tours qui existent encore. Après la mort, en 1477, du dernier duc de Bourgogne, Charles le Téméraire, la ville résiste avec opiniâtreté à son annexion par Louis XI et ne se rend qu'après un siège de cinq semaines.

Une querelle de clochers. — L'animosité des habitants de Dijon contre les Beaunois a fait, au 18° s., couler des flots d'encre sous la plume du poète dijonnais **Alexis Piron** (1689-1773). A la suite d'un concours d'arquebusiers où ses concitoyens avaient été battus par les Beaunois, Piron compose une ode vengeresse, intitulée « Voyage à Beaune », dans laquelle il compare les Beaunois aux ânes de leur pays – les frères Lasnes, commerçants du lieu, n'avaient-ils pas pris pour enseigne cet animal, provoquant les quolibets de leurs compatriotes – et prétend leur couper les vivres en tranchant les chardons de tous les talus des environs. Ce poème lui vaut d'être interdit de séjour à Beaune. Néanmoins, il a la témérité de s'y aventurer un dimanche, se rendant tout d'abord à la messe, où, déclare-t-il, « tel qui y vient pour lorgner les femmes est obligé d'y prier Dieu, car, en vérité, ces dames auraient effrayé Jean sans Peur ».

Il se rend ensuite au spectacle. Bientôt les gens le reconnaissent et manifestent si bruyamment leur haine et leur courroux qu'un jeune spectateur, soucieux de ne rien perdre de la pièce, s'écrie : « Paix donc! on n'entend rien! » – « Ce n'est pas faute d'oreilles » réplique audacieusement Piron. Les spectateurs se ruent sur lui et cette nouvelle plaisanterie lui aurait coûté cher si un Beaunois compatissant ne lui avait donné asile et fait quitter la ville nuitamment.

Une grande cérémonie. — Le 3° dimanche de novembre a lieu l'importante et célèbre vente aux enchères des Vins des Hospices de Beaune, qui attire une foule considérable.

Les Hospices de Beaune (ce terme englobe l'Hôtel-Dieu et l'hospice de la Charité) possèdent notamment un magnifique vignoble de 53 ha entre Aloxe-Corton et Meursault comptant des crus universellement réputés. C'est un titre de gloire que de figurer parmi les « vignerons des hospices ».

Le produit de la vente aux enchères, qu'on a appelée « la plus grande vente de charité du monde », est consacré à la modernisation des installations chirurgicales et médicales ainsi qu'à l'entretien de l'Hôtel-Dieu.

■ **PRINCIPALES CURIOSITÉS** *visite : 2 h*

Hôtel-Dieu ** **et musée** *. — *Visite accompagnée du 1ᵉʳ avril au 30 novembre de 9 h à 11 h 30 et de 14 h à 18 h; le reste de l'année de 9 h à 11 h et de 14 h à 17 h (18 h les dimanches et fériés). Entrée 5 F.*

Merveille de l'art burgondo-flamand, l'Hôtel-Dieu de Beaune fut fondé en 1443 par le chancelier Nicolas Rolin *(p. 44)*. Dans cet édifice, parvenu intact jusqu'à nous, a fonctionné jusqu'en 1971, dans un pur décor médiéval, un service hospitalier moderne. Transformé en hôpital de long séjour, il est affecté maintenant aux personnes âgées.

Façade extérieure. — La vaste et haute toiture d'ardoises est le principal élément décoratif de cette sobre façade. Avec ses lucarnes, ses girouettes, ses fins pinacles et sa dentelle de plomb, elle est d'une parfaite élégance.

Au centre, une flèche aiguë de 30 m de hauteur fuse vers le ciel.

Le porche d'entrée est surmonté d'un auvent d'une grande légèreté. Les trois pignons d'ardoise à pendentifs se terminent en pinacles ouvragés. Les girouettes portent différents blasons. Sur la porte aux beaux vantaux, remarquer le guichet de fer forgé aux pointes acérées et le heurtoir, magnifique pièce ciselée.

Cour d'honneur. — Les bâtiments qui l'entourent forment un charmant ensemble à la fois gai, intime et cossu, « plutost logis de prince qu'hospital de pauvres ». Les ailes de gauche et du fond ont une magnifique toiture de tuiles vernissées multicolores, ponctuée de tourelles, percée d'une double rangée de lucarnes, hérissée de girouettes armoriées et d'épis de plomb ouvragés.

Une galerie à pans de bois, desservant le premier étage, repose sur de légères colonnettes de pierre formant cloître au rez-de-chaussée. Le bâtiment de droite, construit au 17° s., sur des dépendances, ne dépare pas l'ensemble. Au revers de la façade, les pavillons qui encadrent la porte d'entrée datent du siècle dernier.

Le vieux puits, avec son armature de fer forgé et sa margelle de pierre, est du plus gracieux effet. Aucune fausse note n'altère ce cadre archaïque.

Grand'Salle ou chambre des pauvres. — Cette immense salle de 52 m de longueur conserve une magnifique charpente en berceau brisé, entièrement polychromée, de même que ses longues poutres transversales « avalées » à chaque extrémité par une gueule de monstre marin. Le pavage est la reproduction du dallage primitif. Tout le mobilier est d'époque ou refait sur les modèles d'origine.

Autrefois, « ès fêtes solennelles », les 28 lits à colonnes, alignés dans la pièce, étaient couverts par d'admirables tapisseries. Ces tapisseries sont maintenant exposées au musée, mais l'ordonnance des ciels de lits, des courtines et de la literie, dans leur harmonie de tons blanc et rouge est frappante.

La cloison de style flamboyant séparant la grand'salle de la chapelle (restaurée au 19ᵉ s.) est moderne, ainsi que le grand vitrail. Le fameux polyptyque de Roger Van der Weyden, commandé pour cette chapelle par Nicolas Rolin et aujourd'hui exposé au musée, prenait place au-dessus de l'autel.

Dans la chapelle, une plaque funéraire en cuivre rappelle la mémoire de Guigone de Salins, épouse de Nicolas Rolin et fondatrice de l'Hôtel-Dieu.

Salle St-François. — Les robes portées par les Dames Hospitalières jusqu'en 1961, présentées sur des mannequins, ne sont visibles que par les fenêtres, côté cour.

Cuisine. — On ne la visite pas, mais on peut y jeter un coup d'œil de l'extérieur pour en admirer les cuivres étincelants et, surtout, la vaste cheminée à double foyer.

Anciens bureaux. — Dans une salle aménagée sont présentés une collection d'étains, de nombreux meubles d'époque et, sous vitrine, le livre d'or historique débutant par les signatures de la Princesse Palatine et de Louis XIV, ainsi qu'une Vierge à l'enfant du 15ᵉ s. en bois polychrome.

Pharmacie. — On a réuni là une collection de vases d'étain, de mortiers de bronze et de faïences de Nevers du 18ᵉ s.

Par l'ancienne salle du coffre-fort, on peut passer dans une seconde cour où se trouvent les statues de Nicolas Rolin et de Guigone de Salins par Henri Bouchard.

Salle St-Louis. — Libérée par les malades, elle donne accès au musée proprement dit. Elle abrite un lot de tapisseries de Tournai (début 16ᵉ s.) figurant la parabole de l'Enfant Prodigue, et quelques autres, tissées à Bruxelles (début 17ᵉ s.) retraçant l'histoire de Jacob.

Musée*. — Dans une salle construite à cet effet est exposée la pièce-maîtresse du musée, le célèbre **polyptyque du Jugement dernier***** de Roger Van der Weyden (Roger de la Pasture). Ce chef-d'oeuvre de l'art flamand avait été commandé à l'artiste par Nicolas Rolin en 1443, pour surmonter l'autel de la Grand'Chambre des pauvres. Il a été fort bien restauré. Tous les détails de cette admirable composition sont d'une vérité et d'une expression poignantes, et peints avec une extraordinaire minutie.

Dans le panneau central, le Christ, trônant majestueux sur l'arc-en-ciel au milieu des nuées, préside le Jugement dernier. Encadré par les anges sonnant de la trompette, saint Michel pèse les âmes. Entourant ces figures centrales, la Vierge et saint Jean-Baptiste implorent la clémence du Seigneur. Derrière eux, prennent place les Apôtres et différents personnages intercédant en faveur de l'humanité.

Au bas des panneaux, les morts sortent de terre : les justes s'acheminent vers le Paradis, cathédrale étincelante d'or, tandis que les réprouvés se contorsionnent aux approches de l'Enfer. Cette multitude de petits personnages compose une fresque étonnante.

Sur deux panneaux placés à la partie supérieure, quatre anges portent les instruments de la Passion.

Sur le mur latéral de droite, on voit le retable tel qu'il se présentait lorsqu'il était fermé (il n'était ouvert que les dimanches et jours de fêtes solennelles). Les admirables portraits de Nicolas Rolin (déjà immortalisé par Van Eyck dans le tableau de la Vierge d'Autun aujourd'hui au Louvre) et de sa femme sont accompagnés de grisailles représentant saint Sébastien et saint Antoine, premiers patrons de l'Hôtel-Dieu, et la scène de l'Annonciation.

Sur le mur latéral de gauche est exposée la belle tenture à mille fleurs (début 16ᵉ s.) racontant la légende de St-Éloy.

Face au polyptyque, ont été placées les tapisseries à fond framboise de Guigone de Salins, semées de tourterelles, portant les armes des fondateurs, les initiales G et N entrelacées et la devise « Seulle », preuve du fidèle attachement de Nicolas Rolin à son épouse. Au centre est représenté St Antoine Ermite, patron de Guigone de Salins.

Collégiale Notre-Dame*. — Cette « fille de Cluny », commencée vers 1120, reste, malgré des adjonctions successives, un bel exemple de l'art roman bourguignon.

Extérieur. — Un large porche à trois nefs du 14ᵉ s. dissimule la façade. Le décor sculpté a été détruit pendant la Révolution, mais les vantaux aux panneaux sculptés (15ᵉ s.) subsistent.

Pour avoir la vue la plus intéressante du chevet, contourner l'édifice par la gauche. Dans cet ensemble de belles proportions, on reconnaît les différentes phases de construction : déambulatoire et absidioles de pur style roman, chœur remanié au 13ᵉ s. et beaux arcs-boutants du 14ᵉ s.

La tour de la croisée du transept, où les baies en tiers-points se superposent aux arcatures romanes, est coiffée d'un dôme galbé avec lanternon du 16ᵉ s.

Intérieur. — La haute nef, voûtée en berceau brisé, est flanquée d'étroits bas-côtés voûtés d'arêtes. Un triforium aux baies partiellement aveugles entoure l'édifice qui offre un décor d'arcatures et pilastres, cannelés dans le chœur, d'inspiration bien clunisienne.

La croisée du transept est couverte d'une coupole octogonale sur trompes. Le chœur, entouré d'un déambulatoire sur lequel s'ouvrent trois absidioles en cul-de-four, est remarquable par ses proportions.

Outre la décoration des pilastres des croisillons, il faut remarquer le bandeau de rosaces sous le triforium simulé et les sculptures de certains chapiteaux figurant l'Arche de Noé, la lapidation de St-Étienne et l'Arbre de Jessé.

En remontant le bas-côté gauche, retenir dans la seconde chapelle les fresques du 15ᵉ s. représentant la Résurrection de Lazare, attribuées à l'artiste bourguignon Pierre Spicre, une Pietà du 16ᵉ s., et, dans la troisième chapelle, deux retables du 15ᵉ s.

Dans le bas-côté Sud au niveau de la première travée, chapelle Renaissance au beau plafond à caissons.

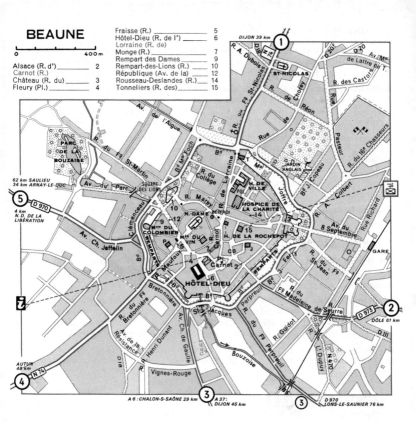

BEAUNE

0   400 m

Alsace (R. d')	2
Carnot (R.)	
Château (R. du)	3
Fleury (Pl.)	4

Fraisse (R.)	5
Hôtel-Dieu (R. de l')	6
Lorraine (R. de)	
Monge (R.)	7
Rempart des Dames	9
Rempart-des-Lions (R.)	10
République (R. de la)	12
Rousseau-Deslandes (R.)	14
Tonneliers (R. des)	15

Tapisseries **. — Il est indispensable de voir, dans le chœur, derrière le maître-autel, un magnifique ensemble de tapisseries, dites « de la Vie de la Vierge » *(visibles d'avril à novembre)*, marquant le passage de l'art du Moyen Age à la Renaissance.

Cinq panneaux aux riches couleurs, tissés en laine et soie, retracent toute la vie de la Vierge en une suite de charmants tableaux. Ils furent commandés en 1474, puis exécutés d'après les cartons de Spicre, sur les indications du cardinal Rolin, et offerts à l'église en 1500 par le chanoine Hugues le Coq.

On peut accéder aux bâtiments capitulaires par une porte romane ouvrant dans le transept ; une partie de l'ancien cloître (13e s.) et la salle capitulaire ont été restaurées.

Musée du vin de Bourgogne*. — *Visite accompagnée à 9 h, 10 h et 11 h et à 14 h, 15 h, 16 h et 17 h. Fermé le 1er janvier et le 25 décembre. Entrée : 3 F.*

Il est installé dans l'ancien hôtel des ducs de Bourgogne, bâtiment des 15e et 16e s., où la pierre et le bois se complètent harmonieusement. La cour intérieure évoque un délicieux décor de théâtre. La Porterie, bâtiment du 15e s. situé à droite de la porte d'entrée, est intéressante. La cuverie (14e s.), à laquelle on accède par un vaste portail, abrite une impressionnante collection de pressoirs et de cuves.

L'histoire du vignoble bourguignon et de la culture de la vigne est admirablement présentée au rez-de-chaussée. Au 1er étage, une grande salle, décorée de deux tapisseries des ateliers d'Aubusson, l'une de Lurçat et l'autre de Michel Tourlière, est le siège de « l'Ambassade des Vins de France ». Dans d'autres salles, collections de pichets, bouteilles, tastevins, outils de tonnelier et souvenirs des compagnons du Tour de France.

■ AUTRES CURIOSITÉS

Hôtel de la Rochepot*. — Cet édifice du 16e s. possède une jolie façade gothique et deux cours intérieures dénotant une très nette influence italienne. Remarquer les trois étages de galeries ornées de médaillons.

Sur la place Monge s'élèvent le beffroi (14e s.) et la statue de Monge, enfant du pays, par Rude. Aîné des quatre fils d'un commerçant de Beaune, **Gaspard Monge** (1746-1818) se révéla très tôt doué pour les sciences physiques et mathématiques. Créateur de la géométrie descriptive, il fonda l'École Polytechnique sous la Révolution et participa à l'expédition d'Égypte.

Hospice de la Charité. — *Visite de 15 h à 17 h.*

Dans l'église on pourra remarquer les grilles du chœur en fer forgé ainsi qu'une tombe en cuivre à l'effigie des fondateurs. Le parloir renferme de belles tapisseries, et le réfectoire des peintures, des boiseries et des statues. Un petit musée contient en outre une collection d'étains. Une magnifique chasuble de 1742 est exposée dans la sacristie.

Le tour des Remparts. — De place en place, des bastions émergent de la verdure, variant l'aspect de ce tour de ville appelé « tour des Fossés ».

De belles promenades, ombragées de platanes séculaires, y sont aménagées : rempart des Dames, square des Lions (ancien bastion Saint-Martin).

Hôtel de Ville. — Il occupe les bâtiments de l'ancien couvent des Ursulines (17e s.).

Visite des deux musées de Pâques à fin octobre, de 9 h à 12 h et de 14 h à 17 h 30. Fermé le mardi et les 1er mai et 14 juillet. Entrée : 3 F.

BEAUNE ★★

Le **musée des Beaux-Arts** abrite des œuvres de Ziem, peintre né à Beaune, des sculptures et relate l'histoire locale. Un autre musée est consacré à **Étienne-Jules Marey** (1830-1904), inventeur de la chronophotographie et, à ce titre, précurseur du cinématographe.

Église St-Nicolas. — 13ᵉ s. Église du quartier des vignerons possédant une tour romane avec une belle flèche de pierre. Un porche du 15ᵉ s., pourvu d'une charpente couverte de tuiles et supportée par des piliers de pierres de taille, abrite un portail du 12ᵉ s. Le tympan monolithe représente saint Nicolas sauvant trois jeunes filles que leur père voulait vendre.

Maisons anciennes. — Les nᵒˢ 18-20-22-24 de la **rue de Lorraine** forment un bel ensemble du 16ᵉ s.; au nᵒ 10 de la **rue Rousseau-Deslandes,** une maison ornée au premier étage d'arcatures tréflées; 2 **rue Fraisse,** la Maison du Colombier, jolie demeure Renaissance, à voir du parvis de Notre-Dame; 13 **place Fleury,** l'hôtel de Saulx, avec jolie tourelle et cour intérieure; enfin, 4 **place Carnot,** une maison du 16ᵉ s. dont la façade porte de ravissantes sculptures.

Parc de la Bouzaise. — C'est un agréable but de promenade, avec ses beaux ombrages et son lac artificiel aux sources de la rivière.

EXCURSIONS

Les Hautes-Côtes de Beaune; la Rochepot*. — *Circuit de 36 km. Sortir de Beaune par ④, N 74 et suivre à partir de Pommard la variante par les Hautes-Côtes de Beaune décrite p. 87. Rentrer d'Auxey-Duresses à Beaune par le D 973 prolongé par la N 74, directe.*

Montagne de Beaune. — *4 km. Sortir de Beaune par ⑤, D 970, on accède au sommet, où s'élève le monument de N-D-de-la-Libération, par une route s'embranchant sur la droite. De la table d'orientation située près du monument, on découvre une vue étendue sur la ville aux jolis toits de tuiles brunes, sur le vignoble et, au Sud, sur les monts du Mâconnais.*

Archéodrome. — *6 km au Sud. Sortir de Beaune par ③, D 18 vers Chalon, puis à gauche le D 23 en direction de Merceuil (parc de stationnement, avant le passage sous l'autoroute). Description p. 43.*

BERZÉ-LA-VILLE ★ ─────────────────────────

Carte Michelin nᵒ 𝟨𝟫 - pli ⑲ – 12 km au Sud-Est de Cluny – *Schémas p. 115 et 116* – 371 h.

L'abbaye de Cluny possédait là, près d'un ancien prieuré, une maison de campagne pour ses élèves, dite « château des Moines ». Ce fut la maison de campagne de saint Hugues. L'église paroissiale du village est intéressante.

Chapelle des Moines. — La chapelle romane du prieuré est célèbre par ses peintures murales, magnifique exemple de l'art clunisien. *S'adresser à la gardienne dans la chapelle, de Pâques à la Toussaint, de 9 h à 12 h et de 14 h 30 à 18 h. Fermée le dimanche matin et le mardi après-midi. Entrée : 2 F.*

Les fresques ★★. — La chapelle (12ᵉ s.), érigée en étage sur un bâtiment primitif du 11ᵉ s., était, à l'origine, entièrement peinte. Les peintures de la nef ont disparu.

Parmi les peintures du chœur et de l'abside, on reconnaît sur la voûte en cul-de-four un Christ en majesté, de près de 4 m de hauteur, entouré d'apôtres, de diacres et donnant à saint Pierre un parchemin (donation de la Loi); sur le soubassement des fenêtres, des groupes de saints particulièrement vénérés à Cluny et des martyrs émergent de draperies simulées. Sur les faces latérales de l'abside, on découvre : à gauche, la légende de saint Blaise; à droite, le martyre de saint Laurent sur son gril, en présence de Décius, préfet de Rome.

Ces peintures murales clunisiennes du 12ᵉ s., à fond bleu, dénotent l'influence de l'art byzantin sur l'art chrétien, qui s'était manifestée au 9ᵉ s. en Europe.

EXCURSION

Berzé-le-Châtel*. — *5 km au Nord. Description p. 116.*

BEUVRAY (Mont) ★★ ─────────────────────────

Carte Michelin nᵒ 𝟨𝟫 - plis ⑥ ⑦ – 8 km à l'Ouest de St-Léger-sous-Beuvray – *Schémas p. 76, 120, 123 et 140.*

Le D 274, à sens unique, permet d'atteindre le sommet du mont Beuvray (alt. 821 m). Il s'embranche sur le D 3 à 5,5 km à l'Ouest de St-Léger-sous-Beuvray et aboutit à 3,5 km de cette même ville. Il offre quelques belles échappées dans les parties déboisées.

L'oppidum de Bibracte. — C'est au sommet du Beuvray que se trouvait l'oppidum gaulois de Bibracte, capitale des Éduens. C'était une sorte de camp retranché, demeure habituelle des artisans gaulois et refuge, en cas de danger, de la population agricole des environs.

Vercingétorix illustra cet oppidum : il convoqua en un véritable conseil de guerre une assemblée générale des tribus gauloises soulevées contre Jules César en 52 avant J.-C. Là il organisa la résistance contre les légions romaines et se fit confier le commandement suprême des armées gauloises. Après la prise d'Alésia, César se rendit à deux reprises à Bibracte qui, sous Auguste, fut abandonnée au profit d'Augustodunum (Autun). Le culte que l'on y rendait à une divinité gauloise attirait chaque printemps un grand nombre de fidèles. Des foires avaient lieu à cette occasion. Elles se perpétuèrent jusqu'au 16ᵉ s.

Un monument rappelle les fouilles exécutées au 19ᵉ s. par Bulliot. Les ruines mises au jour ont été ensuite réenterrées. Le rempart gaulois, dit fossé de Beuvray, a 5 km de tour.

Panorama ★★. — De la plate-forme découverte *(table d'orientation)* encadrée de hêtres séculaires aux troncs tordus, on découvre un magnifique panorama sur Autun, le signal d'Uchon et Mont-St-Vincent; par beau temps, on distingue le Jura et même le Mont Blanc.

BLANOT

Carte Michelin n° **69** - pli ⑲ – 10 km au Nord-Est de Cluny – *Schéma p. 115* – 139 h.

Blanot, petit village aux vieilles maisons clôturées par de jolis murs de pierres sèches, occupe un site charmant au pied du mont St-Romain. L'église, couverte de lauzes, forme avec un ancien **prieuré clunisien*** du 14e s., un ensemble qui ne manque pas de charme. Des tombes mérovingiennes ont été mises au jour à proximité du prieuré.

Église. — Du 12e s., elle a conservé une abside et un curieux clocher roman orné d'arcatures lombardes.

Grottes. — *Visite du 15 mars au 1er novembre de 9 h à 12 h et de 14 h à 19 h. Durée : 1 h. Entrée : 6 F.*
On accède aux grottes en prenant, à la sortie Nord de Blanot, le D 446 en direction de Fougnières. 500 m après ce hameau, à hauteur d'un virage, tourner à gauche.

Le gouffre atteint une profondeur de 80 m. Parmi le vaste système de grottes (*1 km de circuit*) s'étendant entre le hameau du Vivier et le mont St-Romain, vingt et une salles peuvent être visitées. On y voit de belles concrétions.

BOURBON-LANCY

Carte Michelin n° **69** - pli ⑯ – 6 652 h. (les Bourbonnais) – *Lieu de séjour, p. 39.*

Bâtie sur une colline d'où l'on découvre largement la vallée de la Loire et les plaines du Bourbonnais, Bourbon-Lancy est à la fois une petite ville au cachet ancien, une station thermale de réputation confirmée pour les affections rhumatismales et circulatoires, et un centre de fabrication de moteurs employant plus de 1 500 personnes.

La station thermale. — Cinq sources jaillissent à une température allant de 46 à 58°C et débitent plus de 400 000 l par jour.

Près de l'établissement thermal, modernisé, beau parc ombragé.

■ CURIOSITÉS *visite : 1/2 h*

Maison de bois et tour de l'Horloge*.
— N° 3 rue de l'Horloge, une maison de bois du 16e s., à colombages, est ornée d'une colonne cornière, de fenêtres en accolade, de médaillons vernissés et d'une statue ancienne. A côté, la fontaine Sévigné et l'ancien Beffroi, élevé sur une porte fortifiée de la vieille ville (actuelle tour de l'Horloge), forment un ensemble pittoresque.

Hospice d'Aligre. — Dans la chapelle, on peut voir une jolie chaire sculptée offerte en 1687 par Louis XIV à Mme Élisabeth d'Aligre, abbesse de St-Cyr.

A gauche de la chapelle, sur le palier du grand escalier, statue en argent de la marquise d'Aligre (1776-1843), bienfaitrice de l'hospice.

Châtaigneraie (R. de la)___ 2
Commerce (R. du)
Dr-Gabriel-Pain (R. du)___ 3
Gaulle (R. du Gén. de)
Horloge (R. de l')_____ 4
République (Pl. de la)___ 5

Musée. — *Visite du 1er juin au 15 septembre de 16 h à 18 h.*

Ce musée d'antiquités locales (quelques sarcophages mérovingiens) et d'Art (peinture, sculpture), est installé dans l'ancienne église St-Nazaire (11e et 12e s.), dépendant d'un prieuré des moines de Cluny fondé par Ancel de Bourbon qui donna son nom à la localité.

EXCURSIONS

Signal de Mont*. — *7 km, plus 1/4 h à pied AR. Quitter Bourbon-Lancy par ②, D 60, et prendre immédiatement, à gauche, un chemin vicinal vers le belvédère. Après une forte montée, un sentier sur la gauche conduit au sommet.*
Du belvédère (altitude 469 m), **panorama*** sur les monts du Morvan, le signal d'Uchon, le Charollais, la Montagne bourbonnaise, les monts d'Auvergne par temps clair.

Château de St-Aubin-sur-Loire. — *6 km au Sud par ③, D 979A, puis D 979.*
Visite de juillet au 1er octobre de 15 h à 18 h. Fermé les mardis, dimanches et les 14 juillet et 15 août. Entrée : 4 F. S'adresser au propriétaire.

Ce château, de la seconde moitié du 18e s., est d'une grande simplicité et de proportions parfaites. La façade comporte un avant-corps, légèrement saillant. Les communs sont très beaux.

A l'intérieur, de magnifiques tapisseries décorent l'escalier monumental. Dans le grand salon et les boudoirs attenants, jolies boiseries et mobilier d'époque.

Aimer la nature,
c'est respecter la pureté des sources, la propreté des rivières,
des forêts, des montagnes...
c'est laisser les emplacements nets de toute trace de passage.

Carte Michelin nº **74** - pli ③ – 44 967 h. (les Bourgeois ou les Bressans).

Bourg (prononcer Bourk) est demeurée au cours des siècles la capitale de la plantureuse Bresse, largement étendue de la Saône aux monts du Jura, active région d'élevage dont la production de volaille blanche assure le renom des marchés de la place (voir p. 63).

La ville, spécialisée dans les constructions mécaniques, est devenue également le grand centre de fabrication des meubles du style dit « rustique bressan »; on utilise à cet effet les bois des arbres fruitiers : bois moucheté de la loupe de noyer, merisier, cerisier, poirier – outre le frêne. Un artisanat local entretient le goût des faïences de Meillonnas (voir p. 63) et des jolis émaux bressans.

Ces productions originales, témoignant d'un passé industrieux, contribuent à donner de Bourg, dont l'extension est soulignée par le nombre de constructions nouvelles, l'image d'une ville active.

Cette image est rehaussée par l'intérêt qu'offrent ses monuments.

■ BROU *** visite 1 h

Visite de l'église et du monastère : du 1er juillet au 30 septembre de 8 h à 12 h et de 13 h 30 à 18 h 30, du 1er au 31 octobre de 9 h à 12 h et de 14 h à 17 h, du 1er novembre au 14 mars de 10 h à 12 h et de 14 h à 16 h 30, du 15 mars au 30 juin de 8 h 30 à 12 h et de 14 h à 18 h. Prix du billet combiné (église et monastère) : en semaine 6 F; les dimanches et jours fériés : 3 F.

Spectacle « Son et lumière », voir p. 6.

Brou était autrefois une petite agglomération née autour d'un prieuré bénédictin rattaché à Bourg. L'église et le monastère (1) furent construits au 16e s., à la suite d'un vœu.

Les deux Marguerite. — En 1480, Philippe, comte de Bresse, plus tard duc de Savoie, a un accident de chasse. Sa femme, Marguerite de Bourbon (grand-mère de François Ier), fait vœu, s'il guérit, de transformer en monastère l'humble prieuré de Brou. Le comte rétabli, Marguerite meurt sans avoir pu accomplir sa promesse. Elle a confié ce soin à son mari et à son fils Philibert le Beau. Mais, passé le péril, on oublie le saint...

Vingt années s'écoulent. Philibert, qui a épousé Marguerite d'Autriche (voir ci-dessous), meurt inopinément. Sa veuve voit là un châtiment céleste. Pour que l'âme de son mari repose en paix, elle va se hâter de réaliser le vœu de Marguerite de Bourbon, d'autant plus volontiers qu'une telle œuvre doit lui permettre à la fois d'affirmer sa propre souveraineté et de rivaliser en prestige avec sa belle-sœur Louise de Savoie, bientôt régente de France. Brou n'en demeure pas moins, depuis 400 ans, un symbole de l'amour conjugal.

Une infortunée princesse. — Marguerite d'Autriche est la fille de l'empereur Maximilien et la petite-fille de Charles le Téméraire. Elle a perdu sa mère (Marie de Bourgogne) à l'âge de 2 ans. L'année suivante, on l'installa à la cour de Louis XI et on l'unit, par la cérémonie religieuse du mariage, au dauphin Charles, encore enfant. La Franche-Comté constitue la dot de la fillette.

Cinq ans plus tard, la succession de Bretagne s'ouvre. L'héritière, la duchesse Anne, a de nombreux prétendants, dont Maximilien qui l'emporte tout d'abord : l'anneau nuptial est remis par procuration. Mais ce prince a mérité le surnom d' « empereur sans le sou ». Déjà pour ses premières noces, sa fiancée avait dû lui envoyer l'argent nécessaire au voyage. Cette fois encore, il lui manque 2 000 livres pour aller à Nantes. Charles VIII profite de ces embarras : Anne de Bretagne sera reine de France au lieu d'être impératrice. Les deux mariages blancs sont annulés; Charles répudie Marguerite, Anne répudie Maximilien, doublement ulcéré comme père et comme mari putatif.

L'infortunée Marguerite épouse, à 17 ans, l'héritier d'Espagne, perd son mari après quelques mois d'union, met au monde un enfant mort-né.

Quatre ans plus tard, son père Maximilien lui fait épouser en troisièmes noces Philibert de Savoie, jeune homme volage et futile mais qui respecte sa femme « intelligente pour deux » et la laisse pratiquement gouverner à sa place.

Après trois années passées auprès de son « beau duc », le destin porte un nouveau coup à Marguerite : Philibert est emporté par un refroidissement pris à la chasse. Veuve pour la seconde fois, à 24 ans, Marguerite reste fidèle à la mémoire de Philibert, jusqu'à son dernier soupir. Cette femme supérieure, lettrée, artiste, qui sait s'entourer et se faire obéir, ne vit plus que pour ses tâches d'État. A partir de 1509, elle devient régente des Pays-Bas et de la Franche-Comté. Son gouvernement sage, libéral, lui a valu la fidélité, le respect et l'affection des Comtois.

Le vœu de Brou se réalise. — Les travaux commencent à Brou, en 1506, par les bâtiments du monastère. Ils s'ordonnent autour de trois cloîtres dont l'un est celui de l'ancien prieuré bénédictin.

L'église du prieuré est ensuite abattue pour faire place à un magnifique édifice qui servira d'écrin aux trois tombeaux où reposeront Philibert, sa femme et sa mère.

Marguerite, qui réside en Flandre, confie le chantier à un maître maçon flamand, Van Boghem, qui sera à la fois architecte et entrepreneur général. C'est un réalisateur remarquable, qui ranime du pied et du poing les activités défaillantes. Il réussit à élever le fastueux édifice dans le temps record de 19 ans (1513-1532). Mais Marguerite est morte deux ans avant la consécration, sans avoir jamais vu son église autrement que sur plans.

Brou a l'heureuse chance de traverser les guerres de Religion et la Révolution sans dommages irréparables. Le couvent est successivement transformé en étable à porcs, en prison, en caserne, en refuge pour mendiants, en asile de fous. Il devient séminaire en 1823, et abrite aujourd'hui le musée de l'Ain (p. 63).

---

(1) Pour plus de détails, lire : « Brou, Église, Monastère », par Françoise Baudson (Paris, Alpina).
« l'Église de Brou », par François Mathey (Caisse nationale des Monuments historiques).

L'église★★

Ce monument, où le gothique flamboyant est pénétré par l'art de la Renaissance – sa construction est contemporaine de celle du château de Chenonceau – se dresse, sur un terre-plein, en retrait de la route.

En avant de la façade, on verra, à plat sur le sol, un cadran solaire géant, recalculé en 1757 par l'astronome Lalande, enfant de Bourg.

Extérieur. — La façade, triangulaire, est très richement sculptée dans sa partie centrale. Le tympan du beau **portail★** Renaissance représente, aux pieds du Christ, Philibert le Beau, Marguerite d'Autriche et leurs saints patrons.

Au trumeau, saint Nicolas de Tolentin, à qui l'église est dédiée (la fête de ce saint tombait le jour de la mort de Philibert). Surmontant l'accolade du portail, saint André; dans les ébrasements, saint Pierre et saint Paul.

En regardant l'ornementation de l'édifice à l'extérieur et à l'intérieur, le touriste sera frappé par la richesse et la vérité de la décoration.

Toute une flore sculptée, le plus souvent de caractère gothique flamboyant (feuilles et fruits), parfois d'inspiration Renaissance (laurier, vigne, acanthe) se mêle à une décoration symbolique où les palmes sont entrelacées de marguerites. D'autres emblèmes de Brou : les initiales de Philibert et de Marguerite unies par les lacs d'amour (cordelière festonnant entre les deux lettres) alternent avec les bâtons croisés, armes de la Bourgogne.

Entrer par le portail de la façade. L'édifice est désaffecté.

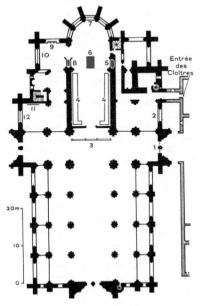

Plan de l'église de Brou

1) Vitrail de la chaste Suzanne.
2) Vitrail des Pèlerins d'Emmaüs.
3) Jubé.
4) Stalles.
5) Tombeau de Marguerite de Bourbon.
6) Tombeau de Philibert le Beau.
7) Vitraux de l'abside.
8) Tombeau de Marguerite d'Autriche.
9) Retable des Sept Joies de la Vierge.
10) Vitrail de l'Assomption.
11) Triptyque.
12) Vitrail de l'Incrédulité de saint Thomas.

Nef et jubé★★. — Quand on entre dans l'église, ce qui frappe tout d'abord, c'est la clarté blonde qui baigne la nef et ses doubles bas-côtés. Par les fenêtres hautes, la lumière entre à flot et joue sur la belle pierre blanche du Revermont, employée pour la construction. Après quatre siècles, sans avoir jamais été ravalé, le calcaire semble sortir des carrières.

Les piliers composés d'un faisceau serré de très nombreuses colonnettes montent d'un seul jet à la voûte où ils s'épanouissent en nervures multiples aux clefs ouvragées. La balustrade qui court au-dessous des fenêtres de la nef est finement sculptée. Cet ensemble donne une impression d'élégance, de richesse et de noblesse.

Le bras droit du transept a un remarquable vitrail du 16e s. représentant Suzanne accusée par les vieillards (en haut) et disculpée par Daniel (en bas).

La nef et le transept, accessible aux fidèles, étaient séparés du chœur, domaine propre des religieux et sanctuaire des tombeaux, par le **jubé★★**. C'est une construction d'une étonnante richesse de décoration d'arcs en anse de panier.

Chœur. — *Visite accompagnée.*

C'est la partie capitale de l'église. Marguerite, dans son élan d'amour conjugal, a tout mis en œuvre pour obtenir la perfection dans la magnificence. Prise d'ensemble, l'ornementation sculptée de Brou frise l'excès; mais le moindre détail est traité avec maîtrise. La surprise et l'enchantement sont d'autant plus vifs que l'examen est plus minutieux.

Les stalles★★. — Au nombre de soixante-quatorze, elles ont été taillées dans le chêne en un temps extraordinairement court : deux années (1530-1532). Le maître Pierre Berchod, dit Terrasson, dut mobiliser tous les menuisiers sculpteurs d'une région où le travail du bois était – et est toujours – en faveur.

Les stalles sont traitées dans le même esprit que les tombeaux et les dessins doivent être du même auteur : Jean de Bruxelles. Les sièges, les dossiers, les dais présentent un luxe inouï de détails ornementaux, de statuettes; celles-ci comptent parmi les chefs-d'œuvre du genre.

(D'après photo Mon. historiques.)

Brou. — La correction (détail d'une stalle).

BOURG-EN-BRESSE

Les stalles du côté Nord offrent des scènes du Nouveau Testament et des personnages satiriques. Celles du côté Sud se rapportent à des personnages et à des scènes de l'Ancien Testament.

Les tombeaux *.** — De nombreux artistes ont collaboré à ces trois monuments.

Les plans ont été tracés par Jean de Bruxelles qui a fourni aux sculpteurs des dessins « aussi grands que le vif ». L'ornementation et la petite statuaire, très admirées des visiteurs, sont dues, pour la plus grande part, à un atelier flamand installé à Brou auquel collaboraient également des Français, des Allemands et des Italiens. Les statues des trois personnages princiers ont été exécutées par Conrad Meyt, allemand d'origine mais de formation flamande.

Les effigies du prince et des princesses furent taillées dans le marbre de Carrare. Les gros blocs, venant d'Italie, ont été transportés par mer, puis par la voie du Rhône. Ils ont ensuite voyagé sur des chars traînés par neuf chevaux, à l'allure de 5 à 6 km par jour.

Philibert et les deux Marguerite sont représentés, chacun dans leur tombeau, étendus sur une dalle de marbre noir, la tête sur un coussin finement brodé. Suivant la tradition, un chien, emblème de la fidélité, est couché aux pieds des deux princesses; un lion, symbole de la force, est aux pieds du prince. Des angelots entourent les statues, symbolisant l'entrée au ciel des défunts. Les sibylles, sous forme de délicieuses statuettes, montent la garde autour des effigies.

Le tombeau de Marguerite de Bourbon occupe une niche creusée, dite en enfeu, dans le mur droit du chœur.

Les deux autres tombeaux ont la particularité d'offrir du même personnage une double représentation.

Celui de Philibert, placé au centre, est formé de deux dalles superposées.

Celui de Marguerite d'Autriche, sur la gauche du chœur, avec son énorme dais de pierre ciselée, prolonge le mur de clôture.

Comme Philibert, Marguerite est représentée vivante, puis morte, dans son linceul; sur la plante du pied est visible la blessure qui, par gangrène, a causé, suivant la légende, la mort de la princesse. Sur le dais est gravée sa devise : « Fortune infortune fort une. » Cette devise, que l'on peut traduire par « le destin persécute fort une femme », rappelle la grande et triste destinée d'une princesse dont la constance dans le malheur ne se démentit jamais.

Les vitraux **. — Les magnifiques verrières de Brou ont été exécutées par un atelier local.

Celles de l'abside représentent, au centre, l'Apparition du Christ à Madeleine (partie supérieure) et la visite du Christ à Marie (partie inférieure), scènes tirées de gravures d'Albrecht Dürer. A gauche et à droite, Philibert et Marguerite sont agenouillés près de leurs patrons.

Au-dessus d'eux sont reproduits, dans un étincellement de couleurs, les blasons de leurs familles : Savoie et Bourbon pour le duc, Empire et Bourgogne pour la duchesse, ainsi que les blasons des villes de l'État savoyard.

Chapelles et oratoires*.** — La chapelle de Marguerite s'ouvre sur la gauche du chœur. Un retable et un vitrail, deux admirables chefs-d'œuvre, en font l'orgueil.

(D'après photo Mon. historiques.)

Brou.
Statuette du tombeau
de Philibert le Beau.

Le **retable ***** représente les Sept Joies de la Vierge. Exécuté dans le marbre blanc, il nous est parvenu dans un état de conservation rare. C'est un prodige de finesse dans l'exécution, un véritable tour de force qui confond l'esprit.

Dans chacune des niches ménagées à cet effet se détache une scène des Sept Joies : en bas, à gauche, l'Annonciation; à droite, la Visitation; au-dessus, la Nativité et l'Adoration des Mages; plus haut, l'Apparition du Christ à sa mère et la Pentecôte encadrent l'Assomption.

Trois statues couronnent ce retable : la Vierge à l'Enfant est entourée de sainte Madeleine et de sainte Marguerite. De chaque côté du retable, on remarque saint Philippe et saint André.

Le **vitrail **** d'une couleur somptueuse, est inspiré d'une gravure d'Albrecht Dürer représentant l'Assomption. Les verriers ont ajouté Philibert et Marguerite, à genoux, auprès de leurs patrons.

La frise du vitrail, traitée en camaïeu, représente le Triomphe de la Foi. Le Christ, dans son char, est traîné par les Évangélistes et les personnages de l'Ancienne Loi; derrière, se pressent les docteurs de l'Église et les saints du Nouveau Testament. C'est la reproduction d'un dessin que le Titien avait composé pour sa chambre.

Le carrelage, aujourd'hui disparu était, comme dans tout le chœur, fait d'une très belle céramique italienne, à prédominance bleue, décorée avec une fantaisie et un goût délicieux. Ce pavement était si beau, dit un chroniqueur du temps, qu'on avait « quasi regret de marcher dessus ».

Les deux oratoires de Marguerite furent prévus pour son usage personnel. Contigus à la chapelle et reliés par un escalier, ils se superposent l'un au niveau du chœur, l'autre à celui du jubé; chacun ayant sa cheminée et une ouverture oblique, ménagée au-dessous d'une arcade très originale, qui aurait permis à la princesse de suivre l'office.

La chapelle voisine, qui porte le nom de Laurent de Gorrevod, conseiller de Marguerite, a un vitrail remarquable, représentant l'Incrédulité de saint Thomas, et un triptyque commandé par le cardinal de Granvelle.

On sort de l'église par la porte à droite du chœur pour passer dans le monastère et ses cloîtres.

Le monastère*

Les bâtiments abritent le **musée de l'Ain*** *(horaire de visite retardé de 1/4 h sur celui de l'église).*

Petit cloître. — Dernier construit des trois cloîtres de Brou, il permettait aux moines de se rendre à couvert du monastère à l'église. Une galerie du 1er étage desservait l'appartement que Marguerite d'Autriche s'était réservé; l'autre lui aurait permis de gagner directement la chapelle haute en passant par le jubé. La princesse ne vit pas l'achèvement des travaux et mourut sans revenir à Brou.

Au rez-de-chaussée se trouvaient la sacristie et la première salle du chapitre maintenant réunies en une seule salle affectée aux expositions temporaires.

Grand cloître. — Il date de 1506. Après la 2e salle du chapitre qui sert d'entrée au musée, on pénètre dans la Dépense, où sont rassemblées des sculptures gallo-romaines. La salle basse, voûtée d'ogives, donne un aperçu de la vie dans l'Ain, de la préhistoire au 10e s. Le réfectoire renferme des sculptures du Moyen Age, notamment un St-Sépulcre de 1443 et un retable du 16e s.

La section régionale présente des faïences de Meillonnas *(localité située à 14 km au Nord-Est de Bourg – voir le guide Vert Michelin Jura).*

Au 1er étage, le « dortoir » donnait accès aux cellules des moines qui abritent diverses collections; la pièce la plus rare est le beau **portrait de Marguerite d'Autriche*** peint par B. Van Orley vers 1518. En outre : triptyque flamand de 1518 représentant la vie de saint Jérôme; œuvres de Breughel de Velours, Largillière, Coypel, Millet et l'école lyonnaise du 19e s.; meubles bressans du 16e s. dont un beau dressoir trilobé et un salon 18e s.; sculptures de Gustave Miklos (1888-1967). Enfin trois salles présentent « la volaille dans l'art », de l'époque gallo-romaine au 20e s. (œuvres de Pompon, Lurçat), les hommes célèbres nés dans l'Ain et l'histoire du luminaire.

Cloître des cuisines. — Ce troisième cloître, de caractère italien, est le seul reste de l'ancien prieuré bénédictin, détruit pour faire place au monastère du 16e s. Il présente un puits couvert.

Dans le bâtiment du fond, on peut voir la reconstitution d'une « maison bressane » et deux salles de documentation folklorique (meubles, costumes).

■ LE CENTRE DE BOURG

Les jours de foire aux bestiaux ou de marché, Bourg, envahi par la foule paysanne acheteuse ou vendeuse, est pittoresque et animé. Le 3e samedi de décembre, a lieu, au marché couvert, l'exposition de chapons et de poulardes de Bresse dont un bain de lait a nacré les chairs. C'est un étonnant spectacle qui soulève une admiration gourmande.

Au 10e s., Bourg n'est encore qu'un petit village qui groupe ses chaumières autour d'un château fort. La lignée des seigneurs du pays s'éteint au 13e s.; l'héritage revient à de puissants voisins, les ducs de Savoie : ils forment la province de Bresse dont Bourg deviendra plus tard la capitale et dont l'activité grandira au cours des siècles.

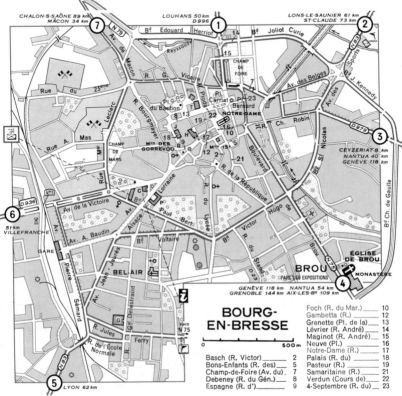

Basch (R. Victor) ____ 2
Bons-Enfants (R. des) ___ 5
Champ-de-Foire (Av. du) _ 7
Debeney (R. du Gén.) ___ 8
Espagne (R. d') _____ 9
Foch (R. du Mar.) ____ 10
Gambetta (R.) ____ 12
Grenette (Pl. de la) ___ 13
Lévrier (R. André) ___ 14
Maginot (R. André) ___ 15
Neuve (Pl.) ____ 16
Notre-Dame (R.) ____ 17
Palais (R. du) _____ 18
Pasteur (R.) ____ 19
Samaritaine (R.) ____ 21
Verdun (Cours de) ___ 22
4-Septembre (R. du) ___ 23

En 1536, le duc de Savoie refuse la traversée de ses domaines à François Ier qui veut envahir le Milanais. Le roi passe outre et, pour mieux assurer ses communications, met la main sur la Bresse, la Savoie, le Piémont. Au traité de Cateau-Cambrésis (1559), Henri II restitue ces conquêtes. En 1600, Henri IV envahit à nouveau le pays. Le traité de Lyon, signé en 1601, oblige le duc à échanger la Bresse, le Bugey, le Valromey et le Pays de Gex contre le marquisat de Saluces, dernier vestige des possessions françaises en Italie. Bourg entre dans l'histoire de France.

■ CURIOSITÉS *visite 3/4 h*

Église Notre-Dame. — Commencée en 1505, elle n'a été terminée qu'au 17e s. Abside et nef flamboyantes. Un triple portail Renaissance s'ouvre sur la façade. Le portail central est surmonté d'une Vierge à l'Enfant, copie d'une œuvre de Coysevox (17e s.). Le haut clocher a été élevé sous Louis XIV, mais le dôme et le lanternon ont été reconstruits au début du siècle. Un carillon, joue à 7 h 50, 11 h 50 et 18 h 50.

Remarquer à l'intérieur : les belles **stalles**★ exécutées au 16e s.; vitrail, triptyque et statues polychromes (16e s.) dans la chapelle St-Crépin (3e du bas côté gauche); la chaire et le maître-autel (18e s.); le buffet d'orgues de Callinet (19e s.); 12 toiles restaurées des 17e et 18e s. retraçant la vie de la Vierge; un christ d'Alfred Chanut et la Tempête apaisée d'Auguste Perrodin. Beaux vitraux modernes de Le Chevalier, à gauche, et Auclair, à droite; Vierge noire du 13e s. à l'origine du sanctuaire. La sacristie *(s'adresser pour visiter au n° 10 place Clemenceau)* renferme un très beau Christ d'ivoire (17e s.), des statuettes et un tableau, peint sur bois (icône du 13e ou 14e s.), de la Vierge à l'Enfant.

Maisons anciennes. — A l'angle de la rue Gambetta et de la rue V.-Basch, belle **maison du 15e s.** Dans la rue du Palais, **maison dite des Gorrevod** (fin 15e s.).

EXCURSION

Montfalcon. — *12 km au Nord-Ouest par ⑦ du plan, N 79 et, à Polliat, le D 26^B à gauche.*
L'église, sur une légère éminence gazonnée, abrite, sur l'autel, une curieuse Vierge allaitant en bois peint, attachant témoignage de l'art populaire du 15e s.

■ BRANCION ★

Carte Michelin n° **69** - pli ⑲ – 15 km au Sud-Ouest de Tournus – *Schéma p. 115 - Lieu de séjour, p. 39.*

Le vieux bourg féodal de Brancion est perché sur une arête dominant deux ravins profonds. Il forme un **ensemble** ★ pittoresque, dans l'un des sites les plus curieux du Mâconnais.

Chaque année s'allument à Brancion les feux celtiques de la Saint-Jean *(voir tableau p. 6)*.

C'est une agréable surprise, une fois franchie l'enceinte du 14e s. et la porte fortifiée donnant accès au village, de découvrir tour à tour les restes imposants du château fort, les ruelles bordées de maisons à l'aspect médiéval – que gagne peu à peu une végétation envahissante –, les halles du 15e s., l'église fièrement perchée à l'extrémité du promontoire. Quelques maisons ont été restaurées avec goût.

Château. — *Visite des Rameaux au 11 novembre, en semaine de 9 h à 18 h, les dimanches et jours fériés de 9 h à 12 h et de 14 h à 19 h; le reste de l'année les dimanches et fériés seulement de 9 h à 12 h et de 14 h à 18 h. Entrée : 4 F. Pénétrer par le pont du chemin de ronde, à gauche, sur place.*

Le château féodal remonte au début du 10e s. (fondations en arêtes de poisson). Remanié au 14e s. par le duc Philippe le Hardi qui lui adjoignit un logis où résidèrent les ducs de Bourgogne, il a été ruiné pendant la ligue, en juin 1594, par les troupes du colonel d'Ornano. Le donjon a été restauré. De la terrasse, vue d'ensemble sur le village et son église, la vallée de la Grosne et sur les monts du Charollais et du Morvan.

Église St-Pierre. — *S'informer à la conciergerie du château ou à l' « Hostellerie ».*
C'est un bâtiment trapu du 12e s., de style roman, surmonté d'un clocher carré et dont la simplicité et la pureté de lignes s'allient aux tons de la pierre et à la toiture de laves *(voir p. 14)*. A l'intérieur, fresques du 14e s., commandées par le duc Eudes IV de Bourgogne. Gisant de Josserand IV de Brancion (13e s.), cousin et compagnon de Saint Louis, tué pendant la 7e croisade, et nombreuses pierres tombales. Importantes peintures murales (14e et 15e s.).

De la terrasse de l'église, à l'extrémité du promontoire, on découvre une jolie vue.

■ BRIARE

Carte Michelin n° **65** - Sud du pli ② – 5 682 h. (les Briarois).

Cette petite ville des bords de Loire a dû sa prospérité, au début du siècle, à la fabrication de boutons de porcelaine faits d'une pâte de feldspath très pur, importé de Norvège. Sa manufacture produisait alors une grande quantité de boutons, de perles, de jais et surtout des mosaïques de revêtement de sol en céramique dite « émaux de Briare ». La production de la céramique prend un nouvel essor et de nouvelles industries (métallurgie, caoutchouc mousse, électronique, instruments de laboratoire, appareils de mesure, de levage, etc.) sont venues s'y ajouter.

Pont-canal. — Entrepris en 1890 par Eiffel, il permet au canal latéral à la Loire de franchir le fleuve pour s'unir au canal de Briare. Seul le trottoir du contre-halage est accessible au public. Longue de 662 m, large de 11,50 m, reposant sur 15 piles, la gouttière métallique contenant le canal est formée de plaques assemblées par plus de 7 millions de boulons.

Le **canal de Briare**, commencé en 1604 sur l'initiative de Sully et terminé seulement en 1642, est le premier canal de jonction construit en Europe : long de 57 km, il unit le canal latéral longeant la Loire au canal du Loing. Les sept écluses de Rogny *(p. 78)*, maintenant abandonnées, marquent le point de partage des eaux des bassins de la Loire et de la Seine.

Musée d'Automobiles du Val de Loire. — *A la sortie Sud de Briare, direction de Nevers, à droite avant le raccordement à la déviation de la N 7. Visite du 1er janvier à Pentecôte, les dimanches et fêtes de 14 h 30 à 18 h 30; de Pentecôte au 15 septembre, tous les jours sauf le mardi de 14 h à 18 h 30. Entrée : 10 F.*

Dans les vastes bâtiments d'un ancien four à chaux sont exposées environ 80 des 600 voitures anciennes – certaines en état de marche – collectionnées par le fondateur. Au cours de la visite on voit une Panhard de course de 1895, une berline Clément- Bayard de 1907, une torpédo Delage, une luxueuse Rolls-Royce.

Le BRIONNAIS *

Cartes Michelin n°s **69** - pli ⑰ et **73** - plis ⑦ ⑧.

Ce petit pays, dont la principale ressource est l'élevage des bovins (embouche), s'étend principalement sur la rive droite de la Loire, entre Charlieu et Paray-le-Monial.

Plus vaste autrefois, il formait l'un des 19 bailliages du duché de Bourgogne et avait pour capitale Semur-en-Brionnais. C'est une région mamelonnée d'où l'on découvre de jolies vues sur la vallée de la Loire, le Forez, les monts du Beaujolais. Le touriste sera attiré par la beauté des églises, romanes pour la plupart, qui ornent tant de villages.

Une floraison d'églises romanes. — Dans l'étroit espace compris entre l'Arconce et le Sornin, une douzaine d'églises au moins, construites sous l'influence de Cluny *(voir p. 23 et 26)*, méritent d'être vues.

Beauté de la pierre. — L'abondance, sur place, de matériaux de premier ordre : bancs de calcaire jaunâtre d'un grain très fin, faciles à travailler en même temps que résistants, explique la belle couleur ocre ou jaune de la plupart des édifices du Brionnais, en particulier au soleil couchant.

La décoration. — Si le granit et le grès ne permettent d'obtenir que des effets de ligne ou de masse comme à Varenne-l'Arconce, Bois-Ste-Marie, Châteauneuf ou St-Laurent-en-Brionnais, le calcaire au contraire se prête au travail du sculpteur - d'où la beauté et la richesse de la décoration des façades et des portails.

Les mêmes thèmes se retrouvent partout; seules varient les expressions et les attitudes des personnages : au tympan, le Christ en majesté, dans une mandorle, apparaît au milieu des quatre Évangélistes ou de leurs symboles. Ou dans l'Ascension : le Christ nimbé s'élève debout, dans une mandorle soutenue par les anges qui s'envolent.

Les linteaux ont une décoration entièrement fouillée : personnages fort nombreux assistant au triomphe du Christ, personnage central de dimensions beaucoup plus grandes que tous les sujets qui l'accompagnent. Cette disproportion met en lumière la hiérarchie entre le Christ, les Évangélistes, la Vierge et les Apôtres.

VISITE

Anzy-le-Duc *. — Page 42.

La Bénisson-Dieu. — 365 h. Située un peu en marge du Brionnais, la Bénisson-Dieu est l'exception gothique de cet ensemble roman. En avant de l'église se dresse une grande tour carrée du 15e s., vestige de l'abbaye fondée au 12e s. par les disciples de saint Bernard puis couvent de femmes au 17e s. La nef de l'église, du début de la période gothique, est couverte d'une toiture aiguë à tuiles vernissées disposées en losanges. Dans le bas-côté droit sont réunies des œuvres intéressantes : stalle abbatiale du 15e s., statues en pierre du Père éternel, du 15e s., et de sainte Anne, la Vierge et l'Enfant, exécutée aux environs de 1500, de l'école de Michel Colombe. La chapelle de la Vierge, à droite en entrant, est une adjonction du 17e s. due à l'abbé de Nérestang : peintures murales et belle Vierge en marbre blanc.

Bois-Ste-Marie. — 276 h. Bâtie au 12e s., l'église, à clocher carré, fut restaurée au siècle dernier. Sur le côté droit, une petite porte au tympan sculpté représente la fuite en Égypte. A l'intérieur, l'abside voûtée en cul-de-four est entourée d'un déambulatoire très bas avec colonnes jumelées dont la disposition est très originale; chapiteaux ornés de feuillages.

Charlieu **. — Page 72.

Châteauneuf. — 162 h. L'église est, comme le château, mise en valeur par un cadre boisé. Une des dernières constructions romanes en Bourgogne, elle se signale par sa façade assez massive, le linteau de son portail latéral droit et intérieurement par une coupole sur trompes entourée d'un petit triforium. Non loin (carrefour D 8-D 113) : chapelle du cimetière.

Le BRIONNAIS ★

Iguerande. — 1 033 h. L'église, trapue, aux lignes architecturales très pures, édifiée au début du 12ᵉ s., occupe le sommet d'une butte escarpée dominant la vallée de la Loire. De ses abords, on jouit d'une vue intéressante sur la plaine de la Loire et, au-delà, sur le Forez à gauche et les monts de la Madeleine à droite.

Montceaux-l'Étoile. — 310 h. Tout l'intérêt de l'église réside dans le portail. Sous le cintre, le tympan et le linteau sculptés dans un seul bloc de pierre figurent l'Ascension, comme à Anzy-le-duc et à St-Julien-de-Jonzy. Les colonnes portant les voussures sont ornées de chapiteaux.

Paray-le-Monial ★★. — *Page 131.*

St-Julien-de-Jonzy. — *Page 140.*

Semur-en-Brionnais ★. — *Page 150.*

Varenne-l'Arconce. — 135 h. Le transept saillant, le clocher carré dessinent à l'église une silhouette massive. Le grès dont elle est bâtie a restreint la décoration sculptée. Remarquer au-dessus d'une porte latérale Sud l'élégance du tympan représentant l'Agneau de Dieu.

Dans l'église sont disposés un Christ en bois polychrome du 12ᵉ s. et un ensemble de statues du 16ᵉ s., également en bois polychrome.

La BUSSIÈRE

Carte Michelin n° **65** - pli ② – 556 h.

A l'écart de la N 7 déviée, ce village du Gâtinais se groupe dans un tranquille paysage de bois, d'étangs et de cultures.

Château des Pêcheurs. — *Visite des Rameaux au 31 octobre de 9 h à 12 h et de 14 h à 18 h; le reste de l'année, les dimanches et jours fériés seulement, sauf en hiver, de 9 h à 12 h et de 14 h à 17 h. Fermé le mardi. Entrée : 8 F.*

Remanié sous Louis XIII, cet édifice est intéressant par son architecture à chaînages de briques. Situé en bordure d'un étang romantique et entouré de ses douves en eau, il abrite des collections concernant la **pêche en eau douce.**

Dans l'Orangerie, qui fait suite au pavillon de l'Horloge, est présentée une exposition de vieilles voitures, parmi lesquelles 2 coupés et un milord *(entrée : 4 F, valable pour la visite extérieure du château).*

Dans le château, on remarque une belle collection de gravures anglaises et allemandes du 18ᵉ s., ainsi que des faïences ayant la pêche en eau douce pour sujet. L'ancienne salle à manger est tendue de cuirs de Cordoue dorés.

BUSSY-RABUTIN (Château de) ★

Carte Michelin n° **65** - Sud du pli ⑧ – 20 km au Sud-Est de Montbard.

Situé à mi-pente de la colline à quelques kilomètres au Nord d'Alise-Ste-Reine, le château de Bussy-Rabutin constitue, par sa décoration intérieure, une curiosité originale. Il est rare de trouver un décor qui révèle d'une façon aussi éloquente l'état d'âme de son propriétaire.

Les mésaventures de Roger de Rabutin. — La plume, si favorable à Mme de Sévigné, sa cousine, causa bien des ennuis à Roger de Rabutin, comte de Bussy, que Turenne, déjà égratigné par ses couplets mordants, signalait au roi comme « le meilleur officier de ses armées, pour les chansons ». S'étant compromis, en compagnie de jeunes libertins, dans une orgie restée fameuse au cours de laquelle il improvisa et chanta une suite de couplets tournant en ridicule les amours du jeune Louis XIV et de Marie Mancini, il fut exilé en Bourgogne par ordre du Roi.

Rejoint dans sa retraite par sa tendre compagne, la marquise de Montglat, il composa, pour la divertir, une « Histoire amoureuse des Gaules », chronique satirique des aventures galantes de la Cour. Ce libelle conduisit son auteur tout droit à la Bastille où il resta un peu plus d'un an avant de retourner en exil dans ses terres, seul cette fois, la belle marquise s'étant montrée fort oublieuse.

VISITE *environ 3/4 h*

Visite accompagnée, du 2 mai au 30 septembre à 9 h, 10 h, 11 h et à 14 h, 15 h, 16 h et 17 h; le reste de l'année à 10 h et 11 h et à 14 h, 15 h et 16 h. Fermé le mardi, le 1ᵉʳ mai, Noël et jour de l'An. Entrée : 5 F; 2,50 F les dimanches et fériés.

(D'après photo Arch. T.C.F.)

Bussy-Rabutin. — Le château.

Une façade reconstruite en 1649 par Roger de Rabutin relie deux tours rondes de construction plus ancienne. Un pont sur les douves aux eaux vives donne accès à la cour d'honneur. Là, deux autres tours, le donjon à droite et la chapelle à gauche, sont reliées au corps principal par deux ailes de style Renaissance, formant galerie, délicatement décorées.

Intérieur. — Toute la décoration intérieure des appartements, cage dorée où l'exilé exhale sa nostalgie de l'armée, de la vie de Cour et sa tenace rancune amoureuse, a été conçue par Bussy-Rabutin lui-même.

Cabinet des devises. — Encastrés dans la boiserie, panneaux allégoriques et devises composés par Roger de Rabutin forment un ensemble imprévu. Des vues de châteaux et monuments figurent sur les panneaux supérieurs dont certains n'existent plus. Sur la cheminée, portrait de Bussy-Rabutin par Lefèvre, élève de Lebrun.

Antichambre des hommes de guerre. — 65 portraits d'hommes de guerre célèbres, de Du Guesclin jusqu'au maître de maison « maistre de camp, général de la cavalerie légère de France », sont réunis sur deux rangs tout autour de la pièce. Certains de ces portraits sont des originaux. La plupart ne sont que des copies de l'époque, d'après des originaux. Ils n'en présentent pas moins un intérêt historique indéniable. Boiseries et plafonds sont ornés de fleurs de lys, trophées, étendards et des chiffres enlacés de Bussy et de la marquise de Mont-glat. Sur les panneaux du bas, entre les croisées, deux devises évoquent la légèreté de la maîtresse infidèle.

Chambre de Bussy. — C'est effectivement la chambre de Bussy-Rabutin avec le mobilier et les boiseries d'époque. 26 portraits de femmes y sont groupés. Celui de Louise de Rouville, seconde femme de Bussy-Rabutin, est réuni en triptyque avec ceux de Mme de Sévigné et de sa fille, Mme de Grignan.

Tour Dorée. — Bussy-Rabutin s'est surpassé dans la décoration de cette pièce qui occupe le premier étage de la tour Ouest et qui est entièrement couverte de peintures. Les sujets empruntés à la mythologie et à la galanterie de l'époque sont accompagnés de quatrains et de distiques. Une série de portraits des grands personnages de la cour couronne l'ensemble.

Citons encore la galerie dite des rois de France.

Dans la chapelle, retable du 16e s. représentant la Résurrection de Lazare et, en bout de galerie, au premier étage, la loge d'où le châtelain pouvait assister aux offices.

Jardins et Parc. — Un parc de 34 ha, étagé en amphithéâtre avec de beaux escaliers de pierre, compose une magnifique toile de fond; les jardins attribués à Le Nôtre, avec statues du 17e au 19e s., fontaines et pièces d'eau, sont d'un dessin régulier.

CHABLIS

Carte Michelin n° 65 - plis ⑤ ⑥ - 2 408 h. (les Chablaiens) - *Lieu de séjour, p. 39.*

« Porte d'Or » de la Bourgogne, Chablis, petite ville baignée par le Serein, est la capitale du vignoble de la Basse-Bourgogne. D'origine très ancienne, ce vignoble a connu au 16e s. sa plus grande prospérité. Il y avait alors à Chablis et dans la région plus de 700 propriétaires viticulteurs. Actuellement, une défense organisée contre la gelée protège la vigne.

Les vins de Chablis. — Fort apprécié, le vin blanc de Chablis, sec et léger, a une saveur fine et un bouquet délié. Son parfum particulier s'élabore vers le mois de mars qui suit la récolte et conserve longtemps une remarquable fraîcheur. Le plant est le chardonnay appelé « Beau-nois » dans la région. L'aire de production s'étend sur une vingtaine de communes, de Maligny au Nord à Poilly-sur-Serein au Sud, de Viviers à l'Est à Courgis à l'Ouest.

Les « premiers crus » s'étendent, sur les deux rives du Serein, sur le territoire de Chablis et des communes environnantes.

Les « grands crus » sont groupés sur les coteaux abrupts de la rive droite : ce sont les Vaudésir, Valmur, Blanchot, Grenouille, les Clos, les Preuses et Bougros.

Tous les ans ont lieu, le dernier dimanche de novembre, l'exposition des vins de Chablis (*voir p. 6*) et le 1er dimanche d'août, une grand kermesse dite « Fête de la vigne ».

■ CURIOSITÉS *visite : 1/2 h*

Église St-Martin. — Elle date de la fin du 12e s. C'est l'ancienne collégiale des chanoines de St-Martin-de-Tours qui, ayant fui devant les Normands, firent une fondation pour y abriter les reliques de leur saint.

Sur les portes du portail latéral droit, de style roman, remarquer les pentures du 13e s. et les fers à cheval, ex-voto des pèlerins à saint Martin. L'intérieur (*s'adresser au presbytère*) forme un ensemble homogène.

Promenade du Pâtis. — Agréable promenade ombragée d'arbres centenaires, en bordure du Serein. Jolie vue sur le Serein et la ville.

Église St-Pierre. — Seules trois travées subsistent de cet édifice roman, église paroissiale jusqu'en 1789. C'est un excellent exemple de style bourguignon de transition.

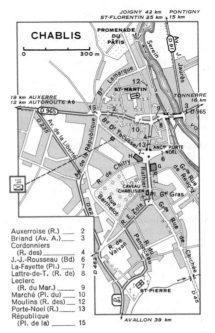

Auxerroise (R.)	2
Briand (Av. A.)	3
Cordonniers (R. des)	4
J.-J.-Rousseau (Bd)	6
La-Fayette (Pl.)	7
Lattre-de-T. (R. de)	8
Leclerc (R. du Mar.)	9
Marché (Pl. du)	10
Moulins (R. des)	12
Porte-Noel (R.)	13
République (Pl. de la)	15

CHALON-SUR-SAÔNE

Carte Michelin n° **69** - pli ⑨ - 60 451 h. (les Chalonnais) – *Plan d'agglomération dans le guide Michelin France.*

Chalon, port fluvial situé au point de jonction de la Saône et du canal du Centre, est un centre industriel et commercial d'une grande activité dont les foires sont très suivies. Les fêtes du Carnaval qui durent huit jours attirent une foule considérable. Chalon est aussi la capitale économique d'une riche zone de culture et d'élevage, d'un vignoble dont certains crus sont dignes de leurs grands voisins.

UN PEU D'HISTOIRE

Un carrefour prédestiné. — Sa situation en bordure de la Saône, magnifique voie navigable, et à un important carrefour de routes, fit choisir cette place par Jules César comme entrepôt de vivres au temps de ses campagnes en Gaule.

Ce rôle de carrefour allait se préciser de plus en plus. Déjà au Moyen Age, chaque année, deux foires – les **foires aux Sauvagines** –, qui duraient chacune un mois, comptaient parmi les plus fréquentées d'Europe. Elles se déroulent encore de nos jours et ne manquent pas de pittoresque. A cette occasion, de très nombreux ramasseurs, piégeurs, gardes-chasse venus des Alpes, des Pyrénées, du Jura, des Vosges, du Massif Central, apportent à Chalon les Sauvagines les plus variées : renards, blaireaux, putois, fouines, loutres, martres, visons, etc. La foire « froide » (*voir p. 6*) attire une foule considérable. C'est la plus importante foire aux Sauvagines de France.

La création du canal du Centre à la fin du 18ᵉ s. et au début du 19ᵉ s., celle des canaux de Bourgogne et du Rhône au Rhin, développèrent le commerce régional par voie d'eau.

En 1839, les usines Schneider du Creusot installent à Chalon, au débouché du canal du Centre, une importante usine dite « le Petit Creusot »; c'est actuellement « Creusot-Loire », spécialisée dans la métallurgie lourde. D'importantes industries, très diversifiées, se sont également installées depuis cette époque : verrerie, photographie, constructions électriques, entreprises métallurgiques, chantier naval, bonneterie et cartonnages; enfin récemment l'équipement pour industrie nucléaire avec Framatome.

La Côte chalonnaise. — Entre la Côte de Beaune et la Côte de Nuits au Nord, le Mâconnais et le Beaujolais au Sud, la Côte chalonnaise forme un trait d'union. Elle produit certains crus réputés, tels que le Mercurey, le Givry, le Montagny, le Rully (vins et mousseux) et nombre de très grands vins de table outre de grands ordinaires.

Le père de la photographie. — **Joseph Nicéphore Niepce,** né à Chalon en 1765, peut être considéré comme l'inventeur de la photographie. Après un stage chez les Oratoriens et dans l'armée révolutionnaire qu'il abandonne pour raisons de santé, il s'installe définitivement à Chalon en 1801, se consacrant tout entier à diverses recherches scientifiques. Après avoir mis au point, avec son frère Claude, un moteur dont le principe est celui du moteur à réaction, le « Pyréolophore », il se passionne, à partir de 1813, pour la lithographie : il réussit, en 1816, à fixer en négatif l'image obtenue au moyen de la Chambre noire, puis en 1822, à obtenir une image positive fixée.

Nicéphore Niepce mourut à Chalon en 1833. Une statue (quai Gambetta) et un monument à St-Loup-de-Varenne (7 km au Sud de Chalon), où fut mise au point sa découverte, perpétuent son souvenir. Sa maison natale se trouve au n° 15 de la rue de l'Oratoire.

■ CURIOSITÉS *visite : 1 h 1/2*

Musée Denon*. — *Visite de 9 h 30 à 11 h 30 et de 14 h 30 à 17 h 30. Fermé le mardi et les 1ᵉʳ janvier, lundis de Pâques et Pentecôte, 14 juillet, 15 août et à Noël. Entrée : 1 F.*

Installé dans un bâtiment du 18ᵉ s. remanié, ancien couvent des Ursulines, ce musée porte le nom d'une des gloires de la ville : Denon, diplomate de l'Ancien Régime, graveur renommé et principal introducteur de la lithographie en France, fondateur de l'égyptologie au cours de la campagne d'Égypte puis conseiller artistique de Napoléon Iᵉʳ, grand pourvoyeur et organisateur des musées de France.

Une importante série de peintures où figurent aussi bien Géricault que les pré-impressionnistes (tel Raffort), voisine avec des collections archéologiques particulièrement riches : les silex préhistoriques de Volgu (région de Digoin-Gueugnon – les plus grands et les plus beaux de l'époque de la pierre taillée que l'on connaisse dans le monde), de nombreux objets métalliques antiques et médiévaux, un magnifique groupe gallo-romain en pierre : un lion et un gladiateur. En outre, collections ethnographiques.

Musée Nicéphore Niepce. — *Visite de 9 h 30 à 11 h 30 et de 14 h 30 à 17 h 30. Fermé les mardis et jours fériés. Entrée : 1 F.*

Situé dans l'Hôtel des Messageries (18ᵉ s.), au bord de la Saône, il contient une très riche collection d'images et de matériels anciens, parmi lesquels les premiers appareils du monde fabriqués et utilisés par Joseph Nicéphore Niepce, à côté de ses premières « héliographies ». Les grands noms de la photographie contemporaine figurent en bonne place.

Église St-Vincent. — Cette ancienne cathédrale – Chalon a été jusqu'en 1790 le siège d'un évêché – ne présente pas un aspect homogène. Ses parties les plus anciennes remontent à la fin du 11ᵉ s.; le chœur est du 13ᵉ s. La façade actuelle est de style néo-gothique.

A l'intérieur, on remarque des piliers cantonnés de pilastres cannelés et de colonnes engagées. Dans le bas-côté droit, nombreuses pierres tombales, chapelles à claire-voie en pierre. Dans le bas-côté gauche remarquer la voûte flamboyante de la troisième chapelle et la piscine du 15ᵉ s. Dans le croisillon droit, chapelle de Notre-Dame de Pitié avec Pietà du 15ᵉ s. et belle tapisserie Renaissance. Dans le chœur, dais finement sculpté.

Le bras droit du transept s'ouvre sur un cloître du 15ᵉ s. qui a été restauré et où se trouvent 4 belles statues en bois; la cour du cloître a retrouvé son puits.

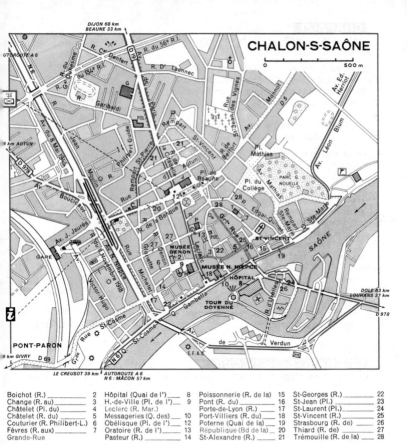

Boichot (R.)	2	Hôpital (Quai de l')	8	Poissonnerie (R. de la)	15	St-Georges (R.)	22
Change (R. au)	3	H.-de-Ville (Pl. de l')	9	Pont (R. du)	16	St-Jean (Pl.)	23
Châtelet (Pl. du)	4	Leclerc (R. Mar.)		Porte-de-Lyon (R.)	17	St-Laurent (Pl.)	24
Châtelet (R. du)	5	Messageries (Q. des)	10	Port-Villiers (R. du)	18	St-Vincent (R.)	25
Couturier (R. Philibert-L.)	6	Obélisque (Pl. de l')	12	Poterne (Quai de la)	19	Strasbourg (R. de)	26
Fèvres (R. aux)	7	Oratoire (R. de l')	13	République (Bd de la)	20	Thiard (R. de)	27
Grande-Rue		Pasteur (R.)	14	St-Alexandre (R.)	21	Trémouille (R. de la)	28

La sacristie construite au 15ᵉ s. fut séparée en deux dans le sens horizontal au 16ᵉ s. et la partie inférieure voûtée autour d'une pile centrale. Dans la chapelle donnant accès à la sacristie, beau vitrail représentant la femme aux douze étoiles de l'Apocalypse.

Maisons anciennes. — Certaines des nombreuses demeures anciennes du Vieux Chalon présentent un cachet tout particulier et méritent d'être signalées, particulièrement dans le quartier de St-Vincent, où de belles façades à colombage ont été récemment dégagées sur la place St-Vincent (remarquer également, à l'angle de la rue St-Vincent une statue du saint); **rue St-Vincent** carrefour pittoresque à la jonction des rues du Pont, St-Vincent et du Châtelet; **rue du Châtelet,** au n° 37 ,belle façade du 17ᵉ s., avec bas-reliefs, médaillons et gargouilles.

Hôpital. — *Visite accompagnée de 10 h à 12 h et de 15 h à 17 h. S'adresser au concierge.*
Dans cet hôpital, fondation du 16ᵉ s., la chapelle possède de belles boiseries, une jolie chaire, des vitraux du 16ᵉ s., une Pietà en pierre polychrome.
Le **réfectoire*** des religieuses, avec ses boiseries et son vaisselier (vaisselle d'étain), est particulièrement remarquable.

Tour du Doyenné. — *Visite du 1ᵉʳ avril au 30 septembre les mercredis et samedis de 14 h à 18 h et les dimanches et jours fériés de 9 h à 12 h et de 14 h à 18 h.*
Cette tour, du 15ᵉ s., qui se dressait jadis à proximité de la cathédrale, a été démolie en 1907 puis réédifiée à la pointe de l'île. Tout près de la tour, magnifique tilleul provenant des pépinières de Buffon.

EXCURSION

Circuit dans le Chalonnais. — *53 km – environ 2 h. Quitter Chalon au Sud-Ouest par le D 69.*

Givry. — 2 665 h. Givry produit des vins appréciés depuis longtemps : ils constituaient l'ordinaire du roi Henri IV.
La localité offre l'aspect d'une tranquille petite cité de la fin du 18ᵉ s., avec son hôtel de ville installé dans une porte monumentale de 1771, ses fontaines et son église, chef-d'œuvre de Gauthey. L'église *(fermée le dimanche après-midi)* est couverte de coupoles : une grande au-dessus de la nef, une plus basse au-dessus du chœur, tandis que les chapelles sont surmontées de petites demi-coupoles. Quatre groupes de deux grosses colonnes entourent la nef.

Gagner Germolles et prendre à gauche un chemin vicinal dans la pittoresque vallée des Vaux. Suivre ensuite le D 124, dans le prolongement de ce chemin.

Vallée des Vaux. — C'est le nom donné à la haute vallée de l'Orbise. A partir de Mellecey, les villages situés à mi-côte présentent le type des villages viticoles avec les celliers attenants aux maisons : St-Jean-de-Vaux (où débute le D 124), St-Mard-de-Vaux.

A St-Bérain-sur-Dheune, prendre à droite le D 974 et à St-Léger-sur-Dheune, le D 978 qui, par Mercurey, ramène à Chalon.

CHAPAIZE *

Carte Michelin n° 69 - pli 19 – 16 km à l'Ouest de Tournus – *Schéma p. 115* – 134 h.

Situé sur le Bisançon, à l'Ouest de la belle forêt de Chapaize, le village de Chapaize est dominé par la haute tour-clocher de son église. C'est là que les Bénédictins de Chalon avaient leur noviciat.

L'église actuelle est le seul vestige des anciennes constructions monastiques.

Église St-Martin*. — Commencée dans le premier quart du 11e s., elle est remarquable par sa hardiesse et son harmonie.

Le clocher est d'une hauteur surprenante (35 m) pour un édifice de dimensions modestes. Cette tour se présente sous la forme d'un tronc de pyramide rectangulaire : le soubassement est souligné de bandes et d'arcatures lombardes, tandis que les deux étages supérieurs sont éclairés par des fenêtres géminées en plein cintre.

Faire le tour de l'édifice pour avoir une très jolie vue du chevet : les trois absides sont postérieures au 12e s.

L'intérieur, restauré, avec ses énormes piliers, est d'une grande sobriété.

(D'après photo Combier, Mâcon.)
Église de Chapaize. — Le chevet.

La CHARITÉ-SUR-LOIRE **

Carte Michelin n° 65 - Sud du pli 19 – 6 468 h. (les Charitois) – *Lieu de séjour, p. 39.*

Dominée par les clochers de son admirable église, la Charité s'étage sur un coteau baigné par la Loire. Le fleuve s'étale majestueux, franchi par un pittoresque pont de pierre en dos d'âne, du 16e s.

Au temps de la navigation sur la Loire *(p. 111)*, le port de La Charité connut une grande activité.

UN PEU D'HISTOIRE

La charité des bons pères. — Le petit bourg édifié à cet endroit s'appela tout d'abord Seyr, ce qui signifie « Ville au Soleil » d'après une étymologie semblant être phénicienne. La conversion des habitants au christianisme et la fondation d'un couvent et d'une église au début du 8e s., marquent le début d'une ère de prospérité. Mais les invasions arabes et les destructions qui s'ensuivent remettent tout en question.

C'est seulement au 11e s., lors de la construction de l'église actuelle, que l'abbaye réorganisée attire une foule de voyageurs, de pèlerins et aussi de pauvres. Connaissant l'hospitalité et la générosité des religieux, ces derniers venaient de plus en plus nombreux solliciter « la charité des bons pères ». « Aller à la charité » passa dans le langage courant et le nom fut attribué à la localité.

Un échec de Jeanne d'Arc. — Fortifiée au 12e s., la ville « poste considérable à cause du passage de la Loire » allait être l'enjeu de luttes entre les Armagnacs et les Bourguignons au cours de la guerre de Cent Ans.

Occupée par les Armagnacs, partisans de Charles VII, la ville est prise en 1423 par **Perrinet-Gressard,** aventurier appointé à la fois par le duc de Bourgogne pour soutenir sa lutte contre Charles VII et par les Anglais pour retarder la réconciliation entre Armagnacs

(D'après un dessin de Deroy, photo Delayance, La Charité.)
Le port de la Charité en 1830.

et Bourguignons. En décembre 1429 Jeanne d'Arc venant de St-Pierre-le-Moutier *(p. 142)* met le siège devant La Charité. Mais l'insuffisance des troupes, les rigueurs du froid et peut-être une « merveilleuse finesse », jamais élucidée de Perrinet-Gressard, l'obligent à lever le siège.

Quant à Perrinet-Gressard, il ne rendra la ville à Charles VII qu'en 1435 après la signature de la paix d'Arras entre Armagnacs et Bourguignons, moyennant une forte rançon et la charge à vie de capitaine de La Charité.

LA CHARITÉ-SUR-LOIRE

0   300 m

Barrère (R.)	2
Chapelains (R. des)	3
Gaulle (Pl. Gén.-de)	4
Pont (R. du)	5
Prieuré (Cours du)	6
Rivage (R. du Petit)	7
Verrerie (R. de la)	8

■ ÉGLISE NOTRE-DAME**

visite : 1 h

Malgré ses mutilations, cette église reste l'un des plus remarquables témoins de l'architecture romane en Bourgogne.

Fille aînée de Cluny. — C'est dans la seconde moitié du 11e s., que le prieuré bénédictin et son église, dépendant de l'ordre de Cluny, furent édifiés. Le pape Pascal II consacra l'église en 1107. Au cours du 12e s., son plan et sa décoration furent modifiés.

Avec ses cinq nefs, 122 m de longueur, 37 m de largeur et 27 m de hauteur sous la coupole, la Charité était, après Cluny, la plus grande église de France. Elle pouvait contenir cinq mille personnes et portait le titre honorifique de « fille aînée de Cluny ».

Extérieur. — Isolée du reste de l'édifice par l'incendie de 1559, la façade se dresse place des Pêcheurs. Des deux tours qui encadraient le portail central, ne subsiste plus actuellement que celle de gauche, la **tour Ste-Croix,** édifiée au 12e s. De plan carré, à deux étages de fenêtres, elle est surmontée d'une flèche d'ardoise remplaçant la flèche d'origine en pierre. Elle est décorée d'arcatures aveugles et de motifs sculptés figurant des rosaces. Les deux portes sont murées; l'une d'elles conserve son tympan. On y voit un Christ en gloire, bénissant le monastère de la Charité représenté par le moine Gérard, son fondateur et premier prieur. Sur le linteau sont figurées des scènes de la vie de la Vierge : l'Annonciation, la Visitation, la Nativité, l'Annonce aux Bergers.

Les marches du portail central roman, dont il ne subsiste que des vestiges et qui fut remplacé par une construction gothique au 16e s., donnent accès à la place Ste-Croix, qui occupe l'emplacement des six travées de la nef détruites au cours de l'incendie de 1559.

Dans l'ancien bas-côté Nord, qui de la fin du 12e s. au 18e s. fut transformé en église paroissiale, sont encastrées des habitations; des arcatures du faux triforium y sont encore en partie visibles.

Intérieur. — L'église actuelle occupe les quatre premières travées de la nef originelle, le transept et le chœur. Fort mal restaurée en 1695, la nef n'offre guère d'intérêt mais le transept constitue avec le chœur un magnifique ensemble roman.

La croisée est surmontée d'une coupole octogonale sur trompes; les croisillons comptent trois travées et deux absidioles remontant au 11e s., c'est la partie la plus ancienne de l'édifice. La blancheur retrouvée de la pierre permet dans une certaine mesure de détailler les chapiteaux qui reçoivent les doubleaux. Dans le croisillon droit, on peut voir le second tympan roman de la tour Ste-Croix représentant la Transfiguration avec l'Adoration des Mages et la Présentation au Temple.

Le chœur, entouré d'un déambulatoire desservant cinq chapelles rayonnantes, est d'une grande élégance; la chapelle axiale est du 14e s. Les arcs entiers-points du pourtour sont très aigus en raison du

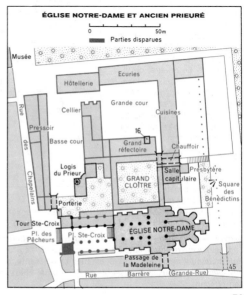

ÉGLISE NOTRE-DAME ET ANCIEN PRIEURÉ

0   50m

Parties disparues

rapprochement des hautes colonnes portant de beaux chapiteaux historiés. Un bestiaire à huit motifs souligne le faux triforium dont les arcatures quintilobées, d'inspiration arabe, sont supportées par des pilastres ornementés. Vitraux modernes de Max Ingrand.

Vue sur le chevet ★★. — Sortir de l'église par le croisillon Sud, à droite. Le passage de la Madeleine (16ᵉ s.) voûté d'ogives débouche Grande-Rue. Au nº 45, un passage couvert mène au square des Bénédictins, d'où l'on découvre le magnifique ensemble formé par le chevet, le transept et la tour octogonale. Derrière le chevet de l'abbatiale, un champ de fouilles (clos) fait apparaître des vestiges d'un prieuré clunisien du 11ᵉ s.

Du square un escalier descend au Prieuré.

Ancien prieuré. — Au pied de l'escalier, un passage public pris sur la salle capitulaire débouche dans la cour de l'ancien prieuré, autour de laquelle s'ordonnaient les cuisines, le grand réfectoire et les écuries; au nº 16, vestibule avec un bel escalier Louis XIV.

Dans la basse cour du prieuré on voit encore le logis du prieur (début 16ᵉ s.) avec sa jolie tourelle à sept pans. Par la porterie on regagne la place des Pêcheurs.

■ AUTRES CURIOSITÉS

Vue du pont sur la ville. — Du vieux pont de pierre, en dos d'âne, construit au 16ᵉ s., on a une belle vue d'ensemble de la ville étagée sur la rive droite de la Loire.

Vue sur l'église et la vieille ville. — De l'esplanade proche de l'école de Filles (rue du Clos) jolie vue sur le chevet de l'église et ses absidioles étagées, sur la Loire, la vieille ville et les remparts dont le parcours présente aussi un intérêt panoramique.

Musée. — *Visite du 1ᵉʳ juillet au 31 août, les lundis, mercredis et jeudis de 15 h à 18 h; les samedis, dimanches et jours fériés de 10 h à 12 h et de 15 h à 18 h. Fermé les mardis et vendredis. Entrée : 2,50 F.*

Il expose des faïences et meubles rustiques, des peintures et sculptures d'artistes locaux et des souvenirs artistiques et folkloriques.

CHARLIEU ★★ ──────────────────────────────

Carte Michelin nº **73** - pli ⑧ – *Schéma p. 65* – 5 063 h. (les Charlindins).

Marché actif dès l'époque gallo-romaine sur la voie reliant la vallée de la Saône à celle de la Loire, Charlieu reste un carrefour de routes. Ses foires rassemblent un nombreux bétail charollais. C'est également un grand centre de bonneterie et de tissage de soieries, soit en usines, soit dans de petits ateliers familiaux. On y fabrique aussi des appareils de levage, moulages plastique, salaisons, jouets.

Mais c'est surtout à ses trésors archéologiques que Charlieu doit sa renommée.

■ ANCIENNE ABBAYE BÉNÉDICTINE ★★ visite : 1 h

Visite accompagnée (en été seulement), tous les jours du 1ᵉʳ juillet au 30 septembre, de 9 h à 11 h 30 et de 14 h à 19 h; le reste de l'année, sauf le mardi, de 9 h à 12 h et de 14 h à 18 h (17 h du 1ᵉʳ octobre au 31 mars). Fermé en hiver (date indéterminée). Entrée : 5 F (8 F en été), donnant droit à la visite du Couvent des Cordeliers. S'adresser au gardien, en face de l'entrée.

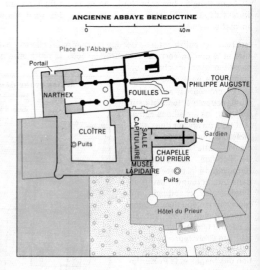

ANCIENNE ABBAYE BENEDICTINE

L'abbaye fondée en 872 fut rattachée à Cluny en 932, transformée en prieuré en 1050 et ensuite fortifiée avec l'aide de Philippe Auguste, son protecteur. Elle bénéficia de la collaboration des architectes et des artistes de Cluny qui reconstruisirent l'église au 11ᵉ s. et ajoutèrent le narthex au 12ᵉ s. Mais l'abbaye ne résista pas à la tourmente révolutionnaire. Le prieuré, où vivaient encore deux moines, fut sécularisé en mars 1789. Les bâtiments et l'église St-Fortunat, « la plus parée des filles de Cluny », furent en grande partie démolis.

Église. — Les fouilles ont dégagé la substructure du petit sanctuaire primitif (9ᵉ s.) et des églises construites successivement sur le même emplacement. Il ne reste de l'église du 11ᵉ s. que la première travée des trois nefs et le portail roman. Les chapiteaux rappellent ceux des églises du Brionnais (Anzy-le-Duc, Semur...).

Narthex. — Composé de deux salles superposées voûtées d'arêtes, il servait de porche à l'église. Il s'ouvre, sur le côté (et non dans l'axe de l'église), par un **grand portail ★★**. Le sculpteur inconnu a recouvert d'une décoration éblouissante, où les motifs géométriques s'allient aux éléments floraux, les voussures de l'archivolte et les colonnes qui encadrent la porte et son tympan.

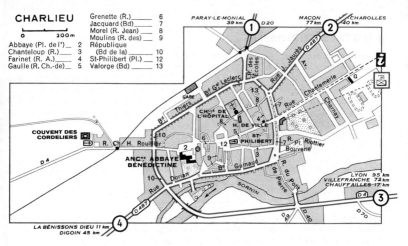

Cette luxuriante décoration est d'inspiration orientale, conséquence des Croisades. Sur la face intérieure du jambage de gauche, remarquer l'image de la Luxure représentée par une femme enlacée par un serpent que ronge un énorme crapaud.

Le tympan figure l'Ascension du Christ, entouré des symboles des Évangélistes. Sur le linteau sont représentés la Vierge et les apôtres, le roi Boson et l'évêque Ratbert (fondateurs de l'abbaye). Au-dessus de l'archivolte remarquer l'agneau pascal à la toison très fouillée.

Le petit portail, à côté du grand, date comme lui du 12e s. Le Christ à table avec ses disciples s'inscrit dans le tympan.

La représentation de la Transfiguration du Christ décore l'archivolte, tandis que les sculptures du linteau figurent l'immolation des béliers.

Sur la façade Ouest du narthex, grandes baies aux beaux chapiteaux. Remarquer le mouvement des deux figures affrontées sur le pilier central.

Dans le narthex se situe un sarcophage romain, retrouvé dans la crypte de l'église carolingienne du 2e s.

Salle des Archives. — Située au 1er étage, au-dessus du narthex *(escalier à vis très raide),* cette salle abritait les archives du prieuré. De belles voussures encadrent une grande baie d'où l'on a une vue d'ensemble sur les fouilles, la tour Philippe-Auguste, l'hôtel du Prieur et la ville. Remarquer le carrelage de 1150.

Les fouilles. — Commencées en 1926, les fouilles ont permis de retrouver le plan et les fondations des églises précédentes.

Les joints de fondations sont signalés de couleurs différentes suivant qu'il s'agit de l'église du 9e s. de celle du 10e s. ou de celles du 11e s. Il est maintenant possible de comparer le plan de St-Fortunat à celui de l'église d'Anzy-le-Duc : la nef était flanquée de deux collatéraux; les bas-côtés se prolongeaient autour du chœur, formant un déambulatoire concentrique, sur lequel s'ouvraient cinq chapelles rayonnantes.

Cloître de l'abbaye. — Il date du 15e s. Un vieux puits subsiste, adossé à la galerie Ouest. Sur la galerie Est, les six arcades à colonnettes jumelées (11e s.) paraissent provenir du déambulatoire de la seconde église. Ce cloître s'ouvre sur la **salle capitulaire** (15e s.) dont les ogives reposent sur un pilier-lutrin.

De là, on passe dans la **chapelle privée du prieur** (16e s.). L'ancien carrelage de terre cuite a été récemment refait d'après le modèle ancien. Vierge à l'Oiseau du 15e s. La chapelle est surmontée d'un clocheton couvert de lamelles de bois.

Musée lapidaire. — Ce musée a été aménagé dans l'ancien parloir de l'abbaye (15e s.);

(D'après photo Arch. T.C.F.)

Charlieu. — Le cloître de l'abbaye.

dans une salle voûtée d'ogives sont exposés diverses sculptures et un bas-relief du 10e s. représentant Daniel dans la fosse aux lions.

Hôtel du Prieur. — Une porte monumentale à créneaux donne accès à une cour dans laquelle se trouve un puits ancien. Le logis du prieur *(on ne visite pas)* est une construction de 1510 avec tours d'angle hexagonales, charpente en châtaignier, toits à longues pentes recouverts de petites tuiles de Bourgogne. Sur la tour du Sud-Est, blason des prieurs de la Madeleine.

Tour Philippe-Auguste. — Cette imposante tour, de belle pierre, construite sur l'ordre de Philippe Auguste qui estimait la place forte de Charlieu « très utile à la couronne », faisait partie du système défensif de l'abbaye.

■ AUTRES CURIOSITÉS

Couvent des Cordeliers. — *Visite accompagnée (en été seulement), tous les jours du 1ᵉʳ juillet au 30 septembre, de 9 h à 11 h 30 et de 14 h 30 à 19 h; le reste de l'année, sauf le mardi, de 9 h à 12 h et de 14 h 30 à 18 h 30 (17 h 30 du 1ᵉʳ octobre au 31 mars). Fermé en hiver (date indéterminée). Entrée : 5 F (8 F en été). S'adresser au gardien à droite face à l'entrée du cloître.*

Le **cloître gothique ***, en pierre blonde, de l'ancien couvent des Cordeliers, vendu pour être démonté pierre par pierre et transporté aux États-Unis, a pu fort heureusement être racheté par l'État en 1913. Les galeries (fin 14ᵉ-15ᵉ s.) sont décorées de motifs végétaux très variés. Les chapiteaux de la galerie Nord représentent, par des personnages et des animaux, les défauts et les qualités des moines.

L'église (fin 14ᵉ s.) à nef unique, sans transept, avec trois chapelles latérales au Sud (fin 15ᵉ s., début 16ᵉ s.), est en cours de restauration. Belle charpente en châtaignier et gisants (15ᵉ s.) des bienfaiteurs de l'ordre.

Face à l'entrée du cloître, se situe l'ancienne bibliothèque du couvent (16ᵉ s.) avec, au 1ᵉʳ étage, une belle salle voûtée d'ogives, restaurée.

Hôtel de ville. — *Visite de 9 h à 12 h et de 14 h à 18 h. Fermé le samedi après-midi, le dimanche, le lundi matin et les jours fériés. S'adresser au concierge ou au secrétariat.*

Ancien hôtel de la Ronzière, construit au 18ᵉ s. par cette famille.

La salle du Conseil abrite une belle collection de tapisseries d'Aubusson du 18ᵉ s. figurant des scènes champêtres, tissées aux dimensions des panneaux.

Chapelle de l'Hôpital. — Dans la chapelle du 18ᵉ s. voir un autel en bois doré du 17ᵉ s. et son beau devant en cuir de Cordoue.

Église St-Philibert. — Sans intérêt du point de vue architectural, cette église du 13ᵉ s. abrite de beaux objets d'art : chaire en pierre monolithe du 15ᵉ s., stalles des 15ᵉ et 16ᵉ s., avec jolis panneaux peints.

Dans une chapelle, Vierge du 16ᵉ s. (Notre-Dame de Charlieu). Dans la chapelle Ste-Anne à droite du chœur, retable peint sur pierre (15ᵉ s.) représentant l'Annonciation et la Nativité. Dans la chapelle des Cordonniers, à gauche du chœur, Pietà du 17ᵉ s. et statuette de saint Crépin, toutes deux en bois polychrome.

Maisons anciennes. — Le touriste découvrira de nombreuses maisons anciennes du 13ᵉ au 16ᵉ s. *(restauration en cours)* en flânant dans les rues avoisinant la place St-Philibert : la maison formant l'angle de la rue Grenette et de la place St-Philibert, l'ancien grenier à sel et la maison Disson (22 et 27 rue A.-Farinet), la maison « des Anglais » (32 rue J.-Morel), la maison des Armagnacs (9 rue Ch.-de-Gaulle) et la maison à l'angle de la rue des Moulins (nº 11) et de la rue du Merle.

CHARLOLLES

Carte Michelin nº 🔢🔢 - plis ⑰ ⑱ – *Schéma p. 65* – 4 349 h. (les Charollais) – *Lieu de séjour, p. 39 – Plan dans le guide Michelin France.*

Capitale du Charollais, pays de grand élevage, Charolles est située dans une cuvette boisée et verdoyante. La ville est dominée par les restes du château des comtes de Charollais, dont le logis, plus récent, sert maintenant d'Hôtel de Ville. Du jardin aménagé en terrasse sur le mur d'enceinte, au pied de la tour de Charles le Téméraire envahie par le lierre, vue agréable.

Charolles ne subit pas exclusivement l'empreinte d'un milieu agricole : la cité possède une faïencerie d'art, datant de 1845, dont les productions sont finement décorées et un petit musée de sculpture (32 rue Davoine, au fond de la promenade St-Nicolas), consacré au souvenir de René Davoine (1888-1962), enfant du pays.

L'élevage en Charollais. — La race bovine charolaise, de création relativement récente, a pris une très grande extension et se place actuellement au quatrième rang des races bovines françaises, derrière pie noire, normande et pie rouge. Elle compte plus de 2 millions de têtes. Cette race se distingue par sa robe uniformément blanche, et détient le 1ᵉʳ rang pour le rendement en viande, d'une qualité parfaite.

Les troupeaux d'élevage sont mis « à l'herbe » dès les premiers beaux jours et ne rentrent que pour l'hivernage. D'avril à décembre se tiennent, chaque semaine, des marchés et des foires où, par milliers, se pressent les grands bœufs blancs : à St-Christophe-en-Brionnais, à Charolles, règne à cette occasion une pittoresque animation. C'est cependant à Sancoins (*p. 144*), hors du périmètre de production, que s'effectue l'essentiel des transactions.

EXCURSIONS

Mont des Carges*. — *Circuit de 28 km. Quitter Charolles par le D 25. Avant d'atteindre Vaudebarrier, prendre à gauche le D 168.*

Après un parcours de 4 km sur un plateau séparant deux vallées parallèles, tourner à gauche en direction de Beaubery que l'on atteint après avoir traversé un paysage vallonné et boisé. Avant d'atteindre l'église, prendre à gauche un chemin signalé sur lequel s'amorce une allée étroite longue de 300 m vers le sommet du mont des Carges. D'une esplanade où s'élèvent les monuments au maquis de Beaubery et au bataillon du Charollais, une **vue*** presque circulaire embrasse le pays de Loire à l'Ouest, tout le Charollais et le Brionnais au Sud, les monts du Beaujolais à l'Est.

Poursuivre le chemin qui contourne le mont des Carges et rejoint le D 79. Prendre à droite.

Dans une agréable descente, le D 79 côtoie les pentes boisées du mont Botey, centre du Charollais. On passe à proximité du château de Corcheval.

Revenir à Charolles par la voie rapide que l'on rejoint 2 km plus loin.

Château de Chaumont. — *Circuit de 35 km. Quitter Charolles par ①, N 79 et emprunter à gauche le D 983; à St-Bonnet de Joux, prendre à gauche le D 7 et 1,5 km plus loin, tourner à droite dans un chemin vicinal.*

La façade Renaissance du château est flanquée d'une tour ronde; l'autre façade, de style gothique, est moderne.

Les **écuries***, *(on ne visite pas)*, ont été construites au 17ᵉ s. par Henriette de la Guiche, devenue duchesse d'Angoulême, par son mariage avec Louis de Valois, petit-fils de Charles IX.

L'ampleur de ses bâtiments est frappante.

Reprendre le D 7 à droite; 2,5 km après la Croix-de-Mornay, tourner à gauche dans le D 33 longeant la vallée de l'Arconce jusqu'à Charolles.

CHÂTEAU-CHINON *

Carte Michelin n° **69** - pli ⑥ – *Schémas p. 120, 122 et 123* – 2 905 h. (les Châteauchinonais). – *Lieu de séjour, p. 39.*

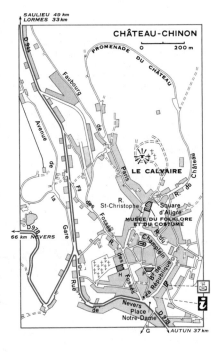

A cheval sur la ligne de faîte séparant les bassins de la Loire et de la Seine, la petite ville de Château-Chinon, capitale du Morvan, occupe un **site*** pittoresque à la limite du Nivernais.

C'est un excellent centre pour rayonner dans tout le Morvan.

Une belle devise. — La situation très favorable de la colline, forteresse naturelle, facile à défendre et d'où l'on découvre à la fois les plus hauts sommets du Morvan et la plaine du Nivernais, lui a valu de porter successivement un oppidum gaulois, un camp romain et un château féodal qui donna son nom à la ville. Combats, sièges en règle, hauts faits d'armes, valurent à la cité de mériter, au cours des siècles, la devise : « Petite ville, grand renom ».

Panorama du Calvaire**. — Du square d'Aligre, monter à pied *(1/4 h AR)* jusqu'au Calvaire. On peut aussi, après le square, bifurquer à droite du pâté de maisons, puis prendre à gauche un pittoresque sentier bordé de haies : on arrive ainsi à revers au sommet de la butte *(1/2 h AR)*. Le Calvaire (609 m d'altitude) est érigé à l'emplacement d'un oppidum gaulois et sur les vestiges d'un ancien château fort.

Le panorama circulaire est admirable *(table d'orientation)*. On a une vue d'ensemble sur Château-Chinon et ses toits d'ardoise, au loin sur les croupes boisées du Morvan. Les deux sommets, le Haut-Folin (901 m) et le mont Préneley (855 m), apparaissent au Sud-Est. Au pied de la colline, la vallée de l'Yonne s'ouvre à l'Est, tandis qu'à l'Ouest, dominant le bassin supérieur du Veynon, la vue se prolonge au-delà du Bazois jusqu'au Val de Loire.

Promenade du Château*. — Une route, à flanc de coteau, fait le tour de la butte. Partir du faubourg de Paris et revenir par la rue du Château. De part et d'autre d'une agréable futaie on découvre successivement les paysages qu'embrasse la vue panoramique du Calvaire et, en outre, les gorges de l'Yonne, invisibles du Calvaire.

(D'après photo Collin, Tannay.)

Le calvaire de Château-Chinon.

CHÂTEAU-CHINON*

Musée du Folklore et du Costume. — *Visite du 15 juin au 30 septembre, les mercredis, samedis et dimanches de 14 h 30 à 18 h. Entrée : 4 F.*

Dans le vieil hôtel de Buteau Ravisy sont groupés des souvenirs de la vie morvandelle : reconstitution d'une salle fin 18e s.-début 19e s.; costumes régionaux; chambre de mariée morvandelle en 1880; cellule de visitandine en Morvan, vers 1840; salles du tisserand et des Pandores (mannequins de mode); salle Napoléon III (gravures, céramiques et souvenirs dont le traîneau d'Eugénie de Montijo et le bicorne de Napoléon III).

EXCURSIONS

Mont Beuvray★★. — *Circuit de 73 km – environ 2 h – schéma ci-dessous. Quitter Château-Chinon par le D 978.*

La route, sinueuse et pittoresque, traverse des paysages mamelonnés; de nombreux villages et hameaux s'étagent sur les collines au milieu de prés entourés de haies vives.

Arleuf. — 1 019 h. Presque tous les pignons des maisons, tournés vers l'Ouest, présentent cette particularité d'être revêtus d'ardoises qui les protègent des pluies.

Après un parcours en forêt, belle vue à gauche, sur les hauteurs de la forêt d'Anost. Le hameau du Pommoy dépassé, s'engager à droite sur le D 179 qui, bientôt, serpente aux flancs des gorges boisées de la Canche. Beau point de vue, dans un virage à droite.
Franchissant la Canche, on laisse à droite un barrage, derrière lequel le réservoir constitue un site agréable.
Au refuge forestier de la Croisette, une route forestière, à droite, traverse la forêt domaniale de St-Prix aux épicéas et sapins magnifiques. Au rond point, part, à droite, une route forestière circulaire desservant le téleski du **Haut-Folin.**

Au Pré-de-Massé, continuer sur le D 500, par Glux et Anvers et tourner à gauche dans le D 18.
Bientôt, à droite, se dresse la masse arrondie et boisée du mont Beuvray, dont on atteint le sommet par une route en lacet, à sens unique, qui se détache, à droite, du D 3.

Mont Beuvray★★. — *Page 58.*
La route continue en descente à travers une belle forêt de hêtres et de chênes sur le versant Sud-Est et rejoint le D 3 que l'on suit à gauche pour revenir à Glux, où l'on prend à gauche une route pittoresque (D 300 puis D 197) qui longe la haute vallée de l'Yonne.
Au Pont-Charreau, suivre à gauche le D 978 qui ramène à Château-Chinon.

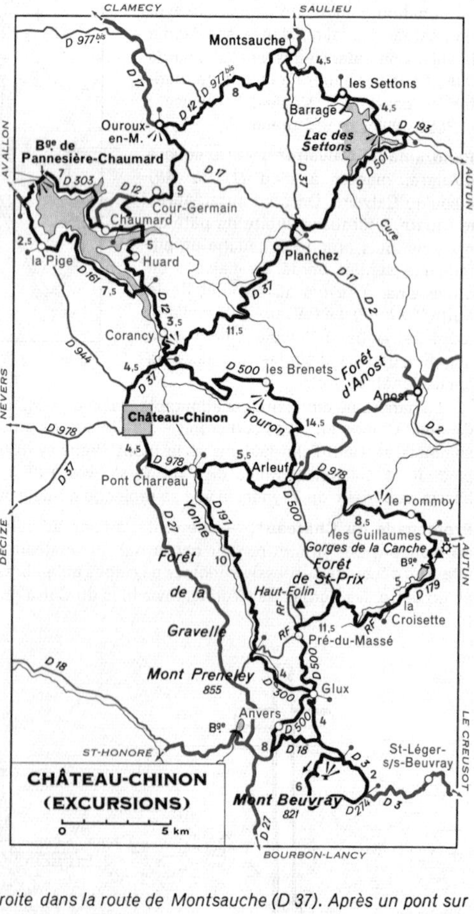

Vallon du Touron★. — *Circuit de 29 km – environ 1 h – schéma ci-contre. De Château-Chinon à Arleuf, suivre l'itinéraire du Mont Beuvray décrit ci-dessus.*

A Arleuf, tourner à gauche dans le D 500. Après une montée de 1,5 km, la route franchit le profond vallon du Touron. Après les Brenets, on reconnaît au Sud les croupes boisées du Haut-Folin.
Le D 500 continue de courir à flanc de pente, dans le décor très vert d'un paysage vallonné où paissent de blancs troupeaux et débouche finalement sur le D 37, qui à gauche ramène à Château-Chinon.

Barrage de Pannesière-Chaumard★. — *Circuit de 38 km – environ 1 h 1/2 – schéma ci-contre. Quitter Château-*
Chinon par le D 944 puis tourner à droite dans la route de Montsauche (D 37). Après un pont sur l'Yonne, prendre à gauche le D 12 qui longe bientôt le réservoir de Pannesière et tourner à gauche dans le D 505 en direction de Chaumard.

Après Chaumard continuer par le D 303. En vue du barrage, prendre à gauche et s'engager sur la crête.

Barrage de Pannesière-Chaumard. — *Page 130.*
Au-delà, rejoindre le D 944 que l'on quitte à la Pige pour longer à nouveau le lac par le D 161. Après un pont sur le lac, prendre à droite pour rentrer à Château-Chinon.

CHÂTEAU-CHINON
(EXCURSIONS)

5 km

Lac des Settons*. — *Circuit de 64 km – environ 2 h 1/2 – schéma p. 76. Cartes Michelin* 🔟 - *pli ⑯ et* 🔟 - *plis ⑯ et ⑰. De Château-Chinon à Montsauche, description p. 121. A la sortie Est de Montsauche, prendre le D 977 bis et le D 12.*

Ouroux-en-Morvan. — 1051 h. De l'église et de la place Centrale, deux rues conduisent à un beau **point de vue*** sur un moutonnement de collines parmi lesquelles apparaît une partie de la retenue de Pannesière *(1/4 h AR).*

Après Cour-Germain, prendre à gauche un chemin vicinal vers les 4 Vents. Très sinueux, il offre dans sa descente des vues sur le Morvan et le lac de Pannesière (description p. 130).

Reprendre à gauche le D 12 et revenir à Château-Chinon par Corancy et la route de l'aller.

CHÂTEAUNEUF *

Carte Michelin n° 🔟 - pli ⑲ – 13 km au Sud-Ouest de Sombernon – 63 h.

Dans un **site*** pittoresque, ce vieux bourg fortifié est célèbre par son château fort qui commandait la route de Dijon à Autun et toute la plaine environnante.

Château*. — On en a une vue saisissante en arrivant du Sud par le D 18ᴬ, aussitôt après avoir franchi le canal de Bourgogne.

Visite accompagnée du 2 mai au 30 septembre à 9 h, 10 h, 11 h et à 14 h, 15 h, 16 h et 17 h; le reste de l'année, à 10 h, 11 h et à 14 h, 15 h et 16 h. Fermé le mardi et les 1ᵉʳ janvier, 1ᵉʳ mai et 25 décembre. Durée : 1/2 h. Entrée : 4 F; les dimanches et fériés : 2 F. S'adresser au gardien.

Au 12ᵉ s., le sire de Chaudenay, dont le château en ruine s'élève à Chaudenay-le-Château *(6 km, au Sud)* dans un joli site, construisit pour son fils cette forteresse qui fut remaniée et agrandie, à la fin du 15ᵉ s., par Philippe Pot, sénéchal de Bourgogne. Le dernier propriétaire, le comte G. de Vogüé, en a fait don à l'État après l'avoir fait restaurer en partie.

Cette imposante construction est entourée de fossés et ceinturée d'épaisses murailles flanquées de tours massives. Un pont-levis encadré de grosses tours rondes donne accès à la cour intérieure, d'où l'on a une vue d'ensemble des deux corps de logis de style gothique. Dans l'aile restaurée surmontée de hautes lucarnes, on visite la vaste salle des gardes. D'une chambre ronde, on découvre un vaste panorama sur la plaine et sur le Morvan.

Le village*. — Il forme un ensemble très pittoresque, avec ses vestiges de remparts et ses rues étroites. Le village possède de vieilles demeures, fort bien conservées, construites du 14ᵉ au 17ᵉ s. par de riches marchands bourguignons; on remarquera une boutique ancienne intéressante (rue principale) et des linteaux de porte sculptés ou en accolade.

CHÂTEAURENARD

Carte Michelin n° 🔟 - Nord du pli ③ – 2 179 h.

Cette petite ville du Gâtinais doit son nom au château construit au 10ᵉ s. sur la colline dominant la rive droite de l'Ouanne.

Église. — Ancienne chapelle (11ᵉ et 12ᵉ s.) du château, elle est encastrée dans les ruines de cette forteresse dont quelques tours sont assez bien conservées. Une porte fortifiée, entre deux tours, y donne accès.

CHÂTILLON-COLIGNY

Carte Michelin n° 🔟 - pli ② – 1 766 h. (les Châtillonnais).

Sur les bords du Loing et du canal de Briare, agrémentés de vieux lavoirs, Châtillon-Coligny a vu naître, en 1519, l'amiral Gaspard de Coligny, victime de la St-Barthélemy. En 1937, un monument a été érigé à l'emplacement de la chambre où il est né, dans le parc à la Le Nôtre du château, par des souscripteurs hollandais afin de rappeler l'union de Louise de Coligny, fille de l'amiral, avec Guillaume d'Orange.

En 1893, Colette épousa Willy, à Châtillon-Coligny où elle vivait chez son frère le Docteur Robineau.

Château. — *Visite suspendue.*

Du magnifique ensemble, construit au 12ᵉ s. par le comte de Sancerre, la Révolution n'a épargné que le donjon polygonal, haut de 27 m et les souterrains qui le desservaient. Il reste également, de la somptueuse demeure édifiée au 16ᵉ s. par le maréchal de Châtillon, trois terrasses monumentales dont l'une comporte une belle orangerie et un puits Renaissance, attribué à Jean Goujon.

Collection archéologique. — *Visite suspendue.*

Pièces très intéressantes provenant de fouilles exécutées dans la région.

EXCURSIONS

Montbouy; Cortrat. — *Circuit de 27 km. Sortir de Châtillon par la route de Montargis.*

Montbouy. — 541 h. D'importants vestiges de thermes et d'un théâtre gallo-romain sont visibles au Nord du village.

Poursuivre vers Montargis; à Montcresson tourner à gauche dans le D 117 que l'on quitte à 3 km pour tourner à gauche vers Cortrat.

Cortrat. — 49 h. La petite église rurale *(en cours de restauration)* est entourée de son ancien cimetière. Son **tympan*** gravé est d'une étrange facture primitive; les personnages et les animaux qui apparaissent dans ses linéatures représenteraient la création du monde.

Retour à Châtillon-Coligny par Pressigny-les-Pins, le D 817 et Montbouy.

CHÂTILLON-COLIGNY

Arboretum des Barres. — *8 km au Nord-Ouest par le D 41. Visite réservée aux botanistes et scientifiques.* Cet arboretum fait partie du domaine de l'École nationale des Ingénieurs des travaux des Eaux et Forêts. Les collections et plantations expérimentales de l'arboretum dont certaines ont près de 150 ans, groupent 3 000 espèces ou variétés d'arbres et d'arbustes.

Rogny. — *735 h. 10 km au Sud par le D 93.* La construction des sept écluses de Rogny, entreprise sous l'ordre d'Henri IV en 1605, pour faire passer les eaux du canal de Briare, du vallon de la Trézée dans la vallée du Loing, ne fut terminée qu'en 1642. Cet ouvrage d'art, considérable pour l'époque, fut cependant désaffecté en 1887. Actuellement, six écluses plus espacées assurent le trafic du canal de Briare, permettant ainsi un gain de temps considérable.

Des sapins bordent, comme autrefois, les sept écluses disposées en marches d'escalier. Bien que la rigole n'alimente plus que rarement les écluses, le site a conservé son charme.

CHÂTILLON-SUR-SEINE *

Carte Michelin n° 65 - pli ⑧ – 7 931 h. (les Châtillonnais) – *Lieu de séjour, voir p. 39.*

La coquette ville de Châtillon est baignée par la Seine, fleuve encore chétif, qui y reçoit les eaux abondantes de la Douix, magnifique source vauclusienne.

Le centre de la ville, éprouvé lors de la dernière guerre, a été reconstruit avec goût.

L'élevage du mouton devint la grande ressource des plateaux du Châtillonnais et le commerce de la laine connut à Châtillon une activité très florissante jusqu'au 18ᵉ s.

La ville constitue un centre d'excursions très apprécié.

Cent ans après. — A un siècle d'intervalle, Châtillon a vécu des heures historiques.

En février 1814, alors que **Napoléon Iᵉʳ** défend pied à pied, devant des forces supérieures en nombre, les approches de la capitale, a lieu à Châtillon un congrès entre la France et les puissances alliées contre elle – Autriche, Russie, Angleterre, Prusse. Napoléon repousse les propositions dures qui lui sont faites ; la lutte reprend et se termine par la chute de l'Empire.

En septembre 1914, les troupes françaises battent en retraite devant la violente poussée des Allemands. Le **général Joffre**, commandant en chef les armées françaises, a installé son Quartier Général à Châtillon-sur-Seine. C'est de là qu'il lance son fameux ordre du jour du 6 septembre : « Au moment où s'engage une bataille dont dépend le salut du pays, il importe de rappeler à tous que le moment n'est plus de regarder en arrière... ». L'avance allemande est stoppée et la contre-attaque française sur la Marne prend l'ampleur d'une grande victoire.

■ CURIOSITÉS *visite : 1 h 1/2*

Musée*. — *Visite de 9 h à 12 h et de 14 h à 18 h (19 h du 15 juin au 15 septembre). Fermé le 25 décembre et le 1ᵉʳ janvier. Entrée : 4 F.*

Il est installé dans la maison Philandrier, jolie demeure d'époque Renaissance.

Des fouilles, pratiquées depuis plus de cent ans dans la région, notamment à Vertault *(20 km à l'Ouest de Châtillon)* avaient déjà mis au jour d'intéressantes antiquités gallo-romaines – poteries, vases, statuettes –, exposées dans ce musée, lorsqu'en janvier 1953, eut lieu près de Vix, au mont Lassois, une extraordinaire découverte archéologique.

Trésor de Vix **. — Dans une sépulture du 6ᵉ s. avant J.-C., près des restes d'une femme, furent mis au jour des bijoux d'une valeur inestimable, les débris d'un char d'apparat, de nombreux objets en or et en bronze, et surtout un vase en bronze gigantesque, haut de 1,64 m, large de 1,45 m, d'un poids de 208 kg. Le vase révèle par la richesse de sa décoration – frise sculptée faite de motifs d'appliques en haut-relief figurant une suite de guerriers casqués et de chars, têtes de Gorgone sur les anses – un art fort évolué relevant de l'art grec archaïque. Dans les vitrines, on admire les autres objets découverts dans la tombe de cette princesse gauloise : diadème en or massif, coupes d'argent et de bronze, pichet, bracelets et bijoux divers.

Source de la Douix*. — Elle jaillit dans un site ravissant, au pied d'un escarpement rocheux, haut de plus de 30 m, environné de verdure. Cette source vauclusienne collecte les eaux d'autres résurgences et les infiltrations du plateau calcaire. Le débit normal est de 600 l par seconde mais peut atteindre 3 000 l en période de crue.

La promenade, aménagée sur la plate-forme rocheuse, est agréable. La source des Ducs coule à l'ombre de magnifiques marronniers. De la promenade, on découvre une jolie vue sur la ville, la vallée et la piscine.

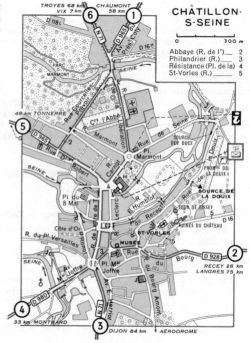

Détail de la frise du vase de Vix.

Église St-Vorles. — *En cas de fermeture, s'adresser à la mairie.* Bâtie sur une terrasse ombragée, d'où la vue s'étend sur la ville basse et la vallée, l'église domine le quartier du Bourg, cité des évêques, restée indépendante jusqu'au 16ᵉ s.

L'édifice du 11ᵉ s. aux arcatures lombardes a été très remanié; la souche carrée du clocher est du 13ᵉ s.

La chapelle St-Bernard (en sous-sol), vestige de l'église primitive, renferme un très beau Saint-Sépulcre Renaissance.

A proximité se dressent les ruines du château et la tour de Gissey. Dans le cimetière, tombe du maréchal Marmont, duc de Raguse, né à Châtillon.

EXCURSION

Mont Lassois. — *7 km. Quitter Châtillon par la N 71 puis, à hauteur de Courcelles, prendre à gauche le D 118C jusqu'à Vix.* De là, un petit chemin s'amorçant sur le D 118 conduit au sommet du mont Lassois ou mont St-Marcel, butte dominant d'une centaine de mètres la plaine environnante.

Sur la butte, s'élève la petite église de St-Marcel, édifice roman (12ᵉ s.) couvert de pierres plates.

C'est au pied de la butte, à proximité de la Seine, que fut mis au jour le « Trésor de Vix » exposé au musée de Châtillon-sur-Seine.

CITEAUX (Abbaye de)

Carte Michelin n° 𝟞𝟝 - Sud du pli ㉘ – 14 km à l'Est de Nuits-St-Georges.

Comme Cluny *(p. 82)*, Cîteaux est un haut-lieu de l'Occident. C'est ici, parmi les « cistels » ou roseaux, que Robert, abbé de Molesmes, fonda en 1098 l'ordre des Cisterciens *(p. 30)*, rameau détaché de Cluny qui, sous la prodigieuse impulsion de saint Bernard, venu s'y établir en 1112, rayonna lui aussi à travers le monde. L'ordre, réformé au 18ᵉ s., devint celui des Trappistes.

Vers le milieu du 19ᵉ s., les monastères fondés ou restaurés formaient trois Congrégations : la Grande Trappe et Sept-Fons en France, Westmalle en Belgique en étaient les maisons-mères. En 1898, huit siècles exactement après la fondation de Cîteaux, ces trois congrégations s'unirent et des cisterciens venus de différents monastères se réinstallèrent à Cîteaux redevenue abbaye chef-d'ordre.

Les vestiges de l'ancienne abbaye sont peu importants mais, dans ce même cadre de forêts baignées par les eaux que connut saint Bernard, il est émouvant de retrouver l'esprit cistercien.

On ne visite pas. Spectacle audio-visuel l'après-midi des dimanches et jours fériés de mars à septembre; début de séance, toutes les demi-heures à partir de 14 h; durée : 1/4 h.

Les bâtiments modernes n'ont pas grand caractère et l'église qui renfermait les tombeaux des premiers ducs de Bourgogne et celui de Philippe Pot, maintenant au Louvre, a été détruite.

L'ancienne bibliothèque, à façade de briques émaillées, date du 15ᵉ s.; six arcades de cloître gothique y sont encastrées et une salle voûtée subsiste au 1ᵉʳ étage. On remarquera encore un beau bâtiment du 18ᵉ s., près de la chapelle, et une longue façade de la fin du 17ᵉ s. qui s'aligne près de la rivière.

Dans le parc, tulipier de Virginie planté en 1765.

CLAMECY

Carte Michelin n° 𝟞𝟝 - pli ⑮ – *Schémas p. 120 et 167* – 6 145 h. (les Clamecytois) – *Lieu de séjour, p. 39.*

Clamecy est situé au cœur du joli pays des Vaux d'Yonne, véritable charnière entre le Morvan, le Nivernais et la Basse-Bourgogne.

La vieille ville, aux rues étroites et tortueuses, est perchée sur un éperon dominant le confluent de l'Yonne et du Beuvron, où de belles promenades sont possibles à flanc de coteau, tandis que les faubourgs industriels modernes s'étendent dans la plaine.

Clamecy est toujours la « ville des beaux reflets et des souples collines » qu'évoque dans ses écrits Romain Rolland (1866-1944). L'écrivain repose en terre nivernaise non loin de sa ville natale; son buste en pierre a été érigé en 1967, devant l'ancien hôtel du duc de Bellegarde (17ᵉ s.), transformé en musée.

Le flottage du bois *(p. 80)*, qui fit la fortune de la ville, n'est plus qu'un souvenir pittoresque, mais la distillation du bois a donné naissance à une importante industrie chimique.

CLAMECY

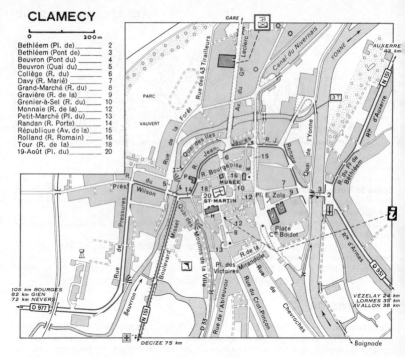

Bethléem (Pl. de)_____ 2
Bethléem (Pont de)_____ 3
Beuvron (Pont du)_____ 4
Beuvron (Quai du)_____ 5
Collège (R. du)_____ 6
Davy (R. Marié)_____ 7
Grand-Marché (R. du)___ 8
Gravière (R. de la)_____ 9
Grenier-à-Sel (R. du)____ 10
Monnaie (R. de la)_____ 12
Petit-Marché (Pl. du)____ 13
Randan (R. Porte)_____ 14
République (Av. de la)___ 15
Rolland (R. Romain)____ 16
Tour (R. de la)_____ 18
19-Août (Pl. du)_____ 20

Bethléem replié en Bourgogne. — On comprend mal l'existence d'un évêché à Clamecy, alors qu'il y avait à proximité les évêchés d'Auxerre, de Nevers et d'Autun. Il faut remonter aux Croisades pour en avoir l'explication.

Parti pour la Palestine en 1167, Guillaume IV de Nevers y contracta la peste et mourut à St-Jean-d'Acre en 1168. Dans son testament, il demandait à être enterré à Bethléem et léguait à l'évêché de ce lieu un de ses biens de Clamecy, l'hôpital de Pantenor. D'après le testament, cet établissement devait servir de refuge aux évêques de Bethléem, au cas où la Palestine tomberait aux mains des infidèles. Lorsque s'effondra le royaume latin de Jérusalem, l'évêque de Bethléem vint se réfugier à Clamecy dans le domaine légué par Guillaume IV. De 1225 à la Révolution, cinquante évêques « in partibus » se succédèrent ainsi à Clamecy. L'église Notre-Dame-de-Bethléem (1927) rappelle ce passé.

Corporations et confréries. — Les corporations étaient autrefois en honneur à Clamecy. Celles des bouchers, tanneurs, cordonniers, apothicaires, étaient très prospères. La Révolution disloqua ces organisations qui se reformèrent par la suite sous le nom de « confréries » : confréries de St-Crépin (cordonniers), de Ste-Anne (menuisiers), de St-Honoré (boulangers), de St-Fiacre (jardiniers), de St-Nicolas (mariniers et flotteurs), de l'Ascension (métiers faisant usage d'échelles), de St-Éloi (forgerons). Seules demeurent celles de St-Nicolas et de St-Éloi qui, chaque année, célèbrent leur fête corporative.

Le flottage à bûches perdues. — Ce mode de transport du bois qui remonte au 16ᵉ s. et qui fut tenté par Gilles Deffroissez puis organisé sur la Cure par un marchand de bois de Paris, Jean Rouvet, a fait durant près de trois siècles, la fortune du port de Clamecy. Les bûches, coupées dans les forêts du Haut-Morvan, étaient empilées sur le bord des rivières et marquées suivant les propriétaires. Au jour dit, on ouvrait les barrages retenant l'eau des rivières et on jetait les bûches dans « le flot » qui les emportait en vrac vers Clamecy. C'était le flottage à « bûches perdues ». Le long des rives, des manœuvres régularisaient la descente.

A Clamecy un barrage arrêtait le bois; les triqueurs avec leurs « crocs » harponnaient les bûches hors de l'eau et les mettaient en tas suivant le marquage. C'était le « tricage ». A l'époque des hautes eaux, à partir de la mi-mars, d'immenses radeaux de bois appelés « trains » pouvant charger 200 stères étaient dirigés par l'Yonne et la Seine vers Montereau et Paris. Dès la création du canal du Nivernais on préféra à ce mode de transport celui du transport par péniches. En 1923 le dernier train de bois quitta Clamecy.

Aujourd'hui il n'y a plus aucun flottage, ni sur l'Yonne ni sur la Cure, mais c'est à Clamecy que fonctionne, grâce aux bois de la région, une des plus grandes usines de carbonisation de France.

■ CURIOSITÉS *visite : 1 h*

Église St-Martin*. — Elle a été édifiée aux 13ᵉ, 14ᵉ et 15ᵉ s. La façade et la tour, de style flamboyant, sont décorées avec une extrême richesse. Des épisodes de la vie de saint Martin sont représentés sur les voussures du portail.

A l'intérieur de l'église, remarquer l'absence de transept et le déambulatoire carré qui entoure le chœur. Au-dessus du chœur un faux jubé a été établi au 19ᵉ s. pour étayer les piliers. Dans la première travée du bas-côté droit, une chapelle renferme deux bas-reliefs représentant la Cène et la Mise au tombeau, et trois panneaux peints du début du 16ᵉ s.

Remarquer, également, les curieux bénitiers en fonte en forme de mortiers.

Maisons anciennes. — Partir de la place du 19-Août, suivre la rue de la Tour, la rue Bourgeoise; prendre à droite la rue Romain-Rolland, puis la rue de la Monnaie. Par la rue du Grand-Marché, puis la place du Petit-Marché, rejoindre la place du 19-Août.

Musée. — *Visite du 15 mai au 30 septembre de 10 h à 12 h et de 14 h 30 à 17 h 30. Fermé le mardi. Entrée : 3 F.*

Situé dans l'ancien hôtel du Duc de Bellegarde, il abrite des tableaux des écoles française et étrangères, en particulier un Breughel d'Enfer, des Vernet et un Carrache, ainsi que de belles faïences de Nevers et Rouen, et des objets de confrérie. Une salle est consacrée à l'historique du flottage des bois; une autre salle, dotée d'une belle charpente, expose des œuvres contemporaines.

Vues sur la ville. — En arrivant à Clamecy par le D 977 (en venant de Varzy), on découvre tout à coup la vieille ville aux beaux toits de tuiles rouge-brun et la tour de l'église St-Martin.

Du quai des Moulins-de-la-Ville, jolie vue sur les maisons qui dominent le bief.

Du quai du Beuvron, on découvre le pittoresque quai des Iles.

Du pont de Bethléem qui porte une statue élevée en souvenir des « flotteurs », vue d'ensemble sur la ville et les quais.

En amont, à la pointe de la chaussée séparant la rivière d'un canal, s'élève, tel une figure de proue, le buste en bronze de Jean Rouvet *(voir p. 80).*

La CLAYETTE

Carte Michelin n° **69** - angle Sud-Est du pli ⑰ – *Schéma p. 65* – 2 965 h. – *Lieu de séjour, p. 39.*

La petite ville de la Clayette (prononcer la Claite) – qui organise chaque année des courses et des concours hippiques réputés – s'étage au-dessus de la vallée de la Genette, rivière aux eaux courantes qui forme là un lac ombragé de platanes.

Château. — *On ne visite pas.* Construit au 14ᵉ s., il a subi d'importantes transformations au siècle dernier. Il est entouré de douves peuplées d'énormes carpes; les vastes communs à tourelles ne manquent pas de caractère.

EXCURSION

Château de Drée*. — *4 km au Nord par le D 193 puis une route à gauche.* Du 17ᵉ s., il se compose d'un corps de logis et de deux ailes en équerre. De la grille d'entrée, encadrée de deux beaux cèdres, on a une vue excellente sur la façade. Des colonnes ioniques, formant portique, soutiennent un balcon et, au premier étage, un blason sculpté. La belle couleur jaune de la pierre et la haute toiture d'ardoise donnent à l'édifice un cachet tout particulier.

CLOS DE VOUGEOT (Château du) *

Carte Michelin n° **65** - pli ⑳ – 5 km au Nord de Nuits-St-Georges – *Schéma p. 87.*

Propriété de l'abbaye de Cîteaux du 12ᵉ s. à la Révolution, le Clos de Vougeot (50 ha) est un des vignobles les plus fameux de la « Côte ». Stendhal conte que le colonel Bisson, revenant de la campagne d'Italie, fit présenter les armes au célèbre clos par son régiment rangé devant le château.

La Confrérie des Chevaliers du Tastevin, propriétaire du château depuis 1944, y tient chaque année plusieurs « chapitres » célèbres dans le monde entier. C'est dix ans plus tôt, en 1934, qu'un petit groupe de Bourguignons, réunis dans une cave de Nuits-St-Georges, décide, pour lutter contre la mévente des vins, de fonder une société destinée à mieux faire connaître les « vins de France en général et ceux de Bourgogne en particulier ». La Confrérie était fondée et sa renommée devait grandir si

(D'après photo Janine Niepce.)

Clos de Vougeot. — Le château.

vite qu'elle gagnait bientôt l'Europe et l'Amérique. Chaque année, se tiennent dans le Grand Cellier du 12ᵉ s. plusieurs chapitres de l'Ordre. Cinq cents convives participent à ces « disnées », à l'issue desquelles le Grand Maître et le Grand Chambellan entourés des hauts dignitaires de la Confrérie, intronisent de nouveaux chevaliers selon un rite scrupuleusement établi, réglé sur le Divertissement du Malade Imaginaire de Molière. Parmi ces chapitres pléniers, les Chevaliers du Tastevin célèbrent la première journée des « Trois Glorieuses » à la veille de la vente des vins des Hospices de Beaune *(p. 55).* Le lundi est consacré à la « Paulée » de Meursault *(voir p. 88).*

Château*. — *Visite accompagnée du 5 janvier au 20 décembre, de 9 h à 11 h 30 et de 14 h à 17 h 30. Durée : 1/2 h. Entrée : 5 F.*

Achevé sous la Renaissance, il fut restauré au 19ᵉ s. On y voit le Grand Cellier (12ᵉ s.) où ont lieu les « disnées » et les cérémonies de l'Ordre, et la cuverie (13ᵉ s.) aux quatre pressoirs gigantesques « du temps des moines » *(illustration p. 33).*

Carte Michelin n° **69** - pli ⑲ – 4 680 h. (les Clusinois) – *Lieu de séjour, p. 39.*

Le nom de Cluny évoque toute l'épopée spirituelle du Moyen Age. L'ordre clunisien *(voir p. 30)* a exercé une grande influence sur la vie religieuse, intellectuelle, politique et artistique de l'Occident. Cluny a donné des papes français à l'Église et constitué l'ordre monastique en une sorte de monarchie universelle. Jusqu'à la Révolution, chaque siècle a laissé à Cluny la marque de son style. De 1798 à 1823, ce haut-lieu de la civilisation a été stupidement saccagé mais d'admirables fragments donnent une idée de ce que fut la basilique, restée longtemps la plus vaste église de la chrétienté.

Aux visiteurs désireux de découvrir une vue d'ensemble de la cité, nous conseillons de monter à la tour des Fromages *(p. 84).*

UN PEU D'HISTOIRE

Des débuts prometteurs. — Fondée le 11 septembre 910 par Guillaume le Pieux, duc d'Aquitaine, l'abbaye de Cluny eut dès le 10ᵉ s. un développement très rapide du fait qu'elle était, par décret pontifical, exempte de la juridiction de l'évêque et groupait sous son obédience des abbayes et des prieurés dont l'union faisait la force contre les rapines de l'époque. Sous la conduite d'abbés de grande valeur, tels saint Odon, saint Mayeul, saint Odilon, saint Hugues, Pierre le Vénérable, Cluny, devenue abbaye chef-d'ordre, ne relevait que du Saint-Siège et était indépendante de toute puissance temporelle. L'abbé est un personnage considérable, plus puissant parfois que le Pape dont il est le guide et le conseiller. Les rois le prennent comme arbitre.

L'abbaye jouit alors d'un prestige incomparable : ses filiales sont réparties dans toute la France et se multiplient en Italie, en Allemagne, en Angleterre, en Pologne, en Espagne et en Suisse.

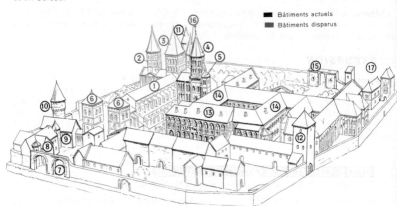

(D'après photo Jouvry, Cluny.)

L'abbaye de Cluny à la fin du 18ᵉ s.

1) Abbatiale St-Pierre-et-St-Paul. — 2) Clocher des Bisans. — 3) Clocher du chœur. — 4) Clocher de l'Eau-Bénite. — 5) Clocher de l'Horloge. — 6) Les Barabans. — 7) Entrée principale. — 8) Palais de Jean de Bourbon. — 9) Palais de Jacques d'Amboise. — 10) Tour Fabry. — 11) Tour Ronde. — 12) Tour des Fromages. — 13) Façade du Pape Gelase. 14) Bâtiments claustraux. — 15) Porte des Jardins. — 16) Clocher des Lampes. — 17) Farinier.

Cluny, lumière du monde. — « Partout où le vent vente, l'abbaye de Cluny a rente », a-t-on coutume de dire dans la région. Plus de 10 000 moines sont soumis à sa règle ; elle possède 1 450 dépendances; vers 1155 l'abbaye-mère compte 460 moines. La prière, l'étude et l'enseignement sont les objectifs dominants de la communauté. Les jeunes gens accourent vers cette capitale de l'intelligence. « Vous êtes la lumière du monde », dit en 1098 à saint Hugues le pape Urbain II lui-même clunisien. Lorsque saint Hugues meurt en 1109, après avoir commencé la construction de la magnifique église abbatiale que devait achever Pierre le Vénérable, abbé de 1122 à 1156, il laisse l'abbaye dans un état de prospérité inouïe.

La décadence. — Riches et puissants, les moines de Cluny glissent peu à peu dans une vie que saint Bernard stigmatise en termes violents. Il dénonce ces évêques qui « ne peuvent s'éloigner à quatre lieues de leur maison sans traîner à leur suite soixante chevaux et même davantage... La lumière ne brille-t-elle que si elle est dans un candélabre d'or ou d'argent? »

Au 14ᵉ s., commence pour Cluny une ère de moindre rayonnement et de moindre puissance. Ses abbés se partagent entre l'abbaye et Paris où, à la fin du 15ᵉ s., Jacques d'Amboise fait rebâtir l'hôtel élevé après 1330 par un de ses prédécesseurs, Pierre de Châlus. Ce simple pied-à-terre, mis à la disposition des rois de France qui souvent en usèrent, donne une idée du luxe princier dont s'entouraient les abbés clunisiens.

Tombée en commende au 16ᵉ s., la riche abbaye, qui n'est plus qu'une proie, est dévastée durant les guerres de Religion et sa « librairie », pillée, perd ses plus précieux ouvrages.

La destruction de l'abbaye. — En pleine tourmente révolutionnaire, commencent les profanations. En septembre 1793, la municipalité donne l'ordre de démolir les tombeaux et d'en vendre les matériaux. L'abbaye avait été fermée depuis 1790.

En 1798, sous prétexte que l'entretien des bâtiments engageait des travaux trop importants, elle est mise en vente et achetée, pour deux millions, par un marchand de biens de Mâcon. Ce dernier entreprend la démolition de la nef. La magnifique abbatiale est mutilée peu à peu.

En 1823, ne restent debout que les parties que l'on voit encore de nos jours.

■ PRINCIPALES CURIOSITÉS *visite : 1 h 1/2*

Ancienne abbaye★★. — *Visite accompagnée du 1ᵉʳ avril au 30 septembre, de 9 h à 11 h 30 et de 14 h à 18 h; le reste de l'année, de 10 h à 11 h et de 14 h à 16 h. Fermé le mardi et les 1ᵉʳ janvier, 1ᵉʳ mai, 1ᵉʳ novembre et 25 décembre. Entrée : 6 F; 3 F les dimanches et fêtes.*

Sur la place du 11-Août, agrandie à la suite de bombardements en 1944, se dresse une longue façade gothique de la fin du 13ᵉ s., dite du Pape Gélase, mort à Cluny en 1119. Cette façade a été restaurée au siècle dernier. En prenant beaucoup de recul, on voit le clocher et le haut de la tour de l'Horloge. En arrière, anciennes écuries de saint Hugues.

Les anciens bâtiments monastiques abritent une École nationale supérieure d'Arts et Métiers.

Une nouvelle salle présente une maquette de la grande abbatiale.

Entrer par la porte de l'école ; on visitera successivement :

Le cloître. — Les bâtiments claustraux construits au 18ᵉ s. autour d'un immense cloître forment un ensemble harmonieux; deux grands escaliers de pierre avec rampe en fer forgé marquent deux des angles. La façade orientale donnant sur les jardins est particulièrement élégante. Du balcon central on a une bonne vue d'ensemble. L'éclairage du couchant est le plus favorable.

(D'après photo Arthaud, Grenoble.)

Ancienne abbaye. — Clocher de l'Eau Bénite.

L'abbatiale St-Pierre-et-St-Paul. — Construite en grande partie de 1088 à 1130 par les abbés saint Hugues et Pierre le Vénérable, cette basilique fut la plus vaste église de l'occident jusqu'à la reconstruction de St-Pierre de Rome, et le symbole de la primauté de l'ordre clunisien alors à son apogée. D'une longueur intérieure de 177 m (St-Pierre de Rome : 186 m), l'église comportait un narthex, cinq nefs, deux transepts, cinq clochers, deux tours, 301 fenêtres et était ornée de 225 stalles. La voûte de l'abside, entièrement peinte, était soutenue par une colonnade de marbre.

De cette merveille, synthèse de l'art clunisien, ne restent debout que les croisillons droits des deux transepts.

On ne peut désormais qu'imaginer l'ampleur de l'ancien édifice. Les dimensions du croisillon droit du grand transept permettent d'en évoquer les proportions audacieuses. Son élévation (30 m sous la voûte en berceau, 32 m sous la coupole) est exceptionnelle dans l'art roman dont il est le spécimen le plus pur. Il comporte trois travées dont la travée centrale, couverte d'une coupole octogonale sur trompes, porte le beau clocher dit « de l'Eau-Bénite ». La chapelle St-Étienne est romane

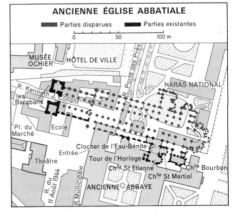

ANCIENNE ÉGLISE ABBATIALE

Parties disparues   Parties existantes

0   50   100 m

MUSÉE OCHIER   HÔTEL DE VILLE
R. Porte des Prés
HARAS NATIONAL
R. Kenneth Conant
les Barabans
Pl. du Marché   École
Clocher de l'Eau-Bénite
Entrée   Tour de l'Horloge
Théâtre
Ch¹¹ᵉ St Étienne   Ch¹¹ᵉ Bourbon
R. du 11 Août 1944
R. Municipale
ANCIENNE ● ABBAYE   Ch¹¹ᵉ St Martial

(une petite porte mène à la tour de l'Horloge), celle de St-Martial est du 14ᵉ s. Le croisillon droit du petit transept renferme la chapelle de Bourbon d'une belle architecture gothique de la fin du 15ᵉ s. et une absidiole romane. Ce contraste souligne le passage de l'art roman à l'art gothique tardif.

Les jardins. — On y voit un tilleul plusieurs fois centenaire dit « d'Abélard » (accueilli par Pierre le Vénérable, le philosophe se réfugia à Cluny vers la fin de sa vie et mourut en 1142 au prieuré clunisien de St-Marcel-lès-Chalon).

Au sud de la basilique ont été retrouvées les fondations d'une villa gallo-romaine et des deux églises abbatiales construites successivement au 10ᵉ s. puis au début du 11ᵉ s. ; à l'emplacement de l'ancien cloître a été édifiée la partie Sud-Est du cloître actuel.

Le Farinier. — Construit au 13ᵉ s. contre la tour carrée du moulin du 12ᵉ s., et long de 54 m, il fut amputé de près de 20 m au 18ᵉ s., pour dégager la partie Sud de la façade de l'édifice claustral donnant sur les jardins. Il renferme actuellement un beau musée lapidaire ainsi que deux maquettes, l'une, du grand portail, l'autre, de l'abside de la basilique, réalisées selon les plans du professeur Conant.

La salle basse, ancien cellier à deux nets voûtées d'ogives, abrite des sculptures provenant de la ville ou de l'abbaye, dont le portail à deux voussures du palais du pape Gélase (17ᵉ s).

La salle haute, couverte d'une belle charpente en châtaignier, forme un cadre admirable aux différentes sculptures provenant de l'abbaye : le sanctuaire de l'abbatiale a été fidèlement reconstruit à une échelle réduite, pour présenter les très beaux **chapiteaux du chœur** (*illustration p. 25*) et les fûts de colonne, sauvés de la ruine par la ville. Ces dix grands chapitaux, disposés en hémicycle sur de hautes colonnes, entourent le vieil autel en marbre des Pyrénées, consacré par Urbain II en 1095. Ce sont les premiers témoins de la sculpture romane bourguignonne qui allait s'épanouir à Saulieu, Autun, Vézelay.

En sortant, on longe l'ancienne salle du chapitre et on traverse le vestibule de l'abbé; dans la cour du cloître, beau cadran solaire.

Autres vestiges. — *Voir schéma p. 83.* En quittant l'abbaye, suivre la rue K.-J.-Conant (ancienne rue de l'Abbatiale) qui s'étend sensiblement sur l'emplacement de la nef. En 1949, des fouilles ont permis de retrouver la base Sud de la façade et de dégager le piédroit du portail du narthex que flanquaient les tours carrées des Barabans. De cet endroit, on réalise bien la prodigieuse longueur de la basilique. Par la suite, la nef Sud du narthex a été dégagée : on aperçoit le mur en bel appareil régulier aux pilastres adossés à des demi-colonnes.

Musée Ochier*. — *Visite du 1ᵉʳ juillet au 15 septembre de 9 h à 12 h et de 14 h à 18 h; le reste de l'année de 9 h 30 à 12 h et de 14 h à 17 h (10 h à 12 h et 14 h à 16 h du 1ᵉʳ novembre au 15 mars). Fermé le mardi, le 1ᵉʳ mai et du 20 décembre au 15 janvier. Entrée : 2 F.*

Il est installé dans l'ancien palais abbatial, gracieux logis du 15ᵉ s., construit par l'abbé Jean de Bourbon, et contemporain de l'hôtel de Cluny à Paris.

Les fragments du grand portail roman de l'église abbatiale et les chapiteaux du narthex, retrouvés lors des fouilles pratiquées par l'archéologue américain K. J. Conant, y sont exposés à côté de quelques œuvres marquantes de la sculpture civile. Différents objets ayant appartenu à l'abbaye (lutrin, chandelier pascal, coffres...) décorent les salles du Palais, encore dotées de leurs cheminées. Une partie de sa bibliothèque (4 000 volumes) ainsi que des œuvres de Prud'hon, né à Cluny, y sont également conservées. Dans une autre salle sont présentées les maquettes des églises de Cluny, de La Charité-sur-Loire et de St-Bénigne de Dijon.

Un centre d'études clunisiennes fonctionne au musée.

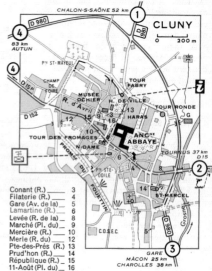

CHALON-S-SAÔNE 52 km

CLUNY
0   200 m

83 km
AUTUN

GARE
MÂCON 25 km
CHAROLLES 38 km

TOURNUS 37 km
D 15

■ AUTRES CURIOSITÉS

Hôtel de Ville. — Il est installé dans le logis construit par les abbés Jacques et Geoffroy d'Amboise à la fin du 15ᵉ s. et au début du 16ᵉ s. La façade donnant sur le jardin a une originale décoration dans le goût de la Renaissance italienne.

Tour des Fromages. — *Accès par le bureau de l'Office de Tourisme. Fermé en janvier. Entrée : 3 F.*

Du haut de la tour du 11ᵉ s. (120 marches) vue sur Cluny : l'abbaye et le clocher de l'Eau Bénite, le Farinier, la tour des Moulins, le clocher St-Marcel et l'église Notre-Dame.

Tour Fabry et tour Ronde. — On voit la tour Fabry (1347), au toit en poivrière, depuis le jardin proche de l'hôtel de ville, et la tour Ronde, plus ancienne, depuis la tour Fabry.

Haras national. — *Visite accompagnée de 9 h à 11 h et de 14 h à 17 h.*

Les diverses écuries, construites à partir des pierres de l'église de l'abbaye voisine, abritent 94 étalons (en 1978) qui sont répartis dans les stations de la région de mars à juillet. Seuls quelques-uns sont conservés pour la monte locale.

Maisons romanes. — Cluny a conservé de beaux logis romans, en particulier au 25 r. de la République, une maison du 12ᵉ s., et, 6 r. d'Avril, l'hôtel des Monnaies, du 13ᵉ s. *(restauré).*

Église St-Marcel. — *S'adresser pour la visite à M. le Curé de Notre-Dame, 7 rue Notre-Dame.* Elle possède un beau **clocher*** roman octogonal à trois étages, surmonté d'une élégante flèche polygonale du 15ᵉ s., en briques, haute de 42 m. Une cuve baptismale du 13ᵉ s. sert de bénitier. On a une excellente vue sur le clocher et l'abside, du D 980.

Église Notre-Dame. — Le parvis, avec sa fontaine du 18ᵉ s. et ses vieilles maisons, a beaucoup de cachet. L'église, au clocher quadrangulaire, bâtie peu après 1100, fut une des premières à être transformée et agrandie à l'époque gothique. Elle était autrefois précédée d'un narthex, dont il ne reste que le dallage. Le portail du 13ᵉ s. est délabré, mais le vaisseau d'une belle ordonnance clunisienne révèle sous ses hautes voûtes une tour-lanterne aux consoles sculptées. Les stalles et les boiseries datent de 1644. Les vitraux du chœur sont modernes.

Promenade du Fouettin. — Des tilleuls séculaires bordent l'ancienne enceinte de la ville. De la terrasse à l'extrémité Sud de la promenade, belle vue sur la ville et la vallée de la Grosne.

COMMARIN *

Carte Michelin n° **66** - plis ⑱ ⑲ – 6 km au Nord de Châteauneuf par le D 18ᴬ et le D 977 bis – 132 h.

Ce petit village de la Côte d'Or s'enorgueillit de posséder un beau château.

Château*. — *Visite accompagnée du 15 mars au 2 novembre, de 10 h à 12 h et de 14 h à 18 h. fermé le mardi. Durée : 3/4 h. Entrée : 8 F.*

Vestiges d'un ancien château, deux tours de la fin du 14ᵉ s. précèdent un corps de logis élevé en 1702 et couvert de beaux combles à la française. Une aile du château fut reconstruite sous Louis XIII au-dessus d'une jolie chapelle gothique laissée intacte.

De larges douves entourent le château. La façade donnant sur le parc est élégante.

Intérieur. — Doté d'une décoration et d'un mobilier restés intacts depuis 1750, il se distingue surtout par de très belles tapisseries armoriées du 16ᵉ s.

EXCURSION

Échannay. — 55 h. *3 km, par le D 977 bis.* Dans le chœur de la petite église romane *(demander la clef à M. le Maire)* se trouve un très joli retable en marbre. Ce retable, naguère polychrome, a été décapé.

CORMATIN *

Carte Michelin n° **69** - pli ⑲ – 13 km au Nord de Cluny – *Schéma p. 115* – 575 h.

Dans la vallée moyenne de la Grosne, Cormatin se signale à l'attention des touristes par son château somptueusement meublé.

Château*. — *Visite de Pâques au 15 octobre, de 9 h à 11 h et de 14 h à 17 h. Fermé le mardi. Entrée : 6 F.*

Construit en 1600 dans le style Renaissance, il présente deux ailes en équerre encadrant la cour d'honneur. La troisième aile a été démolie en 1830.

Intérieur *. — La décoration intérieure est d'une richesse exceptionnelle. Boiseries peintes à l'époque Louis XIII, plafonds à la française, sculptés ou dorés à la feuille, mobilier d'époque, tapisseries, cuirs de Cordoue, objets d'art et toiles de maîtres forment un ensemble remarquable. De très grands artistes des 17ᵉ et 18ᵉ s. (Claude Gelée, Van den Veld, Nattier, Jouvenel) ont contribué à la décoration.

Parmi la suite de salons et de pièces, il faut retenir surtout la salle des Gardes, la salle Ste-Cécile, le salon des Gobelins, le cabinet du Maréchal et le salon des Princesses.

EXCURSION

Ameugny. — 122 h. *3 km. Sortir de Cormatin par le D 981, en direction de Cluny; prendre à droite le D 14 puis, à gauche, un chemin vicinal.*

Construite en beau calcaire rouge provenant des carrières de la région, l'église est un édifice d'aspect massif du 12ᵉ s. La nef, voûtée en berceau brisé, est divisée en trois travées. À la croisée du transept, une coupole sur trompes supporte le lourd clocher carré, au beffroi ajouré.

COSNE-SUR-LOIRE

Carte Michelin n° **65** - pli ⑬ – 12 312 h. (les Cosnois) – *Lieu de séjour, p. 39* – Plan dans le guide Michelin France.

Située au débouché de la vallée du Nohain, sur la rive droite de la Loire, qui offre un agréable but de promenade, Cosne est un petit centre industriel (imprimerie, confection, meubles, tréfileries, appareils de levage, outillage automobile). Traversée de bout en bout par la N 7 dans son grand axe Nord-Sud, la ville est très animée.

Au 18ᵉ s., Cosne était célèbre pour ses forges, ses manufactures de canons, mousquets et ancres de marine. Sa situation sur la Loire lui permettait d'expédier à peu de frais ses produits à destination des ports de l'Océan. Sous la direction du baron de la Chaussade qui leur donna son nom, les forges prirent un essor prodigieux, à tel point que le roi Louis XVI, en 1781, s'en porta acquéreur pour 2 500 000 livres. Le baron de la Chaussade ne fut jamais payé et mourut presque dans la gêne. Quant à ses forges, elles furent transportées en 1782 à Guérigny, dans la vallée de la Nièvre, mais ont perdu, de nos jours, leur importance d'antan.

Église St-Agnan. — Cette ancienne église d'un prieuré clunisien a conservé un portail roman et une abside romane : celle-ci est épaulée par des contreforts montant jusque sous la corniche. Avec ses deux absidioles fort en retrait sur l'abside principale, elle est de proportions harmonieuses.

Musée. — *Visite du 7 avril au 11 juin les samedis et dimanches de 10 h à 12 h et de 15 h à 18 h ; du 13 juin au 16 septembre, du mercredi au dimanche inclus, de 10 h à 12 h et de 15 h à 18 h ; du 19 septembre au 28 octobre, les mercredis, samedis et dimanches aux mêmes heures.*

Consacré à la Loire et à sa marine, il présente différents types de bateaux de Loire au cours des siècles, les outils nécessaires à la fabrication des navires et à la pêche.

EXCURSION

Domaine de Cadoux. — *10 km au Nord, par la N 7.* Il possède une vieille grange transformée en musée et comprenant divers objets de traditions agricoles et artisanales du siècle dernier *(visite du 30 juin au 10 septembre de 10 h à 20 h ; le reste de l'année, seulement le dimanche de 15 h à 17 h. Fermé du 1ᵉʳ novembre au 31 mars ; entrée : 5 F).*

De Dijon à Chagny, le célèbre vignoble de la Côte d'Or qui se déploie sur plus de 60 km constitue pour les gastronomes une voie triomphale. A chaque étape s'inscrit un nom prestigieux; chaque village ou coteau possède un titre de gloire. C'est la région des grands crus.

LES GRANDS VINS DE BOURGOGNE

Les conditions naturelles. — La Côte est constituée par le rebord oriental de la « Montagne », dont le tracé rectiligne est morcelé par des combes transversales analogues aux « reculées » du vignoble jurassien. Entre Dijon et Nuits-St-Georges, les falaises et les rochers de ces combes font la joie des varappeurs dijonnais. Le vignoble couvre environ 7 000 ha en Côte d'Or et 8 600 ha en Saône-et-Loire plantés en cépages fins (pinot noir et chardonnay). Il s'étage au-dessus de la plaine de la Saône, à une altitude moyenne de 220 m.

Tandis que le sommet des coteaux est couvert de buis ou couronné parfois de boqueteaux, le vignoble occupe les pentes calcaires, bien exposées à l'insolation matinale – la meilleure – et bien abritées des vents froids et des gelées printanières. De cette exposition dépend la production du sucre, et partant, le degré alcoolique. Dans les combes, seul le versant Sud est planté de vignes; le versant Nord est souvent couvert de bois. La pente facilite en outre l'écoulement des pluies, assurant à la vigne un sol sec, facteur de la qualité des crus.

Le vin de Bourgogne dans l'histoire. — Introduite en Bourgogne dès la conquête romaine, la culture de la vigne se généralise rapidement. Dès cette époque, le vin de Bourgogne acquiert ses titres de noblesse; les préfets de la Séquanaise l'apprécient hautement et le clos de la « Romanée », qui leur est attribué, rappelle ce fait historique.

Au 12ᵉ s., les moines de Cîteaux développent le vignoble et constituent le célèbre « Clos de Vougeot ». Courtépée rapporte qu'en 1359, Jean de Bussières, abbé de Cîteaux, fit don au Pape Grégoire XI de trente pièces de sa récolte de Clos de Vougeot. Le pape, reconnaissant, lui promit de se souvenir de ce présent. Quatre ans plus tard Jean de Bussières recevait le chapeau de cardinal. Au 15ᵉ s., les ducs de Bourgogne s'intitulent « seigneur des meilleurs vins de la chrétienté » et font présent de leur vin aux rois. On sait que Louis XIV a contribué à rendre célèbres les vins de Nuits, que Madame de Pompadour appréciait fort la « Romanée Conti » et que Napoléon Iᵉʳ avait une préférence marquée pour le Chambertin.

Il est certain que le vin de Bourgogne est pour le vin de Bordeaux un sérieux rival. Chacun a ses partisans : une vieille marquise demandait à un conseiller au Parlement lequel des deux il préférait : « Madame, répondit-il, c'est un procès dont j'ai tant de plaisir à visiter les pièces que j'ajourne toujours à huitaine la prononciation de l'arrêt. »

Les grands crus. — La N 74 sépare sur une grande partie de son parcours les vins nobles des autres vins, les grands vins s'étalant en général à mi-pente. Pour les grands vins rouges un seul cépage existe, le pinot noir fin, roi des ceps bourguignons. Les grands vins blancs sont produits par le chardonnay et le pinot blanc. Après la crise du phylloxéra, à la fin du 19ᵉ s., le vignoble fut entièrement reconstitué sur porte-greffes américains.

Au Sud de la Côte dijonnaise, les deux grandes Côtes de Nuits et de Beaune se partagent la célébrité : celle de Nuits, pour le feu de ses crus; celle de Beaune, pour leur délicatesse. Chacune d'elles possède son arrière-côte, dont les crus portant l'appellation de « Hautes-Côtes », sans prétendre à la renommée des Côtes, peuvent, en bons millésimes, satisfaire l'amateur le plus averti.

La **Côte de Nuits** s'étend de Fixin à Corgoloin. Elle produit presque uniquement de très grands vins rouges. Ses crus les plus fameux sont du Nord au Sud : le Chambertin, le Musigny, le Clos-Vougeot et la Romanée-Conti. Très riches et corsés, ses vins demandent huit à dix ans pour acquérir leurs qualités inégalables de corps et de bouquet.

La **Côte de Beaune** s'étend du Nord d'Aloxe-Corton à Santenay et produit à la fois de très grands vins blancs et d'excellents vins rouges. Ses vins se font plus rapidement que ceux de la Côte de Nuits, mais vieillissent plus tôt. Ses principaux crus sont : le Corton, le Volnay, le Pommard et le Beaune, vins rouges moins corsés que les Nuits, mais très souples, le Meursault et le Montrachet, vins blancs riches et fruités.

Admirablement mis en valeur par une cuisine délectable, les grands crus font de la « Côte » une route célèbre dans le monde des gourmets et des connaisseurs.

LE VIGNOBLE **

De Dijon à Chagny – *70 km – environ 2 h – schéma p. 87*

Quitter Dijon (p. 93) par le D 122 appelé « route des Grands Crus », qui rejoint la N 74 à Vougeot et permet de longer le vignoble. La route passe au pied de collines couvertes de vignes et traverse des villages ou des villes aux noms évocateurs. Une impression de richesse se dégage de ces gros bourgs viticoles.

Chenove. — 21 548 h. Le « clos du Roi » et le « clos du Chapitre » évoquent les anciens propriétaires de ce vignoble, les ducs de Bourgogne et les chanoines d'Autun. La cuverie des ducs de Bourgogne abrite deux magnifiques pressoirs du 13ᵉ s. – ou leurs répliques, exécutées au début du 15ᵉ s., selon certains historiens –, qui pouvaient presser en une fois la vendange de 100 pièces de vin. *Visite de 8 h (9 h hors saison) à 12 h et de 14 h à 19 h (18 h hors saison). Rémunération.*

Marsannay-la-Côte. — 6 590 h. Ce village qui appartient à la Côte donne des vins rosés très appréciés, obtenus par fermentation rapide des raisins noirs du pinot.

Fixin. — *Page 103.*

Brochon. — 794 h. A la limite de la Côte de Nuits, Brochon produit des vins estimés. Le château *(on ne visite pas)* a été construit en 1900 par le poète Stephen Liégeard qui lança vers 1887, l'appellation de « Côte d'Azur », ouvrage couronné par l'Académie française.

Gevrey-Chambertin. —
Page 106.

Chambolle-Musigny. —
403 h. En prenant au Nord-Ouest de Chambolle-Musigny la route de Curley par la combe Ambin, on atteint *(1 km)* un site charmant : au pied d'un promontoire rocheux dominant le confluent de deux ravins boisés est bâtie une petite chapelle.

Vougeot. — 178 h. Ses vins rouges sont très appréciés.

Château du Clos de Vougeot*. — *Page 81.*

Vosne-Romanée. — 613 h. Son vignoble ne produit que des vins rouges de grande qualité, fins et délicats. Parmi les « climats » qui le constituent, ceux de Romanée-Conti (célèbre croix dans le vignoble) et de Richebourg sont de réputation universelle.

Nuits-St-Georges. — *Page 129.*

Comblanchien. — 641 h. Ce bourg est connu pour la pierre que l'on extrait des falaises voisines : elle est très belle, et fréquemment employée en remplacement du marbre plus coûteux.

Aloxe-Corton. — 218 h. (Prononcer Alosse). Son origine rappelle Charlemagne qui y posséda des vignes, d'où le nom de Corton-Charlemagne, « vin

blanc de grande allure ». Aloxe-Corton produit surtout des vins rouges, « les plus fermes et les plus francs de la Côte de Beaune », dont le bouquet s'affine avec l'âge, tout en conservant du corps et de la chaleur.

Variante par Bouilland. — *Lieu de séjour, p. 39. Allongement de parcours de 22 km – environ 3/4 h. A Nuits-St-Georges, prendre à droite le D 25. Après Arcenant, des plantations de cassis et de framboises bordent la route. Au cours d'une assez forte montée, belle vue sur Arcenant, ses cultures et sur une gorge profonde, la* **Combe Pertuis.** *A Bruant, suivre le D 25 puis prendre à droite le D 18 et 4,5 km après Bruant, tourner à gauche dans le D 2. Dans une longue descente, vue sur Bouilland et son cirque de collines boisées. De Bouilland, le D 104 donne accès à un site pittoresque surplombant le village (2 km). Au-delà du hameau de la Forge, la route (D 2) est dominée à gauche par de jolis escarpement rocheux couronnant la colline et, à droite, par la roche dite « percée ». Aussitôt après, à gauche, on découvre le cirque de la Combe à la Vieille et l'étroite vallée du Rhoin, fraîche et verdoyante, entre des côtes boisées ; elle s'élargit peu avant Savigny-lès-Beaune.*

Beaune**. — *Page 55.*

Pommard. — 754 h. Pommard tire son nom d'un temple antique dédié à Pomone, divinité des fruits et des jardins. Ses vins rouges « fermes, colorés, pleins de franchise, et de bonne conservation » furent appréciés par Ronsard, Henri IV, Louis XV et Victor Hugo...

Volnay. — 464 h. Ses vins rouges, au bouquet très délicat et au goût suave, furent, dit-on, très appréciés de Louis XI. On aura une belle vue sur les vignobles, depuis l'esplanade, en contrebas de sa petite église du 14e s., au clocher trapu.

Variante * par les Hautes-Côtes de Beaune et la Rochepot. — *Allongement de parcours de 23 km – environ 1 h. A Pommard, prendre à droite le D 17. La route suit le fond d'une vallée verdoyante entre les versants boisés. Du D 17, se détache à gauche la route de St-Romain, petite ville construite sur un piton et dominée par de belles falaises. Le D 17¹ offre avant Orches, pittoresquement bâti dans le rocher, une belle* **vue*** *sur St-Romain, Auxey, Meursault et le val de Saône. On gagne la Rochepot par le D 111ᴰ accidenté.*

La Rochepot *. — *Page 138.*
Quitter la Rochepot par le D 973 qui en contourne le château. La route longe une étroite vallée et traverse jusqu'à Melin des escarpements calcaires burinés par l'érosion.
On rejoint l'itinéraire de la Côte à Auxey-Duresses.

Auxey-Duresses. — 329 h. Ce village est niché dans une combe profonde menant à la Rochepot et à son château. Le vignoble produit des vins fins rouges et blancs qui, avant la loi sur les appellations d'origine, étaient vendus sous le titre de Volnay et de Pommard. L'église *(fermée à 16 h 30 en hiver)* mérite une visite pour son beau triptyque du 16ᵉ s.

Meursault. — 1 733 h. Cette petite ville, que domine la belle flèche gothique en pierre de son église, produit à la fois des vins blancs et des vins rouges de très grande qualité. Elle devrait son nom à une coupure séparant nettement la Côte de Meursault et la Côte de Beaune. Cette coupure, appelée « Saut du rat », en latin « muris saltus », aurait donné le nom actuel de Meursault. Ses vins blancs, avec ceux de Puligny et de Chassagne-Montrachet, passent pour les « meilleurs vins blancs du monde ». Ils ont un goût particulier de noisette et un arôme de grappe mûre qui s'allient à une franchise et une finesse exquises. Les Meursault ont cette particularité d'être à la fois secs et moelleux, ce qui est fort rare. La « Paulée de Meursault », dernière des « Trois Glorieuses de Bourgogne » *(voir p. 81)*, est une fête réputée. A l'issue du banquet, où chaque convive apporte ses bouteilles, un prix littéraire est attribué. Le lauréat reçoit 100 bouteilles de Meursault.

Puligny-Montrachet. — 528 h. Ses vins blancs, d'un fruité distingué, sont admirables. Alexandre Dumas prétendait que ce vin « devait être bu à genoux et tête découverte ». Les vins rouges ont beaucoup de corps et de finesse.

Santenay. — 1 008 h. Des bords de la Dheune au mont de Sène, dans un cirque de falaises, Santenay étend ses trois agglomérations entre de vastes vignobles qui, avec les eaux minérales lithinées, fortement salines, font sa renommée.

Isolée au pied des falaises, la petite église St-Jean possède une nef du 13ᵉ s. ; le portail en plein cintre est abrité par l'avancée d'un porche de bois; le chœur, du 15ᵉ s., est surmonté d'une curieuse voûte aux multiples ogives. Elle contient deux charmantes statues de saint Martin et de saint Roch en bois polychrome du 15ᵉ s. et une Vierge au dragon du 17ᵉ s. due au sculpteur santenois J. Bésullier. *S'adresser à la gardienne du cimetière.*

Chagny. — 5 926 h. Cette ville industrielle et commerçante est très animée.

Le CREUSOT

Carte Michelin n° **69** - pli ⑧ – *Schéma p. 48* – 33 480 h. *(les Creusotins)* – *Plan dans le guide Michelin France.*

En bordure Nord-Est du Massif Central, le Creusot a développé ses activités dans un cadre rural contrastant avec son caractère industriel. Les hauts-fourneaux et les groupes de maisons ouvrières en briques d'autrefois ont fait place aux équipements d'usines les plus modernes.

LE BASSIN INDUSTRIEL

Ce bassin correspond à la dépression de Montceau-les-Mines, Blanzy et Montchanin, drainée par la Dheune et la Bourbince. Importante voie de passage, empruntée par la route, le canal et la voie ferrée, il fait communiquer les pays de la Saône et ceux de la Loire.

Formation géologique. — A l'ère primaire, s'élèvent de hautes chaînes de montagnes *(voir p. 9)*, puis l'érosion fait son œuvre. A la fin de l'ère secondaire la mer recouvre toute la région et les sédiments s'empilent sur le sol granitique. A la fin de l'ère tertiaire, sous l'effet du contrecoup du plissement alpin, le relief est de nouveau relevé. Les rivières dégagent les dépressions, découvrant les gisements houillers contenus dans les fossés de la chaîne hercynienne. Ainsi s'étend, entre les monts de l'Autunois et du Charollais, la dépression houillère de Blanzy interrompue par des affleurements calcaires.

Développement de l'industrie. — Si le minérai de fer a été exploité dès le Moyen Age dans la région de Couches, la découverte au 17ᵉ s. des importants gisements houillers d'Épinac, du Creusot et de Blanzy est à l'origine du développement industriel de toute la région. L'exploitation fut poussée au maximum au siècle dernier pour alimenter en combustible l'industrie métallurgique naissante du Creusot. Actuellement, reste seul en exploitation le gisement de Blanzy-Montceau-les-Mines (1 828 000 t en 1977, soit environ 7,5 % de la production française). Parmi les nouvelles réalisations, la centrale thermique de Lucy a produit, 1 528 065 000 kWh en 1977. Alors que certaines localités, telles que Couches, Perrecy-les-Forges, ont vu leur activité décliner, le Creusot est devenu le centre nerveux de tout le bassin.

Le canal du Centre. — Artère vitale dans cette région de collines, il eut pour fonction de desservir les centres industriels. Si sa création fut envisagée dès le début du 17ᵉ s., c'est seulement en 1794, à l'époque où progressa la grande métallurgie, qu'il fut ouvert à la navigation. De Chalon où il quitte la Saône, à Digoin où il atteint la Loire, il remonte la vallée de la Dheune et descend le cours de la Bourbince. Diverses industries se sont installées à proximité : fonderies à Montchanin, robinetterie et fonderie à Blanzy, constructions mécaniques et mobilier tubulaire à Palinges. Il a aujourd'hui un rôle économique secondaire, mais offre à la plaisance un attrayant plan d'eau.

L'ESSOR DE L'INDUSTRIE

Des débuts prometteurs. — Au début du 16ᵉ s., les Creusotins exploitent les affleurements de charbon et en font commerce. Un certain père Dubois laissait prendre sur sa propriété « autant de charbon que pouvaient en traîner six chevaux ou quatre bœufs, moyennant un écu de six livres et autant de vin qu'il pouvait en boire ». Mais la rareté de la houille au Creusot même allait orienter les industries de cette ville vers la transformation des matières premières extraites des mines de fer et des carrières : aciers spéciaux, ciments, briques, céramiques, poteries. L'exploitation industrielle n'est entreprise qu'en 1769 et, en 1782, la « Fonderie royale de Montcenis » comporte une fonderie et des hauts fourneaux.

La cité de l'acier. — En 1836, Joseph-Eugène Schneider, maître de forges à Bazeilles, et son frère, Adolphe Schneider, s'installent au Creusot, petite bourgade de 3 000 habitants.

La rapide extension des usines Schneider allait contribuer à la fortune de la ville qui, depuis cette date, a décuplé sa population. L'année suivante commence la construction des locomotives à vapeur et des appareils moteurs de grands navires. En 1841, l'invention du marteau-pilon, due à l'un des ingénieurs de l'usine, M. Bourdon, permet la forge des grosses pièces. Dès lors, sortent des usines, du matériel de chemin de fer, des pièces pour l'équipement des centrales électriques, des ports, des usines, etc.

Aux environs de 1867, se développe l'industrie de l'acier, employé principalement à l'époque pour les plaques de blindage et les pièces d'artillerie. Le minerai de fer provenait à l'origine de la région de Couches.

En 1949 est créée la Société des Forges et Ateliers du Creusot (usines Schneider) dont les usines s'étendent sur les communes du Creusot, du Breuil, de Torcy et de Montchanin. La Société fusionne en 1970 avec la Cie des Forges de la Loire, donnant naissance à Creusot-Loire. Le site industriel du Creusot (350 ha), qui occupe 9 200 personnes, comprend des aciéries, des laminoirs, des forges, des fonderies d'acier et de fonte et des ateliers de constructions mécaniques.

Des aciers fins à la mécanique lourde. — L'extension des espaces couverts par les établissements du Creusot, liée à un important effort d'équipement des unités existantes, favorise l'accroissement de la production d'acier, élaboré au four électrique (fours à arc) en partant des ferrailles. Au vieux marteau pilon succède la grande forge équipée de presses de 7 500 et 11 000 t.

Les puissants moyens d'exploitation dont sont dotés les ateliers de fabrication et de transformation des métaux permettent la réalisation de pièces de métallurgie fine, de mécanique lourde, et d'ensembles industriels les plus complexes (dans le domaine thermonucléaire en particulier, avec Framatome). Les ensembles, acheminés par voie fluviale, peuvent être enlevés et chargés par ponts roulants de 350 t.
Un département de recherches poursuit la mise au point des matériels et des techniques.

Visite des usines : Adresser une demande écrite à Creusot-Loire, service des visites, 60 rue Clemenceau 71208 le Creusot.

■ CURIOSITÉS *visite : 1 h 1/2*

Marteau-Pilon. — Symbole de la cité industrielle, un marteau-pilon de 100 t, qui fut mis en service en 1876 et connut une réputation mondiale, a été érigé au carrefour du 8-Mai.

Place Schneider. — Au centre se dresse la statue d'Eugène Schneider, l'un des fondateurs de l'usine. A l'Est s'élève, à l'orée d'un parc de 28 ha, le château de la Verrerie.

Château de la Verrerie. — Ancienne résidence des Schneider, rachetée par la ville du Creusot, il abrite depuis 1972 l'Ecomusée de la Communauté le Creusot-Montceau-les-Mines. Autrefois manufacture des cristaux de la reine Marie-Antoinette, transférée de Sèvres au Creusot en 1787 et longtemps prospère, la cristallerie, rachetée en 1833 par le groupe de St-Louis et Baccarat, éteignit ses fours. De chaque côté du château, dont le nom rappelle la vocation primitive, deux bâtiments de forme conique signalent les anciens fours. La cour d'honneur est ornée d'une collection de canons de bronze des 18ᵉ et 19ᵉ s.

Fours. — Celui de gauche a été transformé en petit théâtre de style 18ᵉ s. *(pour visiter, s'adresser à la mairie du Creusot).* Celui de droite, autrefois aménagé en chapelle par Eugène Schneider, sert occasionnellement de galerie d'exposition.

Musée de l'Homme et de l'Industrie. — *Visite de 14 h à 18 h. Fermé le lundi.*
Il est situé dans une partie du château, devenu le siège de l'Ecomusée.

Écomusée. — *Visite de 14 h à 18 h. Fermé le lundi.*
Il concerne 16 communes et quelques localités voisines qui organisent à tour de rôle une exposition sur les activités du monde rural ou industriel. L'exposition de « L'Espace de la Communauté à travers les âges » présente des maquettes et un panorama des temps passés et présents, représentés par des objets et documents se rapportant à la vie agricole et industrielle de la Communauté. Le 2ᵉ sujet *(expositions permanentes)* concerne « Le château de la Verrerie : deux siècles d'histoire ». L'Ecomusée dispose aussi d'une bibliothèque de consultation *(ouverte du lundi au vendredi de 14 h à 18 h).*

Promenade des Crêtes. — Par la rue Jean-Jaurès, la rue de Longwy, le D 28 (route de Marmagne), on s'élève rapidement et l'on rejoint la route de la Promenade des Crêtes par un virage à droite à angle aigu. La route en lacet domine le bassin du Creusot et procure, à travers les pins, de belles échappées sur l'agglomération et les anciennes usines Schneider.

EXCURSIONS

Signal d'Uchon★★. — *Circuit de 41 km – environ 1 h 1/2 – schéma p. 90. Quitter le Creusot par le D 984. S'engager à gauche dans Montcenis, sur 300 m, et prendre à droite vers Mesvres.*
La route se faufile entre les croupes granitiques du bassin d'Autun, offrant de beaux points de vue après le Sautot, et longe un étang à gauche, puis le bois de la Ravière à droite, peu avant l'arrivée à **Uchon★** *(p. 48).*
Voir le village, en contrebas, puis, après avoir fait demi-tour, le signal (p. 48).
Quitter le signal d'Uchon en reprenant le D 275, à droite : descendant de fortes pentes, cette route traverse une région boisée mais offre de belles échappées.
Regagner le Creusot par le D 47, à gauche. Courant à flanc de pente sur les contreforts du signal d'Uchon, la route serpente à travers la lande et procure des vues lointaines, en particulier sur le bassin de Montceau-les-Mines, à droite avant Montcenis.

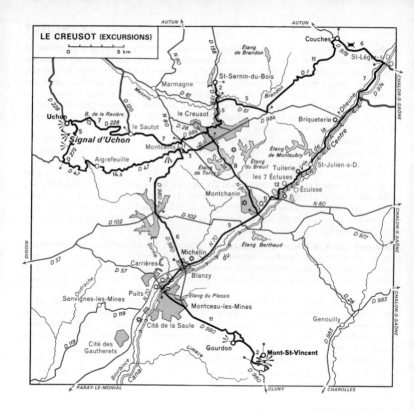

Couches : vallée de la Dheune ; Montchanin. — *Circuit de 58 km – environ 2 h – schéma ci-dessus. Sortir du Creusot au Nord par D 138 accidenté.* On rejoint la vallée du Mesvrin.

St-Sernin-du-Bois. — 234 h. Le château, un gros donjon carré du 12e s., et un ancien prieuré forment un ensemble pittoresque, à proximité d'un étang servant de réserve d'eau.

Faire demi-tour ; après 2 km, tourner à gauche dans le D 61 ; au point de jonction avec le D 984, emprunter à gauche le D 1.

Couches. — 1 599 h. La maison des Templiers est une belle construction du début du 17e s. A 1 km du bourg, se dresse la château de Marguerite de Bourgogne (15e s.). Très restauré, il a conservé son ancienne enceinte, sa chapelle et son donjon. *Visite accompagnée du 1er juillet au 31 août, de 15 h à 17 h 30. Durée : 1/2 h. Entrée : 7 F.*

Vallée de la Dheune. — Le D 974 que l'on rejoint à droite à hauteur de St-Léger passe tout d'abord entre la Dheune et le canal du Centre et les écluses se succèdent. Après les 7 écluses (depuis 1884, il n'en reste que trois) dont Écuisses a emprunté le nom, la route passe sur une levée entre le canal en tranchée et l'étang de Longpendu qui se déverse vers la Saône par la Dheune ou vers la Loire par la Bourbince.
Au lieu-dit « la 9e écluse », la commune d'Écuisses présente dans le cadre de l'Écomusée « La Maison du canal ».

Montchanin. — 6 308 h. Centre industriel (fonderies). Les nombreux étangs environnants utilisés comme réservoirs pour le canal du Centre sont poissonneux.

Revenir au Creusot par le D 28 passant au bord de l'étang de Torcy.

Mont-St-Vincent*. — *Circuit de 66 km – environ 2 h 1/2 – schéma ci-dessus. Quitter le Creusot par ③ et le D 980.* La route côtoie la retenue de la Sorme.

Blanzy. — 4 975 h. Située au bord du canal du centre, la cité doit sa prospérité à ses houillères. Elle prend, à partir de 1860, une grande extension : bâtiments publics et habitations se multiplient et de nouveaux puits sont mis en service.
En 1970, une usine de pneumatiques Michelin s'établit en zone industrielle. Nombre d'industries viennent renforcer celle de la fonderie : plastiques, robinetterie, tuyauterie, matériaux de construction.
Liée à l'Écomusée de la Communauté, Blanzy a entrepris de reconstituer un ancien puits d'extraction et son « carreau », sous le thème « La Mine et les Hommes ».

Sortir de Blanzy à l'Ouest, par la voie rapide débouchant, 3 km plus loin, sur les quartiers industriels de Montceau-les-Mines.

Montceau-les-Mines. — 28 204 h. Le développement rapide de la ville, à partir de 1856, est lié à l'exploitation intensive du bassin houiller de Blanzy *(voir p. 88).* D'autres industries que celles du charbon concourent au maintien de la prospérité montcellienne : métallurgie et mécanique (appareils de levage, chaudronnerie), construction électrique et travaux publics, bonneterie.
Montceau-les-Mines, appuyant l'action de l'Écomusée visant la connaissance de la civilisation industrielle, a pris pour thème : « Cent ans d'école » *(visite tous les derniers dimanches du mois).*

Après 2 km de traversée de ville par le D 57, sortir à l'Est par ③, D 980 en direction de Cluny ; 9 km plus loin, prendre à gauche une petite route.

Mont-St-Vincent*. — 338 h. Bâti à la proue d'une colline, ce village du Charollais occupe un des points culminants de Saône-et-Loire (603 m), d'où chaque année part le signal des Feux celtiques de la St-Jean, allumés pour célébrer le retour de l'été *(voir p. 6)*.

A l'entrée du village, un petit sentier part à droite à angle aigu jusqu'à une station de télévision et météorologie. Une table d'orientation est installée au sommet d'une tour belvédère *(télescope : 1 F)*, d'où l'on découvre un immense **panorama****, notamment sur les monts du Morvan, les dépressions du Creusot et d'Autun, les monts du Mâconnais et du Charollais.

Bâtie à la fin du 11e s., l'**église** était celle d'un ancien prieuré clunisien. Le porche carré, surmonté d'une tribune, abrite un portail dont le tympan sculpté, très dégradé, représente un Christ en majesté entre deux personnages qui seraient saint Pierre et saint Paul. La nef est voûtée de berceaux transversaux comme celle de St-Philibert de Tournus, tandis que les bas-côtés sont voûtés d'arêtes. La croisée du transept est surmontée d'une coupole sur trompes.

Sur la route du retour, s'arrêter à Gourdon, un peu à l'écart du D 980.

Gourdon. — 798 h. Une route étroite et en forte montée conduit à Gourdon d'où l'on découvre un vaste **panorama*** sur Montceau-les-Mines, le bassin de Blanzy, Montcenis, le Creusot et plus loin les monts du Morvan. Ce petit village perché possède une église romane du 11e s., avec triforium aveugle et fenêtres hautes, et un intéressant ensemble de chapiteaux.

Reprendre le D 980 jusqu'à Blanzy et sortir au Nord-Est par ③, voie rapide jusqu'à Montchanin; emprunter ensuite à gauche le D 28 ramenant au Creusot.

CURE (Vallée de la) *

Carte Michelin n° 🔢 - plis ⑤ ⑥, ⑮ ⑯.

La Cure, dont le bassin est plus étendu que celui de l'Yonne, est la rivière morvandelle par excellence. Cours d'eau « sportif », la Cure est très appréciée des canoéistes qui y organisent des compétitions de canoë-kayak.

Une activité disparue. — C'est sur la Cure, au milieu du 16e s., que fut réalisé le premier essai de flottage à bûches perdues. Au siècle dernier, la création du lac réservoir des Settons *(p. 153)* avait pour but d'aider au flottage des bois. Au début du 19e s., certaines années virent, portés par le flot de la Cure, plus de 50 000 stères de bois.

L'Yonne a connu, dans le même temps, un flottage encore plus important *(voir p. 80)*. Le lac des Settons représentait, par sa masse, une réserve considérable. Depuis la disparition du flottage, il n'est utilisé que pour régulariser le débit de la Cure et alimenter, pendant l'été, le canal du Nivernais.

Depuis 1930, plusieurs barrages hydro-électriques ont été aménagés dans le bassin de la Cure : barrage du Crescent (1930-1933) en amont de Chastellux; barrage de Malassis (1929-1930) près de Domecy-sur-Cure; barrage de Chaumeçon (1933-1935) sur le Chalaux, affluent de gauche de la Cure.

De Cravant à Pierre-Perthuis — *39 km - environ 1 h - schéma ci-dessous*

La route suit à peu près le cours de la Cure, dans le cadre agreste de collines boisées ou plantées de vignes.

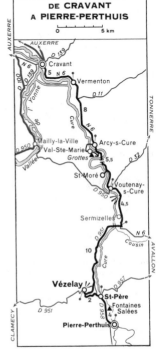

DE CRAVANT
A PIERRE-PERTHUIS

Cravant. — 755 h. Cette petite localité autrefois fortifiée est bâtie au confluent de la Cure et de l'Yonne. L'église, du 15e s. *(fermée de fin novembre aux Rameaux)*, possède un chœur et une tour de la Renaissance. Des promenades ont été aménagées à l'emplacement de ses anciens fossés. Bien qu'assagie par les réservoirs qui régularisent son cours, la Cure conserve un tempérament de rivière rapide, bondissant sur les rochers, type même des rivières « à truites ».

Vermenton. — 1261 h. Cette petite localité occupe un site agréable près des rives de la Cure. Son église Notre-Dame possède une belle tour du 12e s. Le portail conserve des statues-colonnes très mutilées.

Arcy-sur-Cure. — 509 h. Les maisons du village-haut s'échelonnent sur un rocher au-dessus de la vallée de la Cure.

Variante par Val-Ste-Marie. — *Allongement de parcours de 1 km. Chemin très étroit.*

Dans le bourg d'Arcy-sur-Cure, prendre un chemin qui traversant la rivière et s'élevant au-dessus de la Cure, passe au pied du **manoir de Chastenay**, du 14e s. *(restauration en cours)*, ancienne étape des pèlerins se rendant à Compostelle. A l'intérieur *(visite accompagnée du 1er juillet au 15 septembre de 10 h à 11 h 45 et de 14 h à 17 h 45; fermé le lundi; entrée : 6 F)* : polyptyque du 14e s. représentant des scènes de la bible.

91

CURE (Vallée de la) *

Le chemin rejoint la N 6 à l'endroit où bifurque la route d'accès aux grottes d'Arcy.

Grottes d'Arcy. — *1 km au départ de la N 6, plus 3/4 h à pied AR. Description p. 43.*

St-Moré. — 151 h. *1 km au départ de la N 6, plus 1 h à pied AR.* Du village, un chemin conduit à une plate-forme dominant la vallée. Du poste fortifié gallo-romain (camp de Cora) qui défendait la voie Agrippa, il reste un pan de muraille flanqué de sept tours.

Voutenay-sur-Cure. — 190 h. Village bien situé au pied de collines boisées.

A 1 km de Voutenay-sur-Cure, dans un virage à droite, on aperçoit Vézelay dans le lointain.

Vézelay **. — *Page 161.*

St-Père *. — *Page 141.*

Pierre-Perthuis*. — *Page 133.*

HAUTE VALLÉE DE LA CURE★

Voir schéma p. 122.

Dans la haute vallée de la Cure, aucune route ne permet de longer bien longtemps le cours de la rivière. On aura toutefois une vue intéressante de la vallée, de certains points favorables.

Barrage de Malassis. — Petit barrage destiné à régulariser les eaux de la Cure et alimentant une usine hydro-électrique.

Château de Chastellux-sur-Cure. — Ce château, remanié au 13ᵉ s. et restauré en 1825, appartient depuis plus de mille ans à la famille de Chastellux. *On ne visite pas.*
Du viaduc du D 944 sur la Cure, on a la meilleure vue du château, bâti à flanc de coteau dans un nid de verdure et dominant la gorge boisée.

Barrage du Crescent. — Édifié de 1930 à 1933, en aval du confluent du Chalaux, il est du type des barrages-poids : il résiste, par sa seule masse, à la poussée de l'eau accumulée en amont dans les deux vallées affluentes de la Cure et du Chalaux. Sa hauteur maxima est de 37 m et sa longueur totale de 330 m. Sa retenue de 14 millions de m³, sert à produire de l'énergie électrique et à régulariser le débit de la Seine.

Les Isles-Ménéfrier. — *5 km au Sud de Quarré-les-Tombes. Description p. 137.*

Lac des Settons *. — *Page 153.*

▮DECIZE▮

Carte Michelin n° **69** - plis ④ ⑤ – *Schéma p. 120* – 7 713 h. (les Decizois) – *Lieu de séjour, p. 39.*

La ville est perchée dans une île de la Loire, sur une butte escarpée, au sommet de laquelle s'élevait autrefois le château des comtes de Nevers. *Par ① et D 136 en direction de Champvert, table d'orientation au sommet de la côte de Vauzelles;* on apprécie mieux d'un peu haut l'agglomération, située au carrefour de voies d'eau et au débouché du canal du Nivernais, communiquant avec le canal latéral sur la rive gauche.

Réalisé en plusieurs temps, de 1784 à 1842, le canal du Nivernais, s'allongeant d'Auxerre à Decize sur 170 km, est le plus sinueux de France; déserté par les péniches, il se prête mieux dans le secteur Sud aux activités sportives de la plaisance.

Une source d'eau minérale, la source St-Aré, se trouve à 3 km au Sud de Decize.

La ville a vu naître le jurisconsulte **Guy Coquille** (1523-1603), auteur d'un « Commentaire de la Coutume du Nivernais ». Henri IV tenta à maintes reprises de s'attacher cet homme qui préféra rester dans le Nivernais dont il fut la gloire.

Decize est aussi la patrie du Conventionnel **Saint-Just** (1767-1794) qui se lia avec Robespierre d'une amitié qui devait durer jusqu'à l'échafaud. Membre du Comité de Salut Public, nommé Commissaire de l'Armée du Rhin, puis de l'Armée du Nord, il contribua à la prise de Charleroi et à la victoire de Fleurus. Mis hors la loi par la Convention le 9 thermidor, il monta à l'échafaud le lendemain, avec Robespierre, Lebas et Couthon.

Église St-Aré. — Le chœur du 11ᵉ s. recouvre **une crypte double** du 7ᵉ s., qui renfermait avant la Révolution le tombeau de saint Aré, évêque de Nevers. La légende raconte qu'à sa mort, son corps fut, selon son désir, placé sur une barque qui remonta seule la Loire et vint s'échouer à Decize. C'est l'une des très rares cryptes mérovingiennes encore existantes. On y trouve une Vierge du 16ᵉ s. : « Notre-Dame de Sous-Terre », et des bas-reliefs du 16ᵉ s.
Dans l'église même, bénitiers en bronze datant du 15ᵉ s., et reliquaire de St-Aré.

Promenade des Halles. — Belle promenade longue de plus de 900 m, ombragée de platanes dont certains atteignent 55 m de hauteur.

▮DIGOIN▮

Carte Michelin n° **69** - pli ⑰ – 12 km au Nord-Ouest de Paray-le-Monial – 11 402 h. (les Digoinais).

La ville est bien située, au point de rencontre des vallées de la Loire, de l'Arconce, de l'Arroux et de la Bourbince, sillonnées par des canaux aux eaux très poissonneuses. Un pont-canal à hauteur de Digoin en reliant deux des canaux permet la jonction Loire-Saône.

Centre de Documentation sur la Céramique. — *Visite du 1ᵉʳ juin au 30 septembre, du lundi au samedi, de 14 h à 18 h. Entrée : 3 F.*

Il présente les terrains argileux fournissant la matière première de la céramique, ainsi que les différents procédés (moulage, tournage) et les principaux outils utilisés – en particulier un tour.

Il propose enfin une sélection de produits finis et un aperçu des techniques nouvelles : faïences de Digoin, Sarreguemines et Vitry-le-François, grès et poterie de la région, carreaux de grès de Paray-le-Monial.

Carte Michelin n° **66** - pli ⑳ – *Schéma p. 87* – 156 787 h. (les Dijonnais).

A proximité d'un magnifique vignoble, Dijon, ancienne capitale des ducs de Bourgogne, est une ville d'art célèbre; de beaux monuments jalonnent sa prestigieuse histoire. Au carrefour du sillon Rhodanien et de la porte de Bourgogne, c'est une métropole régionale et une plaque tournante européenne à la jonction des grands itinéraires vers Paris, la Méditerranée, l'Allemagne, la Suisse et l'Italie desservis par routes, voies ferrées et voies d'eau.

Cette situation privilégiée a marqué le développement de la ville comme centre commercial et industriel important dont l'équipement s'étend en deux zones modernes au Sud et au Nord-Est.

Dijon est en outre une cité universitaire en plein essor réunissant en un campus les facultés des Lettres, des Sciences, de Droit, de Médecine et de Pharmacie avec un centre hospitalier universitaire.

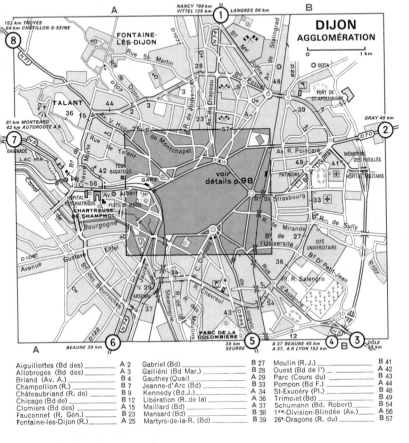

Aiguillottes (Bd des)	A 2	Gabriel (Bd)	B 27	Moulin (R. J.)	B 41
Allobroges (Bd des)	A 3	Galliéni (Bd Mar.)	B 28	Ouest (Bd de l')	B 42
Briand (Av. A.)	B 4	Gauthey (Quai)	A 29	Parc (Cours du)	B 43
Champollion (R.)		Jeanne-d'Arc (Bd)	B 33	Pompon (Bd F.)	B 44
Châteaubriand (R. de)	B 9	Kennedy (Bd.J.)	A 34	St-Exupéry (Pl.)	B 48
Chicago (Bd de)	B 12	Libération (R. de la)	A 36	Trimolet (Bd)	B 49
Clomiers (Bd des)	A 15	Maillard (Bd)	A 37	Schumann (Bd. Robert)	B 54
Fauconnet (R. Gén.)	B 23	Mansard (Bd)	B 38	1re-Division-Blindée (Av.)	A 56
Fontaine-les-Dijon (R.)	A 25	Martyrs-de-la-R. (Bd)	B 39	26e-Dragons (R. du)	B 57

UN PEU D'HISTOIRE

Une création des ducs de Bourgogne. — Le castrum romain qui porte le nom de Divio, situé sur la grande voie militaire de Lyon à Mayence, devait rester pendant des siècles une cité secondaire. Saccagée, pillée, brûlée et reconstruite à maintes reprises, Dijon appartient au duché en 1015, date à laquelle elle est conquise par le roi de France, Robert le Pieux.

En 1137, un terrible incendie dévore complètement la ville. Le duc Hugues II la fait reconstruire dans les limites élargies d'une nouvelle enceinte englobant l'abbaye de St-Bénigne. Des onze portes qui donnaient alors accès à la ville, la dernière à subsister, la porte Guillaume, a été remplacée en 1788 par l'arc de triomphe actuel.

Les « Grands Ducs d'Occident ». — La race des ducs capétiens s'étant éteinte à la mort de Philippe de Rouvres (1361), Philippe le Hardi, quatrième fils du roi de France Jean II le Bon, reçoit en apanage le duché de Bourgogne (1364). C'est le premier représentant de la dynastie des Valois qui, en cent ans, transforme Dijon, y attire de nombreux artistes et la dote de monuments magnifiques. Leur règne marque la période la plus brillante de l'histoire dijonnaise.

Ces quatre ducs de la famille des Valois, Philippe le Hardi, Jean sans Peur, Philippe le Bon et Charles le Téméraire, comptent parmi les princes les plus riches et les plus puissants de toute la chrétienté. Et leur éclatante fortune, le faste et la magnificence qu'ils déploient leur valent le titre de « Grands Ducs d'Occident » (*voir p. 16 l'arbre généalogique des Maisons de France et de Bourgogne aux 14e et 15e s.*).

Philippe le Hardi, le bien nommé (1364-1404). — Lors de la bataille de Poitiers (1356), Philippe n'est encore qu'un enfant. Il n'en combat pas moins héroïquement aux côtés de son père, le roi de France Jean II le Bon. Il se voit pour la première fois traiter de « hardi » le jour où, blessé et prisonnier, il assène un soufflet à un gentilhomme anglais qui tient des propos désobligeants pour le roi de France.

Après la défaite, il partage le sort de son père et le suit en captivité en Angleterre. Les prisonniers sont traités avec les égards dus à leur rang. Au cours d'un dîner offert par leur cousin, le roi Édouard, le jeune Philippe bondit de table et donne un soufflet au maître d'hôtel qui présente un plat au monarque anglais : « Où as-tu appris, lui dit-il, à servir le roi d'Angleterre avant le roi de France lorsqu'ils sont à la même table? — Vraiment, mon cousin, lui dit alors Édouard, vous êtes bien Philippe le Hardi ».

Lorsqu'il devient duc de Bourgogne (1364), Philippe est un superbe chevalier, grand, bien bâti, aimant le jeu, les femmes; il se consacre corps et âme à son duché, ne négligeant rien pour servir les intérêts de sa maison. En 1369, son mariage avec Marguerite de Flandre, la plus riche héritière d'Europe, fait de lui le prince le plus puissant de la chrétienté. Dans le palais qu'il a fait reconstruire et où il a attiré, des Flandres, peintres et sculpteurs, il entretient une maison nombreuse et magnifique. Il est toujours luxueusement vêtu et son chapeau est garni de douze plumes d'autruche, de deux plumes de faisan et de deux plumes d'oiseaux des Indes. Un collier d'or avec un aigle et un lion portant sa devise « En loyauté », des rubis, des saphirs, des perles à profusion constituent sa parure habituelle.

Soucieux de s'assurer, ainsi qu'à ceux de sa dynastie, une nécropole royale, Philippe fonde à Dijon la Chartreuse de Champmol et, en 1384, charge le sculpteur **Jean de Marville** des plans de son tombeau. Les plus beaux marbres sont apportés de Liège, les pierres d'albâtre de Gênes. Après la mort de Jean de Marville, **Claus Sluter** est chargé de la partie décorative du mausolée. Lorsque Philippe le Hardi meurt en 1404, il a tant dilapidé d'argent que ses fils doivent, pour payer ses funérailles, mettre en gage l'argenterie ducale. Et sa veuve, selon la coutume de Bourgogne, vient, en signe de renonciation à la succession mobilière de son époux, déposer sur le cercueil sa bourse, son trousseau de clefs et sa ceinture.

Jean sans Peur (1404-1419). — Il succède à son père Philippe le Hardi. C'est un petit homme chétif et laid, mais brave, intelligent et ambitieux, qui a déjà acquis de beaux titres de gloire au cours de la croisade contre les Turcs.

A peine est-il devenu duc de Bourgogne qu'il entame la lutte au Conseil royal contre le parti de son cousin Louis d'Orléans, frère du pauvre roi dément Charles VI. Comme Louis a pour emblème un bâton noueux, Jean adopte un rabot, signifiant par là qu'il saura bien un jour « planer ce bâton ». Il parvient à ses fins en faisant assassiner son rival en 1407.

Jean sans Peur, à la suite du fameux conflit des Armagnacs et des Bourguignons qui dresse les Français les uns contre les autres en une sanglante guerre civile dont les Anglais tirent le plus grand profit, est disposé à un accord avec le dauphin, le futur roi Charles VII. Il accepte, le 11 septembre 1419, une entrevue avec celui-ci au pont de Montereau, mais il y est « traytreusement occis et murdry ».

Philippe le Bon (1419-1467) **et la Toison d'Or.** — Par esprit de vengeance, Philippe le Bon, fils de Jean sans Peur, s'allie aux Anglais et leur livre en 1430, pour l'énorme somme de 10 000 écus d'or, Jeanne d'Arc tombée en son pouvoir sous les remparts de Compiègne. Cependant, quelques années plus tard, par le traité d'Arras, Philippe s'entend avec Charles VII et agrandit encore son domaine. Dijon est alors la capitale d'un puissant état qui comprend une grande partie de la Hollande, la presque totalité de la Belgique, le Luxembourg, la Flandre, l'Artois, le Hainaut, la Picardie et tout le territoire compris entre la Loire et le Jura (ces provinces figurent sur la carte p. 17).

Philippe, qui possède le goût de la magnificence plus encore que ses prédécesseurs, agit en véritable souverain. Devant son trône s'incline une foule de vassaux.

Cinq grands officiers, le maréchal de Bourgogne, l'amiral de Flandre, le chambellan, le grand écuyer et le chancelier entourent le duc qui attire à sa cour, une des plus fastueuses d'Europe, des poètes, des peintres, des musiciens.

Le 14 janvier 1429, jour de son mariage avec Isabelle de Portugal, il fonde l'ordre souverain de la Toison d'Or. Créé en l'honneur de Dieu, de la Vierge et de saint André, cet ordre comporte à l'origine trente et un membres qui jurent de servir loyalement le Grand Maître, en l'espèce Philippe le Bon et ses successeurs. Ils se réunissent au moins tous les trois ans et revêtent alors le plus somptueux des costumes : sur une robe écarlate fourrée de petit gris repose un long manteau de la même teinte vermeille également fourré de petit gris. La devise ducale:«aultre n'au-ray » se détache d'un semis de briquets, silex, étincelles et toisons. Le collier qui porte la Toison est fait de briquets et de silex d'où jaillissent des étincelles. Le siège de la Toison d'Or a été longtemps la Sainte Chapelle ducale de Dijon, détruite pendant la Révolution.

Cet ordre est aujourd'hui encore l'un des plus insignes et des plus fermés. A la mort de l'un de ses membres, les héritiers renvoient au Grand Maître le collier et sa Toison.

(D'après Documents de France,
B. N., Rigal phot.)

Philippe le Bon, duc de Bourgogne.

Charles le Téméraire (1467-1477). — C'est le dernier et peut-être le plus célèbre des Valois, ducs de Bourgogne. Grand, fortement charpenté, vigoureux, il aime les exercices violents, la chasse en particulier; mais c'est aussi un esprit cultivé qui consacre une grande partie de son temps à l'étude. L'histoire surtout le passionne. Il est orgueilleux et dévoré d'ambition et, comme dit de lui Commines « Il était fort pompeux en habillement et en toutes autres choses et un peu trop... Il désirait grand gloire ». Comme son père a porté le même nom que Philippe de Macédoine, il rêve de devenir un nouvel Alexandre. Il soutient des guerres continuelles, pour essayer de rattacher les moitiés Nord et Sud de ses États par l'annexion, d'ailleurs toute temporaire, en 1475, du duché de Lorraine, et pour lutter contre les nombreuses rebellions que suscite et entretient son rival Louis XI.

Après les défaites, devant les Suisses, de Grandson et Morat (1476), Charles meurt en assiégeant Nancy défendue par René de Lorraine et son corps est retrouvé dans un étang glacé, à moitié dévoré par les loups. Louis XI met aussitôt la main sur le duché et la réunit à la couronne royale; frustrée de son héritage, Marie de Bourgogne, fille du Téméraire, épouse Maximilien de Habsbourg. De cette union naîtra Philippe le Beau dont le fils, Charles Quint, reprendra, sous François Ier, la lutte contre la maison de France.

Un argument sans réplique. — Le 7 décembre 1513, Dijon est à la veille d'un des plus grands désastres de son histoire : 30 000 Suisses, Allemands, Francs-Comtois sont à ses portes. Pour la défendre, La Trémoille, gouverneur de Bourgogne, ne dispose que de 6 000 à 7 000 hommes. Que faire, sinon négocier? Mais les Suisses sont intraitables. Ils ouvrent le feu et déjà des brèches sont faites quand La Trémoille a une idée de génie. Précédant toute une procession de voitures chargées de vin, de nouveaux négociateurs sont envoyés aux assiégeants. Quelle aubaine! Les soldats boivent, les têtes s'échauffent et bientôt les Suisses consentent à lever le siège. La France doit pour cela verser 400 000 écus et évacuer le Milanais.

Le Roi ne comprit jamais rien à ce traité si « merveilleusement étrange » et refusa par la suite de le ratifier. Mais Dijon et la Bourgogne étaient sauvés.

L'essor de la ville. — Après le rattachement de la Bourgogne à la France, Dijon, déchue de son rang de capitale d'État, n'en conserve pas moins un rôle administratif important. Là, siègent encore les gouverneurs de la province. Les « États » de Bourgogne (assemblée régionale des députés du Clergé, de la Noblesse et du Tiers État) y tiennent leurs assises dans le vieux palais des ducs, aménagé pour ces solennités qui ont lieu tous les trois ans. Une bourgeoisie brillante donne alors à la ville sa parure d'hôtels cossus. A la fin du 18e s., Arthur Young, voyageant en France, déclare que « Dijon est une belle ville; les rues, quoique les maisons soient bâties à l'ancienne mode, sont larges et bien pavées, et ont des trottoirs, chose bien rare en France ». Cependant, Dijon ne compte, à cette époque, qu'une vingtaine de milliers d'habitants.

Centre de l'activité régionale en Bourgogne, Dijon, point de départ d'une route des vins aux noms prestigieux (voir p. 32), s'enorgueillit, encore, de quelques spécialités gastronomiques très réputées : moutarde, pain d'épice, cassis, escargots.

Le développement des voies de communication, à partir de 1850, vaut à la ville son magnifique essor. Dijon, menacée de n'être qu'une paisible ville de province, est devenue, lors de la construction de notre réseau ferré, une des plus grandes gares françaises.

■ PALAIS DES DUCS ET DES ÉTATS DE BOURGOGNE*
visite : 3 h

Ce qui subsiste du palais ducal est encastré dans des bâtiments de style classique.

Place de la Libération. — C'est l'ancienne place Royale. Au 17e s., la ville, alors à l'apogée de sa puissance parlementaire, se sent l'âme d'une capitale et souhaite transformer le Palais ducal abandonné depuis Charles le Téméraire et aménager ses abords.

Les plans de cette jolie place en hémicycle sont dessinés par l'architecte de Versailles, Jules Hardouin-Mansart, et exécutés par l'un de ses élèves, de 1686 à 1701 : les arcades de la place de la Libération, couronnées d'une balustrade de pierre, donnent de l'ampleur à la Cour d'Honneur. En face, le logis du Roi, bel ensemble aux grandes lignes horizontales limité par les deux ailes en équerre, est dominé par la tour de Philippe le Bon.

Le palais des Ducs et des États abrite à gauche, l'ensemble des services de l'hôtel de ville, à droite, le célèbre musée des Beaux-Arts.

Cour d'honneur. — Dans le vestibule, jolie salle voûtée, aujourd'hui passage public. *Le passage voûté, à droite, donne accès à la cour de Bar.*

Cour de Bar. — Elle est dominée par la **tour de Bar** construite par Philippe le Hardi au 14e s. et qui a conservé le nom d'un prisonnier enfermé là par Philippe le Bon : René d'Anjou, duc de Bar et de Lorraine, comte de Provence, l'illustre « Roi René ».

L'escalier de Bellegarde du 17e s. dessert la galerie Nord de la même époque. Remarquer à côté la **statue de Claus Sluter** par Bouchard et, en face, le vieux **puits** adossé aux cuisines ducales.

Sortir par le passage donnant rue Rameau et tourner à gauche.

Musée des Beaux-Arts. — Il est installé dans l'ancien palais des ducs de Bourgogne et dans l'aile orientale du palais des États.

Visite de 9 h à 12 h et de 14 h à 18 h. Fermé les 1er janvier, 25 décembre, le matin des 1er mai, 14 juillet, 1er et 11 novembre et le mardi. Entrée : 4 F; gratuite l'après-midi des dimanches et jours fériés.

Les mardis, on ne peut visiter que la « salle des Gardes », la salle des Primitifs flamands, le « salon Condé », et la « salle des Statues » (entrer par la cour centrale de l'Hôtel de ville).

Au rez-de-chaussée, gagner tout d'abord, à l'extrémité des salles de gauche, **les cuisines ducales**. Édifiées vers 1435, elles sont remarquables : six vastes cheminées suffisaient à peine à la préparation des festins dignes de la cour bourguignonne; les ogives convergent vers la cheminée d'aération centrale.

Les autres salles montrent l'évolution de la sculpture, art très à l'honneur en Bourgogne, de Claus Sluter (14e s.) aux artistes de la Renaissance (Sambin, Dubois...) à François Rude (1784-1855) et - à droite du vestibule - à François Pompon (1855-1933), grand animalier.

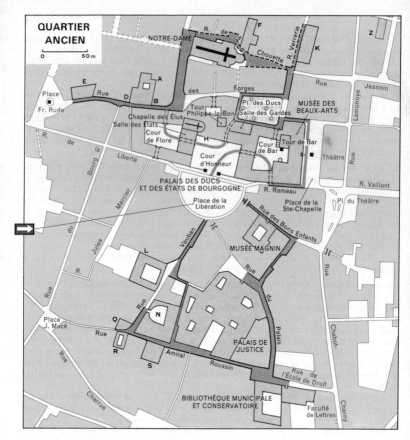

QUARTIER
ANCIEN

0   50 m

La salle (14e s.) de chapitre de la Ste-Chapelle ducale (qui a disparu avec son trésor) abrite de précieux objets d'art : vitraux du 15e s., reliquaire, crosse de saint Robert.

Au 1er étage *(contourner la cour centrale)*, les collections de peinture sont classées par écoles. Aux primitifs italiens, siennois et florentins des 14e s. et 15e s., succèdent de belles vitrines d'orfèvrerie et d'ivoires. Parmi les peintures françaises des 16e s. et 17e s., on remarque une Dame à sa toilette de l'école de Fontainebleau qui serait Gabrielle d'Estrées, favorite de Henri IV, et un portrait de Catherine de Montholon par Jean Tassel.

La salle des Statues et le salon Condé qui lui fait suite dans l'aile Ouest, au décor de boiseries et de stuc Louis XVI, présentent des œuvres françaises du 18e s. : buste de Louis XIV par Coysevox, Rameau par Caffieri et par Aved, le Président Bouhier par Largillière. Dans la salle flamande qui suit, admirable Nativité du Maître de Flémalle et Tête de Christ de Th. Bouts.

La **salle des Gardes*****, qui donne sur la place des Ducs, est la salle la plus renommée du musée. Construite par Philippe le Bon, elle servit de cadre au festin de la « Joyeuse entrée de Charles le Téméraire, en 1474 » et fut restaurée au début du 16e s. après un incendie. Elle abrite les trésors d'art provenant de la chartreuse de Champmol *(p. 99)*.

Au tombeau de Philippe le Hardi travaillèrent successivement, de 1385 à 1410, Jean de Marville, Claus Sluter et Claus de Werve, son neveu. Le magnifique gisant, veillé par deux anges, repose sur une dalle de marbre noir entouré d'arcatures d'albâtre formant « cloître » où circule un cortège de « pleurants » ou « deuillants », composé de 41 statuettes prodigieuses de vie. Membres du clergé, chartreux, parents, amis et officiers du prince, tous en costume de deuil et la tête recouverte du chaperon, composent le cortège funèbre.

Le tombeau de Jean sans Peur et de Marguerite de Bavière, exécuté de 1443 à 1470, reproduit l'ordonnance du tombeau précédent.

Deux retables en bois doré commandés par Philippe le Hardi pour la Chartreuse de Champmol éblouissent par la richesse de leur décoration. Exécutés de 1390 à 1399, ils ont été sculptés par Jacques de Baerze, peints et dorés par Melchior Broederlam.

Seul le retable de la Crucifixion, près du tombeau de Philippe le Hardi, a conservé au revers de ses volets les fameuses peintures de Broederlam : l'Annonciation, la Visitation, la Présentation au Temple et la Fuite en Égypte.

A l'extrémité opposée se trouve le retable des Saints et Martyrs.

Au centre, à côté d'un retable de la Passion provenant d'un atelier anversois de la fin du 15e s., remarquer sous une arcature en accolade, un petit portrait de Philippe le Bon à la Toison d'or, œuvre de Roger Van der Weyden (1445). A sa droite un fragment de tapisserie du 15e s. représente Charlemagne visitant un chantier de construction. Au-dessus du retable central, entre deux tentures tournaisiennes du 16e s., est exposée une tapisserie dédiée à N.-D. de Bon-Espoir, après la levée du siège de Dijon par les Suisses le 11 septembre 1513 *(voir p. 95)*; elle provient de l'église Notre-Dame *(p. 97)*.

En regard de la salle des Gardes, merveille du musée, même les chefs-d'œuvre des salles suivantes pâlissent. Remarquer néanmoins au passage, dans la galerie de Bellegarde qui lui fait suite la Vierge et saint François par Rubens, dans les salles de la galerie Est d'excellentes œuvres dues à Frans Hals ou à des artistes allemands tels que Schongauer et le Maître à l'œillet de Baden.

Aménagée au 2ᵉ étage, dans la tour de Bar, et complétée par les toiles impressionnistes de la collection Robin, la donation Granville offre un ensemble de dessins, peintures, gravures et sculptures. Elle regroupe des œuvres du 19ᵉ s., mais surtout un grand nombre d'œuvres modernes et contemporaines (de Nicolas de Staël « les Footballeurs »).

Au 2ᵉ étage de la tour de Bar, une salle est consacrée aux Grands Ducs de Bourgogne (plusieurs cartes dont une de l'État bourguignon sous Charles. le Téméraire). Signalons en outre les salles de mobilier, de céramiques et d'armures anciennes, ainsi que la « salle pour Enfants » permettant une initiation à l'art et à ses techniques.

En sortant du musée, s'informer sur les possibilités de visite des bâtiments ou salles de l'hôtel de ville, tributaires des impératifs des services administratifs et du gardiennage : tour de Philippe le Bon salle des États, chapelle des Élus.

Place des Ducs-de-Bourgogne. —De cette petite place, on reconstitue par la pensée le palais tel qu'il se présentait à l'époque ducale. La belle façade gothique est celle de la salle des Gardes que domine la tour de Philippe le Bon.
Revenir dans la cour d'Honneur par le vestibule voûté.

Tour Philippe-le-Bon. -- *Visite de Pâques au 31 octobre de 9 h 30 à 11 h 30 et de 14 h 30 à 17 h 30; le reste de l'année, les mercredis et dimanches après-midi aux mêmes heures. Fermé le mardi. Entrée : 2 F.*
Achevée au 15ᵉ s. par Philippe le Bon, cette tour haute de 46 m a fière allure. De la terrasse (316 marches), on découvre une belle **vue** * sur la ville, les vallées de l'Ouche et de la Saône et les premiers contreforts du Jura.
Par le passage couvert, gagner la cour de Flore.

Cour de Flore. -- Les bâtiments qui l'entourent ont été terminés peu avant la Révolution de 1789. A gauche de la cour d'honneur, rue de la Liberté (ancienne rue Condé), belle porte sculptée du 18ᵉ s.

Chapelle des Élus. — La messe y était célébrée durant les sessions des États de Bourgogne (décoration et portes Louis XV).

Salle des États. — On y accède par un magnifique escalier dessiné en 1735 par Jacques Gabriel, père de l'architecte du petit Trianon à Versailles. Beau plafond.
Prendre le passage au Nord, qui communique avec la rue des Forges.

Rue des Forges*. — C'est l'une des vieilles rues les plus caractéristiques de la ville.

Hôtel Chambellan (A). — *Au nᵒ 34, sur cour intérieure.* Construit par une riche famille de drapiers cet édifice du 15ᵉ s. possède un très bel escalier.

Maison Milsand (B). — *Au nᵒ 38.* Façade Renaissance décorée dans le style d'Hugues Sambin.

Musée Perrin-de-Puycousin (D). — *Au nᵒ 40. Le musée est actuellement fermé.* Un portail classique contraste avec l'élégante façade à arcatures du 13ᵉ s. de l'ancien hôtel Aubriot, bâti par l'un des premiers banquiers de Dijon. C'est dans cet hôtel que naquit Hugues Aubriot, prévôt de Paris sous Charles V, qui fit construire, à Paris, la Bastille, des ponts de la Seine (notamment le pont Saint-Michel) et voûter les premiers égoûts.
Perrin de Puycousin, après une vie consacrée au folklore, a fait don de ses collections aux villes de Dijon et de Tournus *(p. 158).*

Hôtel Morel-Sauvegrain (E). — *Aux nᵒˢ 52, 54, 56.* Façade du 15ᵉ s.

Église Notre-Dame*. — Bel exemple de l'architecture gothique en Bourgogne. Ne disposant que d'un espace restreint, le maître d'œuvre s'est livré à des prouesses techniques.

Extérieur. — En façade au-dessus du porche monumental à trois baies, courent deux galeries de fines arcatures, soulignées de trois rangées de fausses gargouilles. Deux élégantes tourelles desservent les tours masquées par la façade : celle de droite porte l'horloge à Jacquemart rapportée de Courtrai par Philippe le Hardi en 1382, après sa victoire sur les Flamands révoltés.
Cette horloge a toute une histoire. Transportée sur un char à bœufs, elle se brise en route et l'on doit, lors de son arrivée à Dijon, la refondre. Son nom de Jacquemart qui sert à désigner « l'ôme qui iert du marteau la cloche de l'oreloige » n'apparaîtra guère qu'en 1500. Les Dijonnais lui sont très attachés et, en 1610, s'avisent que le célibat doit fort peser à ce pauvre homme. On lui adjoint donc une compagne. En 1714, le spirituel poète Aimé Piron s'apitoye sur ces braves époux qui semblent avoir fait vœu de chasteté; on leur donne un fils, Jacquelinet, « dont le marteau frappe la dindelle ou petite cloche », puis, en 1881, une fille, Jacquelinette, qui frappe les quarts d'heure.

Intérieur. — L'ensemble est très harmonieux : remarquer le triforium aux délicates colonnettes fuselées, la hauteur de la tour-lanterne à la croisée du transept, la hardiesse du chœur terminé par un chevet polygonal. Au croisillon gauche, registre horizontal, vitraux du 13ᵉ s. A côté, remarquer une fresque du 15ᵉ s. restaurée.
La chapelle à droite du chœur abrite la statue de N.-D. de Bon-Espoir. Cette Vierge noire du 11ᵉ s., une des plus anciennes statues de bois que possède la France, a été l'objet d'une vénération particulière à partir de 1513; la tapisserie offerte alors comme ex-voto se trouve au musée *(p. 96).* Dijon ayant été libérée sans dommage de l'occupation allemande, le 11 septembre 1944, une seconde tapisserie, exécutée par les Gobelins et évoquant les deux libérations de la ville, fut offerte en nouvel ex-voto à N.-D. de Bon-Espoir. Elle est suspendue dans le transept droit.

Hôtel de Vogüé (F). — *Visite extérieure organisée par l'Office du tourisme, place Darcy.*
C'est l'un des premiers hôtels parlementaires de Dijon. Il fut édifié au début du 17ᵉ s. Un portique à riche décoration Renaissance s'ouvre sur la cour intérieure. L'hôtel de Vogüé est maintenant occupé par les services d'architecture de la ville.

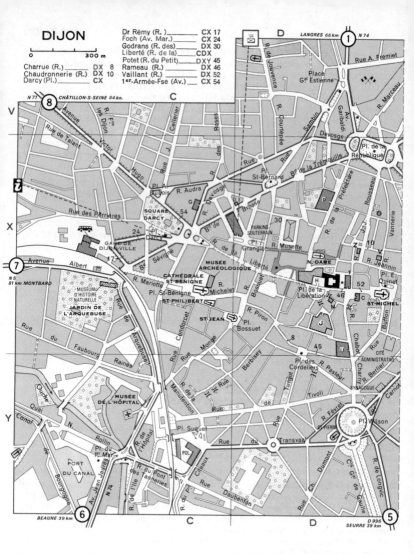

Rue Verrerie. — Les nᵒˢ 8-10-12 (**K**) constituent un beau groupe de maisons à colombages présentant des poutres sculptées.

Par la place des Ducs, le vestibule et la cour d'Honneur, regagner la place de la Libération.

■ QUARTIER DU PALAIS DE JUSTICE★ *visite : 1 h*

Partir de la place de la Libération *(plan p. 96)* et prendre, au Sud, la rue Vauban. Au nᵒ 10, remarquer une maison ancienne (**L**) avec une cour intérieure et une façade classique ornée de pilastres et de frontons.

Hôtel Liégeard (**N**). — Par la ruelle J.-B.-Liégeard, à gauche, contourner cet hôtel qui présente de ce côté une façade Renaissance avec 4 échauguettes, mais dont la cour intérieure, qui s'ouvre 21 rue Vauban, est de style classique.

A l'angle de la rue Vauban et de la rue Amiral Roussin s'élève au nᵉ 16 (**Q**) la maison d'un menuisier à colombage reconnaissable aux sculptures « en plis couchés » de ses volets, à ses poutres cornières ornées de scènes du métier.

Presque en face, au nᵒ 29, un hôtel (**R**) présente une élégante cour qu'enjambe une balustrade incurvée.

Hôtel Fyot-de-Mimeure (**S**). — *23, rue de l'Amiral-Roussin.* Remarquer la façade de l'architecte et sculpteur Hugues Sambin, dans la jolie cour intérieure.

Bibliothèque municipale et Conservatoire. — *Ouverts de 9 h à 12 h et de 13 h 30 à 19 h (18 h le samedi). Fermés les dimanches, lundis, jours fériés, et quelques jours au moment de Pâques et de Noël. Service réduit en juillet et août.*

La chapelle (17ᵉ s.) de l'ancien collège des Godrans, fondé au 16ᵉ s. par la riche famille dijonnaise de ce nom et dirigé par les Jésuites, a été transformée en salle de lecture. Les salles de dépôt du 1ᵉʳ étage ont été luxueusement aménagées au 18ᵉ s. Cette bibliothèque, qui renferme 250 000 volumes, conserve de précieux manuscrits enluminés dont ceux qui ont été exécutés à Cîteaux dans le premier tiers du 12ᵉ s.

Dans la cour, a été remonté le puits d'Amour (16ᵉ s.) qui provient d'une maison démolie pour l'agrandissement du palais de Justice.

Par la rue du Palais, gagner le palais de Justice.

Palais de Justice. — *Visite en août de 9 h 30 à 11 h 30 et de 14 h 30 à 17 h 30 sauf les samedis et dimanches; le reste de l'année de 9 h à 12 h et de 14 h à 18 h, sauf le dimanche. Fermé les lundis de Pâques et de Pentecôte.*

C'est là que siégeait le Parlement de Bourgogne. La façade à pignon, de style Renaissance, comprend un porche soutenu par des colonnes. La porte est une copie de l'œuvre de Sambin (l'original est au musée des Beaux-Arts). A l'intérieur, la vaste salle des-Pas-Perdus possède une belle **voûte*** lambrissée.

Dans la chapelle du St-Esprit, on peut voir une clôture sculptée. La chambre civile a gardé sa riche décoration d'origine (16ᵉ s.). Le magnifique **plafond*** (17ᵉ s.) de la salle des Assises provient de l'ancienne Cour des Comptes.

Musée Magnin. — *Visite de 9 h à 12 h et de 14 h à 17 h. Fermé le mardi, le 25 décembre, le 1ᵉʳ janvier, 1ᵉʳ mai et matin de la Toussaint. Entrée : 4 F; gratuite l'après-midi des dimanches et jours de fête.*

Dans un élégant hôtel du 17ᵉ s. ayant conservé son ameublement, ce musée, qui garde les caractères d'une collection d'amateur, présente dans ses vingt-cinq salles quelques toiles de grands maîtres, des œuvres fort bien choisies de peintres français ou étrangers peu connus du 16ᵉ au 19ᵉ s.

La rue des Bons-Enfants ramène à la place de la Libération.

■ AUTRES CURIOSITÉS

Chartreuse de Champmol* (A). — *Plan p. 93. Pour visiter, s'adresser à la conciergerie, de 8 h à 18 h.*

Un hôpital psychiatrique occupe l'emplacement de la chartreuse détruite en 1793. A l'entrée, se trouve un portail du 15ᵉ s. ayant échappé au désastre.

Alors que les premiers ducs de Bourgogne étaient inhumés à Cîteaux, Philippe le Hardi, désirant pour lui et sa dynastie une nécropole quasi royale, fonda en 1383 la chartreuse, consacrée cinq ans plus tard par l'évêque de Troyes. Utilisant les meilleurs artistes de l'époque, il en fit un véritable reliquaire d'art.

De ce fastueux ensemble, il ne reste, en dehors des tombeaux des Ducs et des retables conservés à la salle des Gardes du musée des Beaux-Arts *(p. 96),* que deux œuvres de Claus Sluter, sculpteur originaire de Hollande devenu le chef de file de l'école burgondo-flamande : le portail de la chapelle et le puits de Moïse, situé au milieu d'une cour à laquelle on accède en contournant les bâtiments.

Puits de Moïse**. — En réalité, le « puits de Moïse » est le socle d'un calvaire polychromé exécuté de 1395 à 1405 pour orner le bassin du grand cloître. Six grandes statues de prophètes (Moïse, David, Jérémie, Zacharie, Daniel, Isaïe) s'adossent au socle hexagonal : ce sont des portraits d'un réalisme saisissant; la figure de Moïse, la plus impressionnante peut-être, a donné son nom au monument. Les ravissants angelots s'abritant sous la corniche sont dus à Claus de Werve, neveu de Claus Sluter. A l'origine, le puits de Moïse était entièrement peint; une reconstitution de l'ancienne polychromie a été tentée sur la reproduction conservée au musée de Dijon.

Portail de la chapelle*. — Ce portail orne actuellement la porte intérieure de la chapelle. Il compte 5 statues exécutées par Claus Sluter entre 1389 et 1394. Le duc Philippe le Hardi et la duchesse Marguerite de Flandre sont représentés agenouillés, assistés de leurs saints protecteurs (saint Jean-Baptiste et sainte Catherine), de chaque côté de la Vierge à l'Enfant, placée sur le trumeau.

Cathédrale St-Bénigne (CX). — *Plan p. 98.* Cette ancienne abbatiale, de pur style gothique bourguignon, a remplacé à la fin du 13ᵉ s. et au début du 14ᵉ s. la basilique romane que l'abbé Guillaume de Volpiano fit construire avant d'être appelé en Normandie, à Fécamp, où il fut enterré.

La façade occidentale, aux contreforts massifs et saillants, est flanquée de deux grosses tours couronnées de deux étages octogonaux aux toits coniques couverts de tuiles multicolores.

Sous le porche, surmonté d'une petite galerie délicatement ajourée, le vieux portail roman du 12ᵉ s. subsiste au milieu de la façade entièrement gothique.

La croisée du transept est dominée par une flèche haute de 93 m, qui a été refaite en 1896, dans le style flamboyant.

DIJON ★★★

Crypte*. — *Visite de 8 h à 19 h. Entrée: 1 F.*

Œuvre de Guillaume de Volpiano, cette crypte est en fait l'ancienne basilique romane du 10ᵉ s. qui fut comblée pendant la Révolution et dont la nef n'est pas encore dégagée. Le transept et le chœur comptent à eux seuls 86 piliers. La rotonde centrale est entourée de deux colonnades circulaires; quelques-unes des colonnes trapues ont conservé leurs chapiteaux primitifs, ornés de palmettes, d'entrelacs, d'animaux monstrueux ou de personnages *(illustration p. 22)*.

L'extrémité orientale de la crypte donne accès à une chapelle du 6ᵉ s. qui pourrait être une « cella » (sanctuaire).

Le tombeau de saint Bénigne, apôtre de la Bourgogne martyrisé au 3ᵉ s., est un but de pèlerinage le 20 novembre. Il est placé dans l'ancien carré du transept.

Musée archéologique* (CX). — *Plan p. 98. Visite de 9 h (10 h les dimanches et jours fériés) à 12 h et de 14 h à 18 h. Fermé le mardi, le matin de la Toussaint, à Noël et le 1ᵉʳ janvier. Entrée 2 F; gratuite les dimanches et fêtes.*

C'est le « Bâtiment des bénédictins » de l'ancienne abbaye de St-Bénigne.

Le 2ᵉ étage présente différents objets de l'époque néolithique (lanière pour attraper les chevaux), de l'âge de bronze (armes), de l'âge de fer (poteries et épées) ainsi que des bijoux mérovingiens, de la vaisselle gallo-romaine et des chapiteaux d'Alise-Ste-Reine.

En outre, le bracelet en or, pesant 1,286 kg et composé de 3 joncs massifs, ornés de 2 brins torsadés et posés sur un anneau intérieur plat, fut trouvé à Flagny (près de la Rochepot); il daterait du 9ᵉ s. av. J.-C.

Au rez-de-chaussée, une salle du 13ᵉ s., l'ancien dortoir des moines, contient les œuvres du Moyen Age, dont le buste du Christ *(illustration p. 28)*, de Claus Sluter, provenant du calvaire de la chartreuse de Champmol, encadré par deux tympans romans de St-Bénigne (à droite la Cène, à gauche un Christ en gloire). Une Ste Famille polychrome du 15ᵉ s., d'un touchant réalisme, réunit la Vierge couchée, allaitant Jésus, sur un lit de branches tressées et saint Joseph à ses pieds. Un retable Renaissance représente la « descente des martyrs ». Un Christ en croix, provenant de l'abbaye de St-Bénigne et attribué à Claus de Werve, occupe la travée centrale.

Au sous-sol, les caves du 11ᵉ s., à piliers ronds et carrés, très massifs, abritent des sculptures gallo-romaines, un bas-relief de Til-Châtel : le marchand de vin, des galères votives en bronze à tête de canard, des effigies de pèlerins en calcaire ou en chêne, des ex-voto (très intéressantes planches anatomiques en bois, provenant du sanctuaire des sources de la Seine).

Église St-Philibert (CX). — *Plan p. 98.* Edifiée au 12ᵉ s., remaniée au 15ᵉ s. et actuellement désaffectée, elle sert de cadre à des expositions temporaires.

Square Darcy (CX). — *Plan p. 98.* Il doit son nom à l'ingénieur qui, en 1839, dota Dijon d'eau potable. Ses bassins et ses vasques s'étagent dans un joli décor de verdure. A l'entrée, a été placé l'« **Ours blanc** », œuvre de Pompon (1855-1933).

Jardin de l'Arquebuse* (CX). — *Plan p. 98.* Il doit son nom à la compagnie des Arquebusiers, qui s'installa à cet endroit au 16ᵉ s. Toute la partie Ouest est occupée par le jardin botanique. Fondé au 18ᵉ s., le jardin botanique a été réuni à la promenade de l'Arquebuse. De très beaux arbres encadrent les parterres de fleurs.

Muséum d'histoire naturelle. — *Visite en semaine de 14 h à 17 h et les dimanches et jours fériés de 14 h à 18 h. Fermé lundi et mardi et les 1ᵉʳ janvier, 1ᵉʳ mai et 25 décembre.*

Il est installé dans l'ancienne caserne des Arquebusiers, datant de 1608.

(D'après photo Éd. La Cigogne.)

Square Darcy. — L'ours de Pompon.

Musée de l'Hôpital (CY). — *Plan p. 98. Visite sur demande écrite à M. le Directeur Hôpital Général, 2 rue de l'Hôpital, 21033 Dijon.*

L'hôpital général, ancien hospice du St-Esprit fondé au 13ᵉ s., a été reconstruit au 17ᵉ s. par Martin de Noirville, élève de Jules Hardouin-Mansart.

Le musée, installé dans l'ancienne chapelle de Jérusalem, du 15ᵉ s., comprend une collection d'objets d'art et de sculptures.

D'intéressants manuscrits du 15ᵉ s., enrichis de miniatures, rappellent l'histoire de la fondation de l'hôpital.

Église St-Michel*. — *Plan p. 96.* Commencée à la fin du 15ᵉ s. dans le style gothique flamboyant, cette église, consacrée en décembre 1529, a vu sa façade terminée en pleine Renaissance; les deux tours qui l'encadrent furent achevées au 17ᵉ s. : leurs quatre étages aux fenêtres ornées de colonnes se terminent par une balustrade surmontée d'une lanterne que coiffe une boule de bronze.

La façade est la partie la plus curieuse de l'édifice. Le porche, en forte saillie, s'ouvre par trois portails : une longue frise, formée de rinceaux et de grotesques, se développe à la partie supérieure du porche et sur toute sa longueur. Au-dessous, dans des médaillons se détachent les bustes des prophètes Daniel, Baruch, Isaïe et Ézéchiel, ceux de David avec sa harpe et de Moïse portant les tables de la loi. Le portail de droite, de 1537, est le plus ancien des trois.

Le Jugement dernier représenté sur le tympan du portail central est l'œuvre d'un Flamand : Nicolas de la Cour. La statue de saint Michel, adossée au trumeau, est une œuvre du 16e s. de tradition gothique, qui remplaça la statue primitive détruite à la Révolution. Elle repose sur une console dont les sculptures s'inspirent de coutumes païennes et de textes sacrés; dans un voisinage singulier, on peut identifier : David, Lucrèce, Léda et le cygne, Hercule, Apollon, Vénus, Judith, le jugement de Salomon, saint Jean-Baptiste, le Christ apparaissant à Marie-Madeleine.

A l'intérieur, de style gothique, admirer la hauteur du chœur dépourvu de déambulatoire comme celui de St-Bénigne et ses boiseries (18e s.). Dans le transept Nord et dans les chapelles de la Vierge et du St-Sacrement, on remarque quatre toiles de Franz Kraus, peintre allemand du 18e s. : la Nativité, l'Adoration des bergers, la fuite en Égypte et l'Adoration des mages. Dans la 1re chapelle à droite en entrant, se trouve un fragment d'une Mise au tombeau du 15e s.

(D'après photo « La Cigogne ».)

Dijon. — Église St-Michel.

Maison des Cariatides (Z). — *Plan p. 96. 28, rue Chaudronnerie.* Edifiée en 1603; douze cariatides décorant la façade.

Rue Vannerie. — Aux n°s 39 et 41, anciens hôtels **(V)** du 18e s. *(on ne visite pas).* Au n° 66, hôtel Renaissance avec trois fenêtres ornées encadrant une échauguette en saillie sculptée par Hugues Sambin.

Parc de la Colombière (B). — *Sud du plan p. 93. Accès par le cours du Parc, planté d'arbres magnifiques.* Les massifs percés d'allées et les tapis verts de l'ancien parc des Princes de Condé constituent la promenade favorite des Dijonnais. Dans ce parc, on a dégagé un fragment de la « Via Agrippa », ancienne voie romaine qui conduisait de Lyon à Trèves.

EXCURSIONS

Mont Afrique. — *12 km – environ 1 h – par le D 108G – schéma ci-dessous.* Un chemin de ronde *(accessible aux piétons)* suivant le rebord du plateau offre de belles vues sur les environs immédiats de Dijon.

Val-Suzon; Talant. — *Circuit de 40 km – environ 1 h 1/2 – schéma ci-dessous. Quitter Dijon par ①, N 74, et, à 4 km, prendre à gauche le D 996.*

Vantoux-lès-Dijon. — 97 h. Château du 18e s.

A Messigny, prendre à gauche le D 7 le long du Suzon qui coule entre des pentes boisées.

La vallée, étroite, s'élargit dans le joli bassin de **Ste-Foy;** les versants se hérissent parfois de rochers avant Val-Suzon-Bas et Haut.

Val-Suzon-Haut. — *Lieu de séjour, p. 39.*

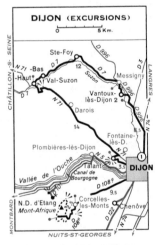

A Val-Suzon-Haut, prendre à gauche la N 71, en forte montée. De la route (on peut stationner au sommet de la montée), on découvre une jolie vue sur Val-Suzon-Bas et le vallon.

Revenir à Dijon par Talant.

Talant. — *7 358 h. Dans le village, prendre la première route à droite, en forte montée.*

De la table d'orientation proche de l'église, qui s'élève à la limite du plateau, on a une **vue*** étendue sur Dijon, la vallée de l'Ouche et le lac artificiel du Chanoine Kir, aménagé pour les sports nautiques.

101

DONZY

Carte Michelin n° **65** - pli ⑬ – 1 939 h – *Lieu de séjour, p. 39*.

Capitale au Moyen Age d'une puissante baronnie, dont les seigneurs devinrent comtes de Nevers, Donzy a conservé une église gothique et quelques maisons anciennes.

Donzy-le-Pré. — *1 km à l'Ouest de Donzy, par le D 33 et le D 163*. Les ruines d'un prieuré clunisien (début du 12e s.) sont intéressantes : un **tympan** du 12e s., chef-d'œuvre de la sculpture romane bourguignonne, représente la Vierge et l'Enfant, entre le prophète Isaïe et l'Ange de la Visitation. Les voussures sont ornées d'alvéoles carrées et de fleurs.

EXCURSION

Entrains-sur-Nohain. — *17 km au Nord-Est de Donzy par le D 33 et le D 1*. Dès Couloutre, la route suit à peu près les rives du Nohain.

Ancienne ville gallo-romaine, Entrains conserve de nombreux vestiges de cette époque. Expositions à la Maison des Fouilles (*visite en juillet et août de 15 h à 19 h; entrée : 2 F*).

DRUYES-LES-BELLES-FONTAINES

Carte Michelin n° **65** - angle Nord-Est du pli ⑭ – 334 h.

Le château féodal de Druyes (12e s.) dresse encore au sommet d'une colline des ruines imposantes. Pour les découvrir sous un jour favorable, arriver en fin d'après-midi par le Sud, soit par le D 148, accidenté et pittoresque, soit par le D 104 qui offre une excellente vue d'ensemble sur le village avec, en premier plan, le viaduc de l'ancienne voie ferrée.

De la route de Courson-les-Carrières, en passant sous une porte fortifiée du 14e s., on accède au château (*travaux de restauration – visite extérieure seulement*) dont seuls les murs extérieurs se dressent à peu près intacts. Il subsiste des anciennes fortifications une tour très bien conservée. L'église romane, du 12e s., a un beau portail.

Près de l'église, dans un site pittoresque, jaillissent les sources de la Druyes.

DUN (Montagne de)

Carte Michelin n° **73** - pli ⑧.

On en atteint le sommet (altitude 721 m) par la route reliant Chauffailles (*lieu de séjour, p. 39*) à St-Racho, au Nord.

De l'esplanade, près de la chapelle on découvre un **panorama** * demi-circulaire : vers le Nord-Est sur la montagne de St-Cyr et la Grande Roche; plus à l'Est, vers la dépression de la Grosne et le col du Champ-Juin; vers le Nord sur le Charollais et la vallée de l'Arconce; vers le Nord-Ouest, la région de la Clayette et, plus à l'Ouest, le Brionnais et la vallée de la Loire.

ÉPOISSES

Carte Michelin n° **65** - pli ⑰ – 12 km à l'Ouest de Semur – 702 h.

Agréable bourg, érigé sur le plateau d'Auxois dans une région d'élevage au fromage réputé, Époisses fut au 6e s. maison forte royale. Un peu à l'écart de l'agglomération s'élève le château, entouré d'une double enceinte fortifiée aux douves actuellement asséchées. A l'abri des fortifications extérieures, les communs forment un petit village entourant l'église, ancienne abbatiale du 12e s., et le puissant colombier du 16e s.

Château*. — *Visite de l'extérieur seulement de Pâques au 30 septembre, de 10 h à 12 h et de 14 h à 18 h. Entrée : 3 F.*

Avant de franchir le second fossé, contourner par la droite le château pour observer les quatre tours qui relient les bâtiments d'habitation. Le donjon forme tour d'entrée; la tour de Condé (en souvenir du prince qui l'habita) est une construction du 13e s. à moellons et pierres alternés, fait rare en Bourgogne; la tour octogonale à bossages fut élevée au 14e s.; la tour de Bourdillon la plus ancienne (10e s.), restaurée en 1560, termine l'aile Ouest.

Une large terrasse à balustrade précède la cour d'Honneur, ornée d'un puits Renaissance finement ouvragé. Le château remanié aux 16e et 17e s. se présente sous la forme d'un large fer à cheval, la moitié Sud opposée ayant été détruite à la Révolution.

La famille de Guitaut, propriétaire du château depuis le 17e s., a conservé de nombreux souvenirs des personnages historiques qui y ont séjourné.

A l'intérieur, un vestibule aux nombreux portraits de la Renaissance, encastrés dans la boiserie, mène au petit salon dont le plafond est richement décoré. Le grand salon abrite un beau mobilier Louis XIV dont les sièges sont recouverts de tapisseries des Gobelins.

Au 1er étage, le salon des tableaux groupe des portraits de personnages des 17e et 18e s. De part et d'autre s'ouvrent l'austère chambre du Roi où Henri IV aurait couché et la chambre de Mme de Sévigné aux gracieuses poutrelles peintes au 16e s.

ERVY-LE-CHÂTEL

Carte Michelin n° **61** - Sud du pli ⑯ – 1 198 h.

Dominant l'Armance, cette ancienne place forte des comtes de Champagne a conservé quelques maisons anciennes. Une agréable promenade ombragée a été aménagée à l'emplacement des anciens remparts, dont il subsiste une porte fortifiée flanquée de deux tours rondes. Sur la place, curieuse halle circulaire à deux étages.

L'église des 15e-16e s. (*en cas de fermeture, s'adresser à la Maison de Retraite en face de l'église*), éclairée par un bel ensemble de vitraux Renaissance, possède de nombreuses statues de l'école champenoise, ainsi que quelques tableaux. Le retable du maître-autel en bois doré à la feuille, est du 17e s.

La FERTÉ-LOUPIÈRE

Carte Michelin n° 65 - pli ④ – 18 km au Sud-Ouest de Joigny – 602 h.

Cet ancien bourg fortifié – comme en témoigne le mot Ferté signifiant lieu fortifié – possède une église des 12e et 15e s. qui abrite des **peintures murales *** fort curieuses. Exécutées sur enduit sec à la fin du 15e s. et au début du 16e s., elles ont été dégagées en 1910 du badigeon qui les recouvrait et les protégeait. Ces peintures s'étendent sur le mur gauche de la

La Ferté-Loupière. — La Danse macabre.

grande nef au-dessus des trois premières arcades. Parmi les sujets traités, à la suite du « dict des trois Morts et des trois Vifs », celui de la Danse macabre, qui comprend 42 personnages figurant toutes les conditions humaines, est à la fois un document artistique et une haute leçon de morale (la Mort s'adresse aux gens de toutes classes : nul n'y échappe).

En ville, sauf indication contraire, nos itinéraires de visite sont à suivre à pied.

FIXIN

Carte Michelin n° 65 - pli ⑳ – 10 km au Sud-Ouest de Dijon – *Schéma p. 87* – 817 h.

Ce village, producteur de vins renommés dont certains se classent parmi les meilleurs de la Côte de Nuits, perpétue le souvenir d'un touchant témoignage de fidélité. Dans le beau parc de sa propriété, Noisot, ancien capitaine de la Garde Impériale, fit élever, en 1846, par son ami le sculpteur **Rude**, un monument à la gloire de l'Empereur, appelé le « Réveil de Napoléon ». Fidèle jusqu'à la mort, le vieux soldat a voulu être enterré face à son Empereur.

Parc Noisot. — *Visite de 9 h à 12 h 30 et de 14 h à 19 h. Fermé le vendredi matin et le mardi. Durée : 3/4 h.*

Au milieu du village prendre la rue Noisot, montant jusqu'à un parking situé à 500 m. Puis suivre l'allée de pins (panneaux fléchés).

Un musée, contenant des souvenirs des campagnes impériales – drapeaux, uniformes, armes, documents –, est installé au 1er étage de la maison du gardien.

Un escalier conduit au monument montrant Napoléon s'éveillant à l'Immortalité, puis au tombeau de Noisot dominé par un belvédère d'où l'on découvre une vue étendue sur le val de Saône, le Jura et les Alpes. Du musée part un sentier menant vers les fontaines et les cent marches que Noisot fit tailler en mémoire des Cents Jours : elles donnent accès au plateau de l'arrière-côte.

FLAVIGNY-SUR-OZERAIN *

Carte Michelin n° 65 - Nord du pli ⑱ – 385 h.

Accrochée à son rocher isolé par trois cours d'eau, Flavigny est bâtie dans un **site *** pittoresque. Siège d'une abbaye dès le 8e s., ville forte au Moyen Age, Flavigny a perdu aujourd'hui son importance d'antan. Ses rues étroites bordées de vieux hôtels, ses portes fortifiées, les vestiges de ses remparts évoquent sa grandeur passée.

On fabrique toujours, depuis le 9e s., les anis de Flavigny, petites dragées anisées.

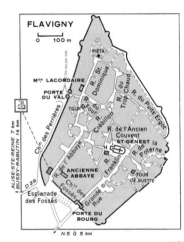

■ CURIOSITÉS *visite : 1 h*

Laisser la voiture sur l'esplanade des Fossés.

Église St-Genest. — *Ordinairement fermée.* Elle date du 13e s. Élevée sur l'emplacement d'une église plus ancienne, elle a été remaniée aux 15e et 16e s.

L'édifice renferme une tribune centrale en pierre du début du 16e s. Disposition très rare à l'époque du gothique, des tribunes surmontent les bas-côtés et les deux premières travées de la nef. Elles sont fermées de clôtures de bois du 15e s. Admirer les stalles du début du 16e s.

Parmi de nombreuses statues intéressantes, remarquer, dans la dernière chapelle à droite dans la nef, un **Ange de l'Annonciation**, chef-d'œuvre de l'école gothique bourguignonne et, au transept Sud, une Vierge allaitant du 12e s.

Ancienne abbaye. — Cette ancienne abbaye bénédictine, fondée dès le 8e s., comprenait une grande église abbatiale, la basilique St-Pierre, et des bâtiments claustraux. Ces derniers, reconstruits au 18e s., abritent actuellement les fabriques d'anis. De la basilique St-Pierre subsistent d'intéressants vestiges d'époque carolingienne :

Crypte Ste-Reine. — *Visite du 1er mai au 15 septembre de 8 h (10 h les dimanches et fériés) à 11 h et de 13 h 30 à 17 h (14 h 30 à 18 h les dimanches et fériés); le reste de l'année, de 10 h à 11 h et de 13 h 30 (14 h les dimanches et fériés) à 16 h. Entrée : 4 F.*

C'était la partie inférieure de l'abside carolingienne à deux étages, construite vers 758. L'étage supérieur, auquel on accédait de la nef par deux escaliers, portait le maître-autel. La partie inférieure en contrebas abritait les reliques; on y plaça en 864 les restes de sainte Reine, martyrisée à Alise *(voir Alise Sainte-Reine, p. 41).* Un des piliers élégamment sculpté est un bel exemple de décoration carolingienne.

Chapelle Notre-Dame-des-Piliers. — Des fouilles ont mis au jour en 1960 une chapelle hexagonale avec déambulatoire dans le prolongement de la crypte : le style rappelle les rotondes pré-romanes de St-Bénigne de Dijon et de Saulieu.

A droite de l'entrée de la crypte a été aménagé un petit musée lapidaire *(visite sur autorisation demandée à M. Troubat à Flavigny).*

Tour de ville. — Porte du Bourg (15e s.) ou porte de Semur aux puissants mâchicoulis. Par les chemins des Fossés et des Perrières, gagner la porte du Val, flanquée de tours rondes. A côté, Maison Lacordaire, ancien couvent de Dominicains fondé par le Père Lacordaire.

Maisons anciennes. — Beaucoup sont en ruines *(la plupart, en cours de restauration),* mais charmantes avec leurs tourelles, leurs escaliers à vis et leurs délicates sculptures.

FLEURIGNY (Château de) ★

Carte Michelin n° 61 - pli ⑭ – 15 km au Nord-Est de Sens.

Sur un terre-plein ceinturé de douves, se dresse une belle construction du 13e s. aux tours d'angle cylindriques et lucarnes sculptées. On accède à la cour intérieure par un passage voûté pratiqué entre deux tours. Les façades du bâtiment intérieur Renaissance sont en brique avec chaînages. Une galerie à arcades ferme le rez-de-chaussée du bâtiment central.

Visite accompagnée du 14 avril au 23 septembre les dimanches et jours fériés et tous les jours en août sauf le lundi de 14 h 30 à 17 h 15. Durée : 1/4 h. Entrée : 5 F.

La salle des Gardes est ornée d'une grande cheminée sculptée. Dans la « chambre aux tableaux », panneaux sur bois du 17e s. La chapelle possède un plafond à caissons, avec clefs pendantes, œuvre de Jean Cousin, ainsi que le vitrail.

FONTAINE-FRANÇAISE ★

Carte Michelin n° 66 - Nord du pli ⑬ – 823 h.

Cette paisible localité située entre deux étangs, autrefois puissante seigneurie, formait en Bourgogne une enclave relevant directement de la couronne de France. C'est aux environs, que le 5 juin 1595, **Henri IV**, à la tête de 510 cavaliers, triompha des armées espagnoles et de la Ligue, fortes de 15 000 hommes, commandées par le connétable de Castille et le duc de Mayenne. Un monument rappelle cette victoire qui amena la pacification générale du royaume.

EXCURSION

Vallée de Vingeanne. – *Circuit de 21 km – environ 1 h 1/2. Prendre le D 960 et gagner St-Seine-sur-Vingeanne.*

St-Seine-sur-Vingeanne. — 278 h. L'église, de style roman bourguignon, est surmontée d'un clocher à trois étages. Dans le chœur, beau vitrail du 19e s. et, en haut de la grande nef, à droite en regardant l'autel, « Christ de Pitié » en pierre polychrome, du 16e s.

En suivant au Sud le D 30, on passe devant le château de Rosières, occupé par une ferme.

Château de Rosières. — L'ensemble, constitué par le donjon massif (16e s.), une tour datant du 15e s. les douves, la porte et une petite tour d'enceinte, est bien conservé ainsi qu'un pavillon ajouté au 17e s. dont l'escalier est typiquement Louis XIII.

A Attricourt, le D 30 rejoint la Vingeanne que l'on traverse à Flée pour suivre le D 27 menant à Beaumont-sur-Vingeanne.

Château de Beaumont-sur-Vingeanne. — *Page 54.*

Retour à Fontaine-Française par le D 27.

Chaque année
le guide Michelin France
rassemble, sous un format maniable, une multitude de renseignements à jour.
Emportez-le dans vos déplacements d'affaires,
lors de vos sorties de week-end,
en vacances.
Tous comptes faits, le guide de l'année, c'est une économie.

FONTENAY (Ancienne abbaye de) **

Carte Michelin n° 65 - pli ⑧ – 6 km au Nord-Est de Montbard.

La visite de l'ancienne abbaye de Fontenay, tapie dans un vallon solitaire et verdoyant, est particulièrement attachante car les bâtiments donnent une vision exacte de ce qu'était un monastère cistercien au 12ᵉ s., vivant en « autarcie » à l'intérieur de son enceinte.

Seconde fille de St-Bernard. — Devenu abbé de Clairvaux, Bernard fonda successivement trois colonies : Trois-Fontaines, près de St-Dizier, en 1115, Fontenay en 1118 et Foigny, en Thiérache, en 1121. Accompagné de douze religieux, il arriva à proximité de Châtillon-sur-Seine à la fin de 1118 et y fonda un ermitage. Mais les religieux que Bernard, retournant à Clairvaux, avait laissés sous la direction de Godefroy de la Roche, virent leur nombre s'accroître à un point tel que, l'ermitage devenant trop petit, ils durent s'installer dans la vallée, là où se trouve l'abbaye actuelle.

Jusqu'au 16ᵉ s., l'abbaye connut une grande prospérité, comptant plus de trois cents moines et convers. Mais le régime de la commende – abbés nommés par faveur royale et ne s'intéressant qu'aux revenus de l'abbaye – et les désordres causés par les guerres de Religion allaient provoquer une rapide décadence.

Vendue à la Révolution, l'abbaye fut transformée en papeterie.

En 1906, de nouveaux propriétaires entreprirent de restituer à Fontenay son aspect initial (*plan p. 25*), en faisant disparaître les bâtiments de la papeterie. Les nombreuses fontaines dont l'abbaye tire son nom sont devenues la plus belle parure du jardin qui entoure la propriété.

VISITE *environ 3/4 h*

Visite accompagnée toutes les heures, de 9 h à 12 h et de 14 h 30 à 18 h 30; et en outre, du 1ᵉʳ juillet au 15 septembre, à 14 h, 15 h 16 h, 17 h et 18 h. Entrée : 10 F.

(D'après photo Arch. T.C.F.)

Fontenay. — Cloître de l'ancienne abbaye.

Le portail de la Porterie est surmonté des armes de l'abbaye; l'étage date du 15ᵉ s. En pénétrant sous la voûte, on remarque la niche aménagée sous l'escalier : l'ouverture pratiquée au fond permettait au chien, posté à l'entrée, de surveiller aussi l'hostellerie, long corps de logis, à droite, dans la cour intérieure - où logeaient pèlerins et voyageurs venus visiter les religieux.

Le porche passé, on longe un grand bâtiment du 13ᵉ s. qui se composait de la chapelle des visiteurs et de la boulangerie des moines, remarquable par sa cheminée cylindrique; un peu plus loin à droite, se distingue le magnifique pigeonnier.

L'église. — Contemporaine de saint Bernard, l'église a été édifiée grâce à la générosité d'Ébrard, évêque de Norwich, réfugié à Fontenay, et fut consacrée en 1147 par le pape Eugène III.

C'est l'une des plus anciennes églises cisterciennes conservées en France.

L'expression « simplicité monacale » convient tout particulièrement à cette construction (*détails et illustration p. 25*). La façade, dépouillée de tout ornement, est soulignée par deux contreforts et sept baies en plein-cintre, symbolisant les sept sacrements de l'église. Les corbeaux encore en place soutenaient un porche qui a disparu. Les vantaux et pentures du portail sont la reproduction exacte des battants primitifs.

Intérieur. — La règle et le plan cisterciens sont scrupuleusement observés (*voir p. 30*) et, malgré les dimensions relativement réduites de l'édifice (longueur : 66 m, largeur du transept : 30 m), l'effet est d'une saisissante grandeur.

La nef, voûtée en berceau brisé, compte huit travées; elle est étayée par des bas-côtés voûtés de berceaux transversaux qui forment une suite de chapelles communicantes éclairées par de petites baies en plein-cintre. La nef aveugle reçoit la lumière par les ouvertures de la façade et celles qui s'étagent au-dessus de l'arc triomphal.

Dans le vaste transept, la disposition des berceaux et des chapelles des croisillons rappelle celle des bas-côtés. Dans le croisillon Nord, remarquer la statue de Notre-Dame de Fontenay (fin du 13ᵉ s.).

Le chœur carré, à chevet plat, est éclairé par un double rang de triplets (symbole de la Trinité). On y a rassemblé des pierres tombales et les restes d'un pavage de carreaux émaillés du 13ᵉ s., qui recouvrait autrefois le sol du chœur et d'une grande partie de l'église. On peut voir, à droite, le tombeau du seigneur de Mello d'Epoisses et de son épouse (14ᵉ s.). Le retable en pierre de l'ancien maître-autel (fin du 13ᵉ s.) a subi des mutilations.

Dans le transept, sur la droite, se trouve l'escalier qui mène au dortoir des moines.

Le dortoir. — Les moines dormaient sur des paillasses déposées sur le sol, séparés les uns des autres par des cloisons basses. Remarquer la magnifique charpente en châtaignier, datant de la seconde moitié du 15ᵉ s.

Le cloître et ses annexes. — Adossé au flanc Sud de l'église, le cloître est un magnifique exemple cistercien, à la fois robuste et élégant.

Chaque galerie compte huit travées délimitées par de beaux contreforts; les arcs plein-cintre, sauf ceux des portes donnant accès au préau, sont divisés par une double arcature reposant sur des colonnes accouplées.

FONTENAY (Ancienne abbaye de) ★★

La salle capitulaire, aux chapiteaux ornés de feuilles d'eau, est voûtée sur croisée d'ogives ; elle communique avec la galerie Est par une magnifique arcade ; la grande salle de travail des moines, le scriptorium, se situe dans son prolongement. Sur la droite, une petite porte ouvre sur le « chauffoir ». Cette pièce présentant deux foyers, était la seule où la règle tolérait le feu, en dehors de la cuisine.

On peut encore visiter la prison de l'abbaye ainsi que la forge et apercevoir les jardins où les moines cultivaient les plantes médicinales.

Face à des jardins, on voit l'infirmerie construite à l'écart des autres bâtiments.

Une route qui part derrière l'abbaye donne accès à la très belle hêtraie de la forêt de Fontenay.

GEVREY-CHAMBERTIN

Carte Michelin n° 65 - pli ⑳ – 12 km au Sud de Dijon – *Schéma p. 87* – 3 001 h.

Gevrey-Chambertin est le type même de l'agglomération viticole immortalisée par Gaston Roupnel. Elle s'échelonne au débouché de la combe de Lavaux, entre les coteaux du vignoble où se situe le vieux village assoupi autour de l'église et du château, et le quartier des Baraques qui doit son animation au passage de la N 74.

Un peu plus au Nord *(voir p. 87)*, commence la fameuse Côte de Nuits, réputée pour ses grands vins rouges.

Le Chambertin. — Parmi les vins de la Côte de Nuits, vins très corsés qui acquièrent en vieillissant tout leur corps et tout leur bouquet, le Chambertin, qui se compose de deux « climats » de Clos de Bèze et de Chambertin, est le plus fameux. C'est aussi l'un des plus célèbres de toute la Bourgogne. Le « Champ de Bertin » devenu « chambertin » était le vin préféré de Napoléon 1er. Le territoire de ce cru hors ligne se limite à 28 ha, tandis que celui du Gevrey Chambertin en couvre 400.

Château. — *Visite accompagnée en semaine de 10 h à 11 h 50 et de 14 h à 17 h 30 (17 h en hiver) ; les dimanches et jours fériés de 11 h à 11 h 50 et de 14 h 15 à 18 h 30 (17 h en hiver). Fermé le jeudi, à Noël, le 1er janvier, à Pâques et à la Toussaint. Durée : 1/2 h. Entrée : 7 F.*

Dans la partie haute du village, le château fort construit aux environs du 10e s. par les sires de Vergy fut donné aux moines de Cluny qui le restaurèrent au 13e s. Il a conservé son bel escalier à vis, aux marches inégales polies comme un marbre, sa grand-salle aux poutres apparentes, sa salle de guet (dans la tour).

Les caves voûtées renferment les récoltes de vin.

Église. — Cette église, des 13e, 14e et 15e s., a conservé un portail roman.

EXCURSION

Combe de Lavaux. — *6 km – environ 1/4 h.*

On peut y faire une agréable promenade en suivant le D 31.

GUIDES MICHELIN

Les guides Rouges (hôtels et restaurants) :

France - Benelux - Deutschland - España Portugal - Great Britain and Ireland - Italia.

Les guides Verts (paysages, monuments, routes touristiques) :

Allemagne - Autriche - Belgique - Espagne - Hollande - Italie - Londres - Maroc - New York - Portugal - Rome - Suisse... *et 19 guides sur la France.*

JOIGNY

Carte Michelin n° 65 - Nord du pli ④ – 11 925 h. (les Joviniens).

Petite ville animée et pittoresque située aux portes de la Bourgogne à l'orée de la forêt d'Othe, Joigny étage ses quartiers anciens au flanc de la côte St-Jacques qui domine la rive droite de l'Yonne.

Du pont d'Yonne qui conserve six arches du 18e s., on a une jolie vue sur la rivière, les quais, les promenades ombragées et la ville construite en amphithéâtre.

La révolte des Maillotins. — En 1438 les Joviniens se soulèvent contre leur seigneur, le comte Guy de la Trémoille, attaquent son château, s'en emparent et mettent à mort le comte à coups de maillets, instruments dont les vignerons faisaient alors usage.

Depuis lors les habitants de Joigny ont reçu le surnom de Maillotins et le maillet figure dans les armes de la ville.

■ CURIOSITÉS *visite : 3/4 h*

Église St-Thibault. — Construite de 1490 à 1529, cette église, de style gothique et Renaissance, est dominée par une tour carrée du 17e s., couronnée d'un léger campanile. A l'intérieur on est frappé par l'inclinaison, très rare, du chœur vers la gauche, inclinaison accentuée encore par l'asymétrie des voûtes. Celle du chœur comporte une curieuse clé pendante.

On remarque, à l'intérieur, de nombreuses œuvres d'art *(plan dans le bas-côté gauche, à hauteur de la chaire)* ; les plus dignes d'intérêt sont pour les peintures : une Nativité sur bois, de l'école des anciens Pays-Bas, et une Crucifixion, de l'école d'Anvers ; pour les sculptures : une charmante **Vierge au Sourire★**, statue en pierre du 14e s. (contre le 4e pilier à droite, face à la chaire).

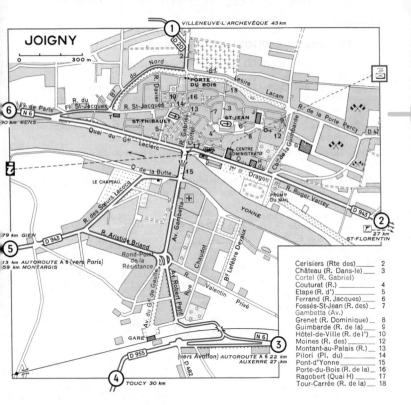

Église St-Jean. — Elle est précédée d'un clocher-porche ; pourvue d'un chevet plat, elle ne comporte pas de transept.

Elle possède une belle voûte de pierre en berceau au plafond à caissons de style Renaissance, décoré de nervures et de médaillons sculptés. Dans le bas-côté droit, remarquer un Saint-Sépulcre en marbre blanc du 15ᵉ s. orné de bas-reliefs et le gisant du 13ᵉ s. d'Adélaïs, comtesse de Joigny, reposant sur un tombeau décoré d'élégantes sculptures, parmi lesquelles figureraient les enfants de la défunte. Les boiseries Louis XV et le mobilier de la sacristie proviennent de l'abbaye de Vézelay.

Porte du Bois. — Cette ancienne porte du 12ᵉ s., flanquée de deux tours rondes, faisait autrefois partie du vieux château.

Maisons anciennes. — Le touriste qui flânera à pied dans les rues étroites entourant les églises St-Thibault et St-Jean découvrira un certain nombre de vieilles demeures à pans de bois, des 13ᵉ, 15ᵉ et 16ᵉ s. La plupart, très endommagées lors des bombardements de 1940, ont été restaurées.

Côte St-Jacques*. — *1,5 km.* Carte Michelin nᵒ 🔢 - Sud du pli ⑭. *Sortir de Joigny par* ①, D 20.
La route s'élève en lacet en contournant le Haut de St-Jacques. On découvre, dans un virage à droite à la Croix-Guémard, une belle **vue*** demi-circulaire sur Joigny et la vallée de l'Yonne.

LANGRES *
Carte Michelin nᵒ 🔢 - pli ③ – 12 457 h. (les Langrois).

Dans un **site **** admirable au sommet d'un éperon du plateau de Langres, l'antique oppidum des Lingons fut une des trois capitales de la Bourgogne gauloise. Ville épiscopale, elle resta longtemps une des forteresses avancées du royaume. C'est l'une des portes de la Bourgogne *(voir p. 12)*, étape touristique sur l'axe Lorraine-Midi (N 74), située en outre à proximité des sources de la Marne et de la Seine, qui remontent vers le bassin parisien et la Manche.

UN PEU D'HISTOIRE

Existant déjà au temps de la Gaule indépendante sous le nom d' « Andematunum », Langres devint l'alliée de César. En 70 après J.-C., à la mort de Néron, un chef lingon, **Sabinus,** tenta de s'emparer du pouvoir suprême. Après son échec, il trouva refuge pendant neuf années dans une grotte proche de la source de la Marne. Découvert, il fut mis à mort, à Rome, ainsi que sa femme Éponine qui avait lié son sort au sien.

Dès la fin du 2ᵉ s., saint Bénigne fonda l'église de Langres, dont il fut le premier évêque. Au 9ᵉ s., les évêques dirigèrent le comté et obtinrent de Charles le Chauve le droit de battre monnaie. Du 12ᵉ s. à la fin du 18ᵉ s., l'évêché fut une des pairies ecclésiastiques du royaume et, au sacre des rois de France, l'évêque, duc et pair, portait le sceptre.

Langres est la patrie du peintre Claude Gillot (1673-1722), un des maîtres de Watteau, et du philosophe **Diderot,** (1713-1784), auteur de Jacques le Fataliste, le Neveu de Rameau, la Religieuse... Il a de plus fondé et animé l'œuvre essentielle du siècle : l'Encyclopédie.

■ PRINCIPALES CURIOSITÉS *visite : 1 h 1/2*

Une visite rapide permet d'apprécier la ceinture de remparts restaurée au 19e s., et la cathédrale St-Mammès.

De la place des États-Unis, pénétrer dans la ville par la **porte des Moulins,** qui a conservé son caractère d'architecture militaire de l'époque Louis XIII, et prendre à droite la rue Denfert-Rochereau qui mène au chemin de ronde du rempart.

Tour St-Fergeux. — Elle date de 1471. De sa plate-forme, on découvre un panorama étendu sur la campagne voisine et de belles perspectives sur les remparts.

Par la rue Diderot, la place Diderot (statue du philosophe) et la rue du Général-Leclerc, on atteint la cathédrale.

Cathédrale St-Mammès*. — La façade primitive (12e-13e s.), détruite par de gros incendies, a été remplacée, au 18e s., par une façade de style classique, à trois étages, d'ordonnance régulière. En suivant le côté gauche, on peut voir une porte romane restaurée.

L'intérieur, aux proportions majestueuses, est de style roman-bourguignon; la nef, voûtée d'ogives, compte 6 travées. Le triforium rappelle la porte gallo-romaine des remparts par sa disposition et sa décoration.

La première chapelle du bas-côté gauche (2e travée), au remarquable plafond à caissons, abrite une Vierge à l'Enfant en albâtre, ayant à son côté l'évêque donateur, œuvre de 1341 due à Évrard d'Orléans. La 3e travée est ornée de bas-reliefs représentant la Passion, encastrés dans un fragment du jubé construit, vers 1550, par le cardinal de Givry; deux autres fragments décorent le déambulatoire. Deux des tapisseries dont le prélat fit don à la cathédrale sont exposées dans le transept : elles figurent la légende de saint Mammès.

Le chœur et l'abside, élevés entre 1141 et 1153, sont les parties les plus remarquables de l'édifice, achevé dans la seconde partie du 12e s. et consacré, d'après la tradition, en 1196. Les chapelles rayonnantes ont été remaniées au 19e s.

Attenante à la salle du chapitre, la salle du Trésor *(visites suspendues)* conserve une statuette en ivoire du 13e s., une plaque d'évangéliaire en

LANGRES

0   300 m

Aubert (R.)	2
Barbier-d'Aucourt (R.)	3
Boulière (R.)	4
Canon (R.)	5
Chambrúlard (R.)	6
Chavannes (R. des)	7
Chlore (R. C.)	8
Coutellerie (R.)	9
Crémaillère (R. de la)	10
Croisette (R. de la)	12
Denfert-Rochereau (R.)	13
Diderot (R.)	
Durand (R. Pierre)	14
Grand-Bie (R. du)	16
Grand-Cloître (R.)	17
Grouchy (Pl. Col.-de)	18
Leclerc (R. Gén.)	19
Longe-Porte (R.)	20
Mance (Square J.)	21
Marne (R. de la)	22
Morlot (R. Card.)	25
Roger (R.)	26
Roussat (R. Jean)	27
St-Didier (R.)	28
Terreaux (R. des)	29
Turenne (Av. de)	32
Verdun (Pl. de)	33
Walferdin (R.)	34
Ziegler (Pl.)	

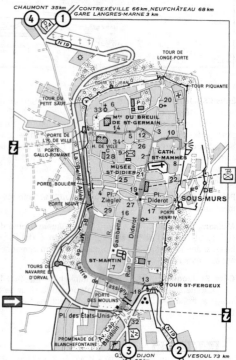

émail champlevé sur cuivre doré de la même époque; une boîte aux Saints Huiles en argent repoussé et ciselé de 1615, seul vestige de la chapelle épiscopale détruite à la Révolution; des calices et des patènes en vermeil des 17e, 18e et 19e s.

Quant au cloître, du 13e s., il n'en reste que deux galeries.

Par la rue Aubert et, à droite, la rue de la Crémaillère, on atteint le chemin de ronde et la table d'orientation du T.C.F.

Table d'orientation du T. C. F. — De cet endroit, la vue embrasse : en contrebas, le faubourg de Sous-Murs, entouré de sa propre enceinte fortifiée; de chaque côté, vue d'enfilade sur les remparts; au loin, les Vosges.

Reprendre la rue de la Crémaillère en sens inverse, puis la rue de la Croisette, la rue Canon et la rue Pierre-Durand.

Passer devant l'**hôtel de ville,** édifice du 18e s., et quitter l'enceinte par la **porte de l'Hôtel-de-Ville** qui conserve les pilastres de l'antique pont-levis, le corps de garde (1620) et la Grand'Porte ornée de la statue de la Vierge. En voyant au passage la **porte Gallo-Romaine,** suivre la promenade de la Belle-Allée, dominée par la ligne des remparts, coupée de tours et de portes.

Passer au pied de la porte Boulière. Pour rejoindre la place des États-Unis, pénétrer dans l'enceinte par la porte Neuve et suivre le boulevard du Maréchal-de-Lattre-de-Tassigny.

■ AUTRES CURIOSITÉS

Promenade des Remparts. — Les remparts constituent une promenade circulaire, d'où l'on découvre un magnifique **panorama**, en particulier sur la vallée de la Marne. Suivre à pied le chemin de ronde. En partant de la place des États-Unis, on rencontre les portes ou tours suivantes :

— porte des Moulins, l'entrée la plus monumentale de la ville;

— tour St-Fergeux, construite sur l'ordre de Louis XI;

— porte Henri-IV ou de Sous-Murs, ancien quartier des tanneurs;

— tour Piquante, flanquée d'un angle d'une petite échauguette;

— tour de Longe-Porte qui fut ornée d'un arc de triomphe gallo-romain et a possédé un pont-levis dont il reste les piliers. Elle date de 1604;

— tour St-Jean : bâtie en 1538, elle flanque l'entrée de Longe-Porte.

— tour du Petit-Saut, datant de François Ier. Par les meurtrières Sud de cette tour, on peut suivre des yeux toute une enfilade de hautes murailles et de remparts (table d'orientation).

— porte de l'Hôtel-de-Ville.

— porte Gallo-Romaine, de l'époque de Marc-Aurèle, enclavée dans la muraille.

— porte Boulière, avec une tourelle du 15e s.

— porte Neuve, ou porte des Terreaux (du 19e s.).

— tours de Navarre et d'Orval. La tour de Navarre, au toit pointu, est la plus puissante de toutes avec ses trois étages de tir. Bâtie en 1519, ses murs ont une épaisseur de 6 m. Elle est doublée de la tour d'Orval dont la rampe tournante, voûtée d'ogives, fut gravie à cheval par François Ier en 1521.

Musée du Breuil de St-Germain. — *Visite de 10 h à 12 h et de 14 h à 18 h (17 h du 1er octobre au 28 février). Fermé les mardis et jours de fêtes légales. Entrée : 3 F.*

Il est installé dans un hôtel formé d'un corps de logis Renaissance (belle porte sculptée) et d'un gracieux pavillon de style Louis XVI. Dans le jardin, statue de Louis XV en Apollon, par Bouchardon.

Les objets d'art — entre autres, collections de faïences, d'ivoires tournés, de reliures et d'incunables — sont bien mis en valeur dans ce cadre d'époque. Une salle est consacrée à Diderot, dont le père était coutelier, une seconde à Claude Gillot; une autre salle présente des vitrines réservées à la coutellerie (industrie d'origine langroise maintenant installée à Nogent-en-Bassigny).

Musée St-Didier. — *Visite de 10 h à 12 h et de 14 h à 18 h (17 h du 1er octobre au 28 février). Fermé les mardis et jours de fêtes légales. Entrée : 3 F.*

Il comprend une importante collection d'antiquités gallo-romaines provenant de la région, des sculptures du Moyen Age et de la Renaissance.

Au 1er étage, collection d'histoire naturelle, de coquillages, d'oiseaux; au 2e étage, peintures d'artistes langrois.

Église St-Martin. — En partie du 13e s., elle est dominée par un haut clocher du 18e s. surmonté d'un campanile. La nef est flanquée de deux bas-côtés.

A l'intérieur de l'église, trésor contenant un calice et une patène en argent doré, d'un atelier langrois du 17e s.

Maisons Renaissance. — Elles restent encore en assez grand nombre. La plus intéressante, située 20 **rue du Cardinal-Morlot**, présente une superbe façade intérieure et un puits. Au n° 10 de la **rue St-Didier**, on peut également voir une belle façade classique.

EXCURSIONS

Mont des Fourches. — *1 km au Nord plus 1/2 h à pied AR. Sortir de Langres par ④, N 19. 500 m après la bifurcation de la N 74, laisser la voiture. Un sentier à droite conduit au sommet.*

Cette butte de 436 m, située entre la Bonnelle et la Marne est un ancien promontoire du plateau de Langres aujourd'hui détaché de sa masse (butte-témoin). Elle devrait son nom à un ancien gibet (fourches patibulaires). On découvre, du sommet, une belle vue sur Langres et la vallée.

Source de la Marne. — *Circuit de 15 km, plus 1/4 h à pied AR. Sortir de Langres par ⑤, N 67, puis prendre à gauche le D 122 en direction de Noidant-Chatenoy. A 2,5 km prendre à gauche le D 290. A 1 km prendre à droite un sentier vers la source de la Marne, à 400 m.*

La Marne sourd d'une sorte de caveau fermé par une porte de fer. A proximité, on verra la grotte de Sabinus (*voir un peu d'histoire, p. 107*) et quelques beaux rochers.

Le retour à Langres s'effectue par Balesmes-sur-Marne, puis par le D 193 (en direction de St-Vallier), que l'on quitte à 1 km pour prendre à gauche le D 17 qui traverse le canal de la Marne à la Saône et rejoint la N 19. On peut voir le canal pénétrer dans un tunnel (d'une longueur de 5 km), dont l'étroitesse oblige à faire alterner le sens de passage des péniches.

Château du Pailly. — *12 km au Sud-Est. Sortir de Langres par ⑤, N 67, puis prendre à gauche le D 122. A Noidant-Chatenoy prendre à gauche le D 141 pour franchir les trois derniers km.*

Du château édifié vers 1560 pour le maréchal de Saulx-Tavannes ne subsistent actuellement que trois des quatre corps de logis.

Des tours rondes se dressent aux extrémités de la façade Nord. Le pavillon carré qui s'élève à l'angle Sud-Ouest est d'une élégante architecture; les deux étages sont décorés de huit colonnes cannelées. La cour d'honneur présente une belle ordonnance. La donjon, reste d'une forteresse féodale, est une massive construction du 11e s.

LANGRES (Plateau de)

Carte Michelin n° 66 - plis ① ② ③, ⑪ ⑫ ⑬.

Prolongeant la « montagne » bourguignonne au Nord-Est, ce plateau, aux paysages monotones de bois et de landes, contraste avec les fraîches vallées encaissées des affluents de la Seine et de la Saône qui le découpent. La marque du calcaire apparaît partout : sources, grottes et dolines appelées ici « andouzoirs ». Dans les vallées et surtout dans la dépression argileuse du Bassigny au Nord, l'activité principale est l'élevage dont les produits sont exportés vers Dijon. Sur le plateau, aux sols plus médiocres, les forêts ont donné naissance à une industrie du bois mais aussi à la traditionnelle industrie de la coutellerie.

HAUTE VALLÉE DE L'AUBE

De Langres à Montigny-sur-Aube — *63 km — environ 3 h 1/2.*

Sortir de Langres (p. 107) par ③, *N 67.* A 3,5 km prendre à droite le D 428 qui laisse au Nord le Haut-du-Sec (516 m), point culminant du plateau de Langres.

Auberive. — 270 h. Dans un site boisé, au bord de l'Aube naissante, s'élève une ancienne abbaye cistercienne fondée en 1133 à l'instigation de saint Bernard, par un évêque de Langres. Elle est actuellement occupée par une colonie de vacances. *On ne visite pas.*

La grille d'entrée, du 18e s. est l'œuvre de Jean Lamour, auteur des grilles de la place Stanislas à Nancy.

A Auberive, prendre à droite le D 20 qui longe l'Aube.

Cascade d'Étufs★. — Peu après Rouvres-Arbot, une avenue, partant à gauche du D 20 *(parking)*, conduit à une propriété, que l'on contourne par la droite pour atteindre la cascade pétrifiante du grand Tuf.

Seule la visite à pied est autorisée, de 10 h à 19 h.

Dans un joli site ombragé d'arbres magnifiques, les eaux pétrifiantes jaillissant à flanc de coteau tombent en cascatelles, dans des vasques superposées.

Arc-en-Barrois. — 1 033 h. *Lieu de séjour, p. 39. 8 km au Nord-Est d'Aubepierre-sur-Aube par le D 159.* On peut voir dans l'église un Saint-Sépulcre à personnages de grandeur nature et dans la sacristie un portail du 13e s.

Le château *(on ne visite pas)* reconstruit au siècle dernier est entouré d'un beau parc.

A 2,5 km, la chapelle de Notre-Dame de Montrot est un but de pèlerinage.

Reprendre le D 159 jusqu'à Aubepierre et suivre au Nord-Ouest le D 20, puis le D 22.

Montigny-sur-Aube. — 451 h. *Visite des extérieurs du château, de la chapelle et du parc, de 10 h à 12 h et de 14 h à 18 h (16 h du 1er octobre au 31 mars). Entrée : 3 F.*

Des quatre corps de logis qui constituaient le château de Montigny, il ne reste plus que l'aile méridionale, dont on remarque l'élégante façade. La tour qui la flanque, restaurée, est un vestige de l'ancien château féodal que remplaça, au 16e s., l'édifice actuel.

La **chapelle,** aujourd'hui isolée, faisait partie du château. L'intérieur est un excellent exemple du style Renaissance classique. A la sobriété de l'architecture s'oppose la richesse ornementale.

SOURCES ET EAUX VIVES

Au hasard de randonnées sur le plateau de Langres, on rencontrera de nombreuses sources ; il s'agit souvent de sources vauclusiennes appelées dhuys ou douix dans la région, liées à l'existence d'un sous-sol argileux sous les couches calcaires.

Source de la Bèze. — La rivière jaillit dans une magnifique source vauclusienne qui peut débiter 17 m³ par seconde. Le petit bourg de Bèze, qui a conservé un ancien monastère, est situé près de cette source.

Source de la Coquille. — A Étalante, la source de la Coquille jaillit dans un joli site.

A quelques kilomètres de là, **Aignay-le-Duc** possède une intéressante église gothique du 13e s., de proportions régulières, coiffée d'un clocher de bardeaux. Dans le chœur, retable du début du 16e s. représentant des scènes de la Passion.

Cascade d'Étufs ★. — *Description ci-dessus.*

Source de la Marne. — *Page 109.*

Sources de la Seine. — *Page 147.*

AUTRES CURIOSITÉS PROCHES DE LA N 74

Isômes. — 156 h. *A 2 km à l'Est de Vaux-sous-Aubigny, par le D 140.*

L'église romane du 12e s. est surmontée d'un joli clocher carré avec flèche octogonale en pierre. Remarquer la belle teinte de la pierre.

A 2 km au Nord, l'église de **Montsaugeon** possède un chœur du 12e s. et des boiseries du 17e s.

Til-Châtel. — 735 h. C'est là que l'Ignon rejoint la Tille, affluent de la Saône.

L'église romane s'ouvre par un beau portail : au tympan, le Christ en majesté est entouré des symboles des quatre Évangélistes. Le portail latéral, d'inspiration identique, est plus dépouillé.

A l'intérieur, on remarque les chapiteaux de la nef, la coupole sur trompes à la croisée du transept, l'abside en cul-de-four avec ses absidioles. L'autel du 12e s. est construit sur l'énorme pierre où fut décapité saint Florent, patron de la paroisse.

Château de Grancey. — *A 26 km au Nord-Ouest de Til-Châtel par la N 459 qui traverse Is-sur-Tille et Marey-sur-Tille.* A côté des restes d'un château des 12e et 15e s. dont on peut voir encore les fossés, le pont-levis et la vaste chapelle seigneuriale, le château actuel de Grancey *(on ne visite pas)* a été édifié aux 17e et 18e s., sur une terrasse dominant un beau parc dans un site pittoresque.

La LOIRE NIVERNAISE

Cartes Michelin n°ˢ 📖 - plis ② ⑫ ⑬ et 📖 - plis ③ ④ ⑤ ⑩.

De Digoin à Briare, la Loire n'a pas l'ampleur et la majesté qu'on lui connaît en aval d'Orléans; pourtant le fleuve, tantôt nonchalant et tantôt fougueux – son débit variant de 30 à 40 m³ seconde en été à 7 000 et même 8 000 m³ en période de grandes crues –, reste très attachant par sa physionomie, son tracé et les paysages qu'il traverse.

En été, la Loire n'est qu'un maigre cours d'eau qui se fraie péniblement un chemin entre d'immenses bancs de sable d'un blond doré sur lesquels des buissons de saules font çà et là une tache verte. Mais d'octobre à juin, la Loire recouvre complètement son lit, charriant une nappe d'eau grisâtre, offrant ainsi le contraste le plus accentué avec les mois d'été.

La navigation sur la Loire. — Le plus irrégulier de nos fleuves a connu, autrefois, une activité intense de la batellerie.

Au temps où les routes étaient rares et mauvaises, la voie d'eau était un chemin très fréquenté. Dès le 4ᵉ s., existait une organisation régulière de navigateurs sur la Loire. Plus tard, au 14ᵉ s., fut fondée une puissante organisation, la « Communauté des Marchands fréquentant la rivière de Loire et autres fleuves descendant et chéant en icelle ». Cette communauté levait des droits sur toutes les marchandises transportées sur la Loire et ses affluents et imposait de nombreux péages.

De Roanne à Orléans, vivait tout un peuple de mariniers, transportant sur des chalands, des allèges, des sentines – dont quelques-unes étaient « vergées », c'est-à-dire portaient un mât supportant voilure –, les marchandises les plus diverses : produits agricoles du Charollais et du Morvan, faïences de Nevers, bois et charbons du Forez.

La circulation était surtout intense à la descente où l'on parcourait une trentaine de kilomètres par jour. La remontée était, par contre, très pénible à cause du courant, et les mariniers préféraient le plus souvent démolir leurs bateaux, en vendre les planches, et revenir à pied à leur point de départ.

Les voyageurs empruntaient volontiers ce mode de locomotion; mais les mariniers, gens rudes et parfois violents, ayant gardé de leurs voyages et de leurs aventures un langage peu châtié et pour le moins truculent, les « touristes » d'alors en écoutant leurs conversations risquaient d'entacher leur vocabulaire; à moins que, comme le perroquet Vert-Vert (voir p. 125), ils n'aient eu la faiblesse de céder à cette tentation.

A la veille de la Révolution de 1789, un service pour passagers était organisé, sur les trois sections Roanne-Nevers, Nevers-Orléans, Orléans-Nantes.

Au 19ᵉ s., la navigation à vapeur donna un nouvel essor au trafic fluvial. Des services réguliers entre Nevers et Orléans étaient assurés par plusieurs compagnies. Cependant la concurrence du chemin de fer allait porter un coup fatal à la batellerie. En 1862, la dernière compagnie cessait son trafic. (Pour plus de détails, voir le guide Vert Michelin « Châteaux de la Loire ».)

Derniers vestiges du passé. — Quelques chapelles dédiées à saint Nicolas, le patron des mariniers, existent encore (à Nevers) ou ont été en partie démolies (à la Charité-sur-Loire).

Certaines églises des bords de Loire conservent, suspendus à la voûte, de beaux vaisseaux de bois, fidèles reproductions des navires à voiles du 17ᵉ s.; ces bateaux étaient portés solennellement au cours des processions en l'honneur de saint Nicolas.

Quelques points de vue sur la Loire

Partout la Loire offre le spectacle de ses îles boisées, de ses eaux moirées ou selon la saison, de ses bancs de sable clair. On s'arrêtera plus particulièrement aux points suivants :

Nevers : pont ou square Anatole-France.

La Charité : pont et parcours de la N 7, sur 2 km au Sud de la Charité.

Pouilly-sur-Loire : N 7, à 1,5 km au Nord de Pouilly. Localité célèbre par ses vignobles qui produisent des vins blancs au goût de terroir très caractéristique.

Sancerre : se reporter au guide Vert « Châteaux de la Loire » : promenade de la porte César ou mieux du sommet de la tour des Fiefs.

LORMES

Carte Michelin n° 📖 - pli ⑯ – Schémas p. 120 et 122 – 1 610 h. (les Lormois).

Bâti à flanc de colline, Lormes est situé aux confins du Morvan et du Nivernais. Station estivale appréciée, c'est un bon centre d'excursions. Des routes agréables et pittoresques conduisent aux barrages de Pannesière-Chaumard, de Chaumeçon et du Crescent, et au lac-réservoir des Settons.

Panorama*. — Près de la Perception, prendre la rue du Panorama, qui conduit par une forte montée à l'église, édifice moderne de style roman, bâti sur la montagne St-Alban (470 m).

De la terrasse du cimetière, on découvre un vaste panorama allant des sommets boisés du Morvan central (au Sud-Est) aux cultures parsemées de villages et entrecoupées de petits bois du Bazois et du Nivernais (au Sud-Ouest). A l'horizon, au centre du panorama, apparaît la butte de Montenoison.

Mont de la Justice* (alt. 470 m). — 1,5 km. Table d'orientation. Gagner la sortie Nord-Ouest de Lormes par le D 6 (vers Tannay). Au bas de la descente, prendre à droite la route qui monte vers le col de la Justice (et vers le D 42).

Au col même se détache, à gauche, un chemin permettant d'accéder au sommet du mont et à la table d'orientation; de celle-ci, on découvre un beau **panorama *** procurant, entre autres, des vues sur Vézelay (au Nord), la dépression de l'Yonne et la Butte de Montenoison (à l'Ouest), le Bazois (au Sud-Ouest), et par-delà le clocher de Lormes, au Sud-Est, la ligne du Morvan avec la croupe du Haut-Folin.

EXCURSION

Barrage de Chaumeçon. — *Circuit de 25 km – environ 1 h. Quitter Lormes par le D 6 en direction de Brassy, route sinueuse traversant des bois au sol vallonné où affleurent les rochers.*
Se dégageant de la forêt, la route traverse un paysage de croupes boisées et de vallons herbagers.

Franchir la retenue et tourner aussitôt à gauche pour rejoindre après 800 m le D 235. La route s'élève alors, dominant le réservoir qui apparaît bientôt dans presque tout son ensemble. Ce plan d'eau attire de nombreux amateurs de pêche. Après Vaussegrois, la route en forte descente franchit un petit vallon et se rapproche de la rive dont elle épouse les sinuosités, puis, passant sur le barrage, elle atteint Plainefas.

A la sortie, prendre à gauche le D 150 qui au cours d'une forte montée permet de jeter un dernier coup d'œil sur le réservoir et les hauteurs boisées qui l'encerclent, partiellement cachés par la végétation à la belle saison.

Après Sonne, on rejoint le D 6 qui ramène à Lormes.

■ LOUHANS

Carte Michelin n° **70** - Nord-Est du pli ⑲ – 11 016 h. (les Louhannais) – *Lieu de séjour, p. 39.*

Important marché de beurre, d'œufs, de volailles de la Bresse dite Louhannaise, siège de la confrérie des « poulardiers de Bresse », cette petite ville attrayante est célèbre pour ses foires de gros bétail et de porcs.

Hôtel-Dieu. — Cet édifice du 18ᵉ s. *(en restauration)* possède une intéressante pharmacie. *Visite possible en semaine (durée : 3/4 h) sur demande préalable au conservateur* ☎ 75.13.95.

La **pharmacie**, décorée de boiseries du 18ᵉ s., renferme une belle collection de flacons en verre soufflé, de faïences espagnoles et mauresques. On y voit aussi un groupe en bois d'une disposition très rare : la Vierge de Pitié agenouillée devant le Christ mort.

Grande-Rue. — Les arcades de ses vieilles maisons constituent un ensemble pittoresque.

Église. — C'est un édifice fortement restauré en pierre et brique, couvert de tuiles émaillées. Sur le flanc gauche, clocher-porche et grande chapelle aux pavillons à tourelle.

■ MÂCON

Carte Michelin n° **69** - pli ⑲ – *Schémas p. 115 et 116* – 40 490 h. (les Mâconnais).

La ville, déjà méridionale avec ses maisons aux toits de tuiles rondes, s'étire sur la rive droite de la Saône que bordent les monts du Mâconnais où s'étage le vignoble. Mâcon, qui bénéficie d'un vaste plan d'eau, doit en partie son animation à l'aménagement d'un port de plaisance.

Le souvenir de Lamartine est toujours vivace dans la ville, patrie du poète. Ses admirateurs ne manqueront pas d'effectuer, aux environs de Mâcon, le « circuit Lamartine » *(description p. 116).* Ils verront l'hôtel d'Ozenay (15 rue Lamartine) la maison paternelle où il vécut jusqu'à son mariage et où, dit-on, il composa ses premiers vers.

Les crus du Mâconnais *(voir p. 114)* accompagnent de délicieuses spécialités culinaires (quenelles de brochets, pauchouse, poulardes à la crème, coq au vin). Chaque année, en mai (2ᵉ quinzaine), se tient à Mâcon la Foire nationale des vins de France.

Placé à un important carrefour de routes – voies d'accès du Bassin de Paris au midi méditerranéen et du lac Léman aux rives de la Loire – Mâcon a été de tous temps un lieu de passage très fréquenté et son sol a été foulé par les invasions depuis la plus haute antiquité : les nombreux vestiges d'une civilisation préhistorique retrouvée à Solutré *(p. 153)* le prouvent ; plus près de nous, Mâcon – alors Matisco – subit l'invasion romaine, puis celle des barbares.

Un prince du romantisme. — Né en 1790 à Mâcon, Alphonse Prat de Lamartine se sent porté très jeune vers la littérature, s'imprégnant de Racine, de Rousseau, de Chateaubriand, d'Ossian et de la Bible. Un grand amour pour une jeune femme, Mme Charles, qu'il chante sous le nom d'Elvire, décide de sa vocation de poète : en 1820 paraissent les « Méditations ». C'est pour Lamartine le début d'une brillante carrière littéraire sur laquelle se greffe une non moins brillante carrière politique. D'une œuvre féconde, il faut extraire, pour la poésie, « Jocelyn » et « La Chute d'un ange », pour les romans, « Graziella », pour la partie historique, l'« Histoire des Girondins ».

Secrétaire d'ambassade de 1821 à 1830, Lamartine est élu député du Nord en 1833 et joue un rôle de premier plan comme ministre des Affaires étrangères lors des événements de juin 1848. Écarté de la vie politique en 1849, il se retire dans son Mâconnais natal. La fin de sa vie est attristée par des difficultés d'argent et des deuils de famille. Il meurt à Paris en 1869.

■ CURIOSITÉS *visite : 1 h*

Musée municipal des Ursulines. — *Visite de 10 h à 12 h et de 14 h à 18 h. Fermé le mardi, le matin des dimanches et jours fériés, les 1ᵉʳ janvier, 1ᵉʳ mai, 14 juillet, à la Toussaint et à Noël.*
Installé dans l'ancien couvent des Ursulines (17ᵉ s.), ce musée comporte d'intéressantes collections de préhistoire mâconnaise et de céramiques. Remarquer au rez-de-chaussée la présentation didactique de l'époque solutréenne.

Au 1ᵉʳ étage, une petite salle africaine contient de curieux instruments de musique. Sous les combles aux solives apparentes, de nombreuses œuvres sont exposées : toiles de Le Brun, de Greuze, Courbet, Monet, Ziem, gravures de Sébastien Bourdon, sanguines de Maillol, aquarelles de Rodin, fusain de Pissaro, peinture de Braque...

Dans la Galerie des Ursulines, située dans la chapelle du couvent, ont lieu des expositions artistiques *(en saison).*

MÂCON

0   300 m

Vieux St-Vincent. — Il ne subsiste de l'ancienne cathédrale St-Vincent, détruite à la Révolution, que les parties les plus anciennes : le porche, deux tours octogonales et la travée qui les réunit.

On distingue encore l'amorce de la nef; une galerie de l'ancien cloître avec porte du 15ᵉ s. a été rapportée.

Par les fenêtres, on aperçoit l'ancien tympan dont les sculptures ont été très mutilées. En cinq registres superposés se développent les scènes du Jugement dernier. On peut y distinguer la Résurrection des morts, le Paradis et l'Enfer.

Musée Lamartine. — *Visite du 1ᵉʳ mai au 30 septembre, de 14 h à 17 h. Fermé le mardi.*

Aménagé dans l'hôtel Senecé, demeure de pur style Régence, siège de l'Académie de Mâcon fondée en 1805, ce musée renferme des peintures, des tapisseries et un mobilier d'époque. De nombreux documents évoquent la vie, l'œuvre littéraire et l'œuvre politique de Lamartine.

Maison de bois. — Une jolie maison Renaissance ornée de fines colonnettes sculptées forme l'angle de la place aux Herbes, 22 rue Dombey; des animaux et des personnages grotesques et fantastiques décorent les entablements.

Vue du pont St-Laurent. — Ce pont du 14ᵉ s., restauré au 19ᵉ s., relie Mâcon au faubourg St-Laurent, en terre bressanne. Du pont, on a une jolie vue sur les quais, le port fluvial et la ville, que dominent les tours du Vieux St-Vincent.

En amont, la Saône forme un bassin de 300 m de largeur : c'est sur ce magnifique plan d'eau que se déroulent les championnats de France d'aviron (Juniors et Cadets).

Hôtel-Dieu. — *Visite suspendue.*

Il fut construit au 18ᵉ s. d'après les plans de Melchior Munet, élève de Soufflot.

L'apothicairerie*, de style Louis XV, conserve une belle collection de faïences d'époque. Outre les meubles de style Louis XV, les boiseries des fenêtres, en parfaite harmonie avec le décor, sont particulièrement remarquables.

EXCURSIONS

St-André. — *8,5 km. Quitter Mâcon par ③, N 79, prendre à gauche le D 28.*

L'église de St-André, bâtie à la fin du 11ᵉ s. grâce aux moines de Tournus, est isolée au milieu d'un cimetière.

Un magnifique **clocher *** octogonal d'une grande élégance, comparable au clocher de l'église St-Marcel de Cluny, mais de lignes plus pures, domine l'abside flanquée de deux absidioles. Il est coiffé d'une flèche de pierre, restaurée au siècle dernier.

Entrer par le grand portail du cimetière pour faire le tour de l'édifice.

Pour visiter l'intérieur, demander la clé à la ferme voisine, chez M. Pelletier.

Le chœur est particulièrement intéressant par ses colonnettes et ses chapiteaux historiés.

Circuit Lamartine. — *62 km – environ 2 h. Description p. 116.*

De Tournus à Mâcon, de la vallée de la Grosne au val de Saône, le Mâconnais déroule ses paysages dont les aspects divers raviront le touriste.

UN PEU DE GÉOGRAPHIE

S'étageant sur la rive droite de la Saône en gradins parallèles, les monts du Mâconnais se terminent au Nord sur la plaine chalonnaise, au-delà de Tournus. A l'Ouest, la vallée moyenne de la Grosne les sépare du Charollais et la transition avec le Beaujolais, au Sud, est insensible.

Si les monts du Mâconnais sont peu élevés (signal de la Mère Boitier 758 m), ils n'en sont pas moins pittoresques et présentent les aspects les plus variés. Les forêts des sommets, les landes arides des versants mal exposés contrastent avec les prairies qui tapissent les dépressions humides, tandis que le vignoble recouvre les paliers dominant la Saône et les versants bien exposés des coteaux.

C'est en Mâconnais qu'apparaissent les premières influences méditerranéennes : les grands toits pointus couverts d'ardoises ou de tuiles plates sont remplacés par les toits plats couverts de tuiles rondes dites tuiles « romaines » ou provençales. C'est un pays de transition entre le Nord et le Midi. Le climat y est plus doux que dans la Bourgogne du Nord.

LES VINS DU MÂCONNAIS

Les moines de Cluny ont planté les premières vignes du Mâconnais dont les cépages les plus fameux sont le Chardonnay, le Pinot et le Gamay.

Le roi et le vigneron. — Simple vigneron de Chasselas, **Claude Brosse,** homme d'une stature colossale, n'hésite pas à entreprendre le voyage de Paris afin de faire connaître les vins de son pays. Il charge deux barriques de son meilleur vin sur une charrette tirée par deux bœufs et arrive dans la capitale après un voyage de 33 jours. S'étant rendu à Versailles, il assiste à la messe du Roi. Après l'office, Louis XIV, qui a remarqué la taille herculéenne de cet inconnu, ordonne qu'il lui soit amené.

Sans se démonter, Claude Brosse expose au monarque le but de son voyage et lui dit son espoir de vendre son vin à quelque grand seigneur. Le Roi veut goûter ce vin sur le champ et le trouve bien supérieur à ceux de Suresnes et de Beaugency, alors en usage à la Cour. Demandés par tous les courtisans, les vins de Mâcon ont acquis désormais leurs titres de noblesse, et l'audacieux vigneron passe le reste de sa vie à transporter et à vendre à Paris et Versailles la récolte de ses vignobles.

L'extension du vignoble. — Le vignoble mâconnais jouxte dans sa partie Sud le vignoble du Beaujolais; il s'étend de Romanèche-Thorins, au Sud, à Tournus au Nord. Dans le Mâconnais est incluse la région du Pouilly-Fuissé qui produit des vins blancs fins. La production totale annuelle du Mâconnais est de 200 000 hl environ dont les 2/3 de vins blancs.

Les principaux crus. — Jusqu'au 19ᵉ s., la région produisait essentiellement un vin rouge de qualité moyenne, le « grand ordinaire ». Actuellement, le vignoble mâconnais produit de très bons vins rouges, et surtout de grands vins blancs.

Les vins blancs : l'encépagement est constitué par le « Chardonnay », grand cépage blanc de la Bourgogne et de la Champagne blanche. Le cru le plus célèbre est le Pouilly-Fuissé. C'est un vin d'une belle couleur d'or vert, vin sec, nerveux, fruité d'abord et, avec le temps, bouqueté. S'apparentant de près au Pouilly-Fuissé, le Pouilly-Loché, le Pouilly-Vinzelles, le Saint-Véran et le Mâcon-Viré sont également des crus très réputés.

Les autres vins blancs sont vendus sous le nom de Bourgogne blanc, Mâcon blanc et Mâcon-Villages, et sont aussi produits par le Chardonnay.

Les vins rouges : sans prétendre égaler en qualité les grands crus, ils peuvent être considérés comme des vins de valeur. Assez corsés et fruités, ils sont généralement produits par le « Gamay noir à jus blanc ».

LA MONTAGNE

De Tournus à Mâcon — *71 km – environ 2 h – schéma p. 115.*

Ce parcours permet à la fois de traverser une région pittoresque offrant de belles vues et des panoramas étendus, et de visiter des églises romanes et de nombreux édifices intéressants.

Un circuit fléché des églises romanes a été mis en place; il recoupe partiellement l'itinéraire proposé ci-dessous.

Quitter Tournus (p. 158) par ③, D 14. La route s'élève rapidement, procurant des vues sur Tournus, le val de Saône et la Bresse. Après le col de Beaufer, le paysage devient vallonné, les croupes sont couvertes de buis et parfois de pins.

Ozenay. — 277 h. Situé dans un vallon, Ozenay possède un petit castel et une église rustique des 12ᵉ et 13ᵉ s.

Au-delà d'Ozenay, apparaissent çà et là des rochers le long des pentes.
La plupart des maisons sont précédées d'un large auvent formant loggia.
Du col de Brancion, on gagne le vieux bourg de Brancion, pittoresquement perché sur un promontoire.

Brancion *. — *Page 64.*

De retour au col, aller jusqu'à Chapaize que domine son admirable clocher.

Chapaize *. — *Page 70.*

En face de l'église de Chapaize prendre le chemin de Lys et tourner à gauche vers Chissey.

Chissey-lès-Mâcon. — 246 h. Cette église du 12e s., au clocher clunisien élégant, abrite des chapiteaux historiés très curieux.

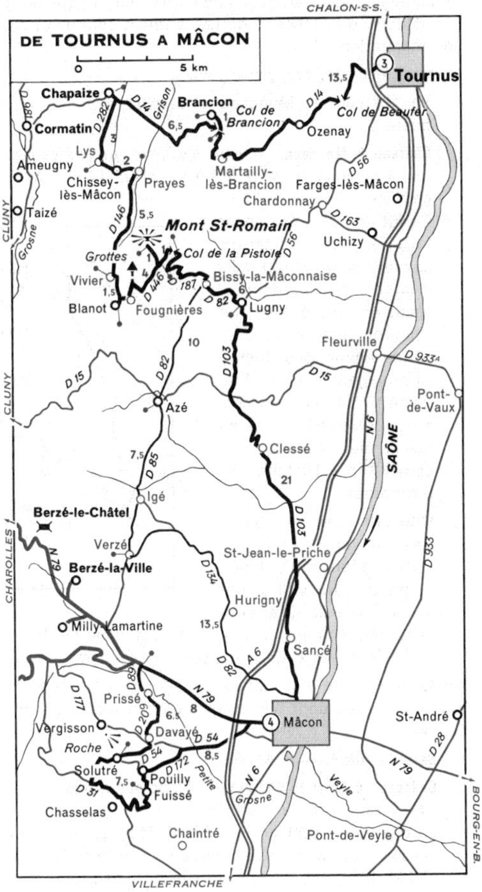

A Prayes, emprunter au Sud le D 146, qui suit la vallée du Grison, jusqu'au charmant village de Blanot.

Blanot. — *Page 59.*

Grottes de Blanot. — *1,5 km par le D 446 au départ de Blanot, plus 1/4 h à pied AR. Description p. 59.*

La route pittoresque traverse ensuite la belle forêt domaniale de Goulaine avant de monter au mont St-Romain.

Mont St-Romain ★★. — *Page 143.*

De là gagner le col de la Pistole.

A partir de Bissy-la-Mâconnaise, quelle que soit la route empruntée, par Azé, Verzé et Hurigny ou par Lugny et Clessé, on pénètre dans la zone du vignoble mâconnais.

Aze. — 553 h. *Lieu de séjour, p. 39.* Site préhistorique : dans la grotte, où coule une rivière souterraine, un musée renfermant des collections préhistoriques et gallo-romaines a été aménagé.
Visite accompagnée du musée et des grottes des Rameaux au 30 septembre de 9 h à 12 h et de 14 h à 19 h. Durée : 1 h. Entrée : 8 F; 10 F les dimanches et jours fériés.

Lugny. — 932 h. Niché dans la verdure, Lugny, qui produit un vin blanc très apprécié, *(voir p. 114)*, est situé sur la « route des vins du Mâconnais » et possède une cave coopérative.
L'église *(en cas de fermeture, s'adresser au presbytère)* renferme un retable en pierre du 14e s. représentant les douzes Apôtres.
On pourra en outre remarquer les vestiges d'un ancien château fort.

Poursuivre le D 103 jusqu'à Mâcon (p. 112).

LE VIGNOBLE

Circuit de 30 km – environ 1 h – schéma ci-dessus

Le circuit aux environs immédiats de Mâcon constitue une agréable promenade au cœur même du vignoble mâconnais, dans un paysage varié et pittoresque.

Quitter Mâcon (p. 112) par ④, N 79, et prendre aussitôt à gauche le D 54 en direction de Pouilly.

Pouilly. — Ce hameau donne son nom à des crus différents : Pouilly-Fuissé, Pouilly-Loché, Pouilly-Vinzelles. Très appréciés *(voir p. 32)*, ils accompagnent agréablement certaines spécialités bourguignonnes *(p. 34)*.
Au-delà de ce village, le vignoble s'étage sur des coteaux aux formes très douces.

De Fuissé à Solutré, la route procure des vues très étendues sur le vignoble.

Fuissé. — 391 h. C'est l'une des communes (Chaintré, Fuissé, Solutré, Pouilly, Vergisson) produisant le Pouilly-Fuissé, classé comme grand cru *(voir p. 114)*. Fuissé est un village avenant, le type même du village de vignerons aisés.

Chasselas. — 138 h. Ce petit bourg est dominé par des rochers gris affleurant sous la lande. Il a fourni un cépage qui donne un raisin de table renommé.

La roche de Solutré, telle une proue de navire, se détache sur le ciel.

Solutré. — *Page 153.*

A l'arrière-plan apparaissent la vallée de la Saône, la Bresse et le Jura. Le paysage est varié et la couleur ocre de la terre tranche avec les gris des rochers. Après Solutré, la route pénètre à nouveau au cœur du vignoble et offre une jolie vue sur le village de Vergisson et sa roche, belle table calcaire.

Par Davayé, Prissé et la N 79, revenir à Mâcon (p. 112).

Le MÂCONNAIS *

CIRCUIT LAMARTINE
62 km – environ 2 h – schéma ci-dessous

Tous ceux qu'attirent les souvenirs de Lamartine, ceux qui restent sensibles au ton élégiaque du poète ne manqueront pas de faire ce circuit qui leur permettra de retrouver les horizons et le « décor » qu'Alphonse de Lamartine a connus et dans lesquels il a puisé les sources de son inspiration.

Quitter Mâcon (p. 112) par ④, N 79.

Le château de Monceau et le village de Milly-Lamartine conservent le souvenir du poète.

Château de Monceau. — *Visite des abords du château (cour d'honneur, terrasse et chapelle) de juin à septembre, de 9 h à 12 h et de 14 h à 18 h. Fermé le dimanche. S'adresser au gardien.*

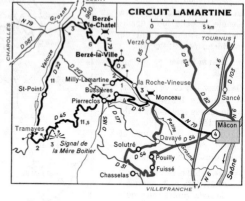

Ce fut une des résidences favorites de Lamartine *(actuellement maison d'été pour personnes âgées)* où il vécut en grand seigneur vigneron malgré les difficultés financières dues à sa prodigalité et sa générosité. C'est dans un kiosque, appelé la Solitude, au milieu des vignes, qu'il écrivit son « Histoire des Girondins ».

Milly-Lamartine. — 188 h. Une grille en fer forgé précède la maison d'enfance du poète, qui y vint à sept ans. L'église du 12ᵉ s. a été restaurée. En haut du village, devant la mairie, buste en bronze du poète et vue sur le vignoble. C'est à Milly que Lamartine a composé sa Première Méditation, « l'Isolement ».

Après une pointe à la « chapelle des Moines » de Berzé-la-Ville, la route passe au pied de Berzé-le-Châtel, dont l'imposant château féodal servait de défense avancée à l'abbaye de Cluny.

Berzé-la-Ville *. — *Page 58.*

Château de Berzé-le-Châtel *. — *Visite des terrasses autorisée de Pâques à la Toussaint, de 10 h à 12 h et de 14 h à 18 h.*

Le château féodal de Berzé-le-Châtel, qui était autrefois le siège de la plus ancienne baronnie du Mâconnais (érigée en comté sous Henri IV), et qui protégeait l'accès méridional de Cluny, occupe un site pittoresque au milieu des coteaux couverts de vigne. De la N 79 qu'il domine de sa masse imposante, on aperçoit sa triple enceinte.

Remonter ensuite la vallée de la Valouze vers St-Point, résidence favorite de Lamartine.

St-Point. — 259 h. L'église, de type clunisien, abrite deux tableaux peints par Mme de Lamartine qui repose près de son époux et d'autres parents dans la petite chapelle voisine. A gauche de l'église, une petite porte donne accès au parc du château.
Visite accompagnée du château, de 9 h 30 à 11 h 30 et de 14 h à 17 h. Fermé le vendredi matin et le matin des dimanches et jours fériés. De novembre à mars, se renseigner préalablement ☎ 50.50.30. Durée : 1/2 h. Entrée : 4 F. Sonner à droite.
Remanié de 1833 à 1855, le château fut la résidence préférée de Lamartine. A l'intérieur, on visite son cabinet de travail, sa chambre, son salon, qui contiennent de nombreux souvenirs. La propriété renferme de beaux arbres : « le Chêne de Jocelyn » se dresse à 1 km environ du château.

Un **lac** artificiel de 15 ha, situé peu après St-Point en bordure du D 22, réalisation intercommunale, offre un choix de distractions et d'activités sportives.

Après Tramayes, la route, pittoresque, procure des vues étendues, dominée par le Signal de la Mère Boitier (altitude 758 m), point culminant du Mâconnais.

Signal de la Mère Boitier. — *3 km au départ du D 45 ; un chemin revêtu, très raide, donne accès à un parking ; de là, 1/4 h à pied AR.* Du signal, beau **panorama *** permettant de découvrir la butte de Suin au Nord-Ouest, la montagne de St-Cyr à l'Ouest, la Bresse et le Jura à l'Est.

Pierreclos. — 727 h. C'est dans son château du 17ᵉ s. que vécut Mlle de Milly, la Laurence de « Jocelyn ».

Bussières. — 318 h. L'abbé Dumont, premier maître et ami de Lamartine qui l'a immortalisé dans Jocelyn, repose contre le chevet de la petite église (plaque commémorative sur l'ancien presbytère).

Retour à Mâcon par le D 45 et la N 79.

MARCIGNY

Carte Michelin n° **73** - Nord du pli ⑦ – *Schéma p. 65.* – 2 611 h. (les Marcignots).

Agréablement situé à proximité de la Loire sur les dernières pentes du Brionnais, ce petit bourg a conservé beaucoup de cachet, avec ses maisons anciennes.

Avec une automobile pour 23 habitants, Marcigny détenait, en 1922, le record de France de la spécialité, à une époque où la construction automobile de grande série ne faisait que débuter.

Tour du Moulin. — *Visite de 14 h à 18 h. Fermé en décembre. Entrée : 5 F. Pour visiter, s'adresser à la maison à côté ou sonner à la porte.*

La tour du Moulin, fragment d'un ancien prieuré de Dames Bénédictines est une belle construction du 15ᵉ s., aux murs curieusement ornés de boulets de pierre en relief.

Un musée consacré à l'histoire locale a été installé à l'intérieur. Il présente en outre des collections de faïences anciennes et de majoliques italiennes, d'importantes sculptures du 12ᵉ au 17ᵉ s., une pharmacie comptant 113 vases de Nevers et enfin deux drageoirs de Bernard Palissy (16ᵉ s.). Au dernier étage on découvre la magnifique envolée de la haute **charpente** * en châtaignier.

Maisons anciennes. — Rue de l'Hôtel-de-Ville, à droite de l'église, bel ensemble de maisons à pans de bois.

Église. — Elle date du 12ᵉ s. Seule la façade romane présente un certain intérêt.

MATOUR

Carte Michelin n° **69** - Sud du pli ⑱ – 1 250 h.

A la limite du Mâconnais, du Charollais et du Beaujolais, Matour occupe le centre d'un vaste cirque de montagnes boisées, à la naissance de la Grosne. Les pentes qui environnent ce petit bourg sont couvertes de cultures. Plus haut, la forêt, peuplée en partie de résineux, couvre les sommets qui cependant offrent de vastes panoramas.

EXCURSIONS

Montagne de St-Cyr. — *7 km au Nord-Ouest. Quitter Matour par le D 211. A 4 km, tourner à gauche.*

Un chemin à droite donne accès à la table d'orientation de la Montagne de St-Cyr, à 792 m d'altitude. On jouit d'une belle vue sur les monts du Charollais.

Arboretum de Pezanin. — *9 km au Nord. Quitter Matour à l'Est par le D 987. A 4 km, prendre à gauche le D 95.*

L'Arboretum de Pezanin couvre 18 ha. Dans un site agréable, tout autour d'un étang, sont entretenus avec soin de beaux arbres exotiques (Chine, Japon, Australie, Amérique , etc.) Créé de 1903 à 1923, il compte plusieurs centaines d'espèces.

Visite les jours ouvrables. S'adresser au gardien.

Le tableau de la page 40 donne la signification des signes conventionnels employés dans ce guide.

METZ-LE-COMTE (Église de)

Carte Michelin n° **65** - pli ⑮ – 14 km au Sud-Est de Clamecy – *Schéma p. 120.*

Perchée sur une butte isolée du village, l'église de Metz-le-Comte, que l'on atteint par une forte montée, constitue, avec son cimetière ombragé de beaux arbres, un **site** * pittoresque.

Cette église romane, remaniée au 15ᵉ s., dont les bas-côtés sont voûtés en demi-berceaux, s'abrite sous un joli toit de pierres plates descendant presque jusqu'à terre. De la terrasse, derrière l'église, on découvre une **vue** * étendue sur l'Avallonnais et le Morvan et, de l'autre côté, sur la vallée de l'Yonne.

MONTBARD

Carte Michelin n° **65** - Sud-Est du pli ⑦ – 7 749 h. (les Montbardois).

Étagé sur une colline qui barre le cours de la Brenne, Montbard est devenu un important centre métallurgique spécialisé dans la fabrication des tubes d'acier.

Le souvenir de Buffon a effacé celui des comtes de Montbard qui construisirent la forteresse devenue résidence des ducs de Bourgogne.

UN GRAND SAVANT

Georges-Louis Leclerc de Buffon. — Né à Montbard en 1707, il est le fils d'un conseiller au Parlement de Bourgogne. Très jeune, il se passionne pour les sciences ; il rapporte de plusieurs voyages en France, en Italie, en Suisse et en Angleterre le très vif désir d'étudier la nature.

En 1733, âgé seulement de 26 ans, il entre à l'Académie des Sciences où il succède à Jussieu.

Sa nomination au poste d'Intendant du Jardin du Roi, en 1739, est décisive pour sa carrière. A peine entré en fonctions, il conçoit le vaste dessein d'écrire l'histoire de la nature. Désormais il consacre tout son temps et toutes ses forces à cette gigantesque entreprise. En 1749 sont publiés les trois premiers tomes de son « Histoire naturelle » dont les volumes suivants vont se succéder sans interruption pendant quarante ans.

MONTBARD

En 1752, Buffon est élu à l'Académie française. Les honneurs qui lui sont prodigués, juste récompense de ses travaux et de ses mérites, n'ont pas de prise sur lui. Les souverains de l'Europe entière et les plus grands personnages de son temps sollicitent son amitié et s'honorent de l'obtenir. « Monsieur de Buffon, lui dit l'empereur d'Allemagne Joseph II, arrivant au Jardin du Roi sans s'être fait annoncer, nous traiterons ici, si vous le voulez bien, de puissance à puissance, car je me trouve actuellement sur les terres de votre empire ». Le prince Henri de Prusse lui rend visite à Montbard et la tsarine Catherine II reçoit son fils en Russie.

Aidé par Daubenton, Buffon réorganise le « Jardin du Roi », augmentant considérablement les collections du Cabinet d'Histoire naturelle.

Buffon à Montbard. — Mais Buffon n'aime point Paris et les distractions que lui offre la capitale ne lui permettant pas de travailler à son gré, il s'établit à Montbard, son pays natal. Il installe à Buffon des forges qu'il dirige en personne.

Seigneur de Montbard, il fait raser le donjon central et les annexes du château, ne conservant que le mur d'enceinte et deux des dix tours. Il fait aménager des jardins en terrasses et plante des arbres d'essences variées sans négliger fleurs et légumes.

C'est à Montbard, où il menait la vie de son choix, que Buffon rédigea une grande partie de son œuvre. Il mourut à Paris, au Jardin du Roi, en 1788.

■ CURIOSITÉS
visite : 1 h

Parc Buffon*. — *Visite du parc (entrée libre), de la tour de l'Aubespin, de la tour St-Louis et du cabinet de travail de Buffon, de 9 h à 11 h 30 et de 15 h à 18 h. Fermé le jeudi. Sonner à la tour St-Louis. Entrée : 4 F pour l'ensemble.*

Les jardins aménagés par Buffon, légèrement modifiés par le temps, forment le parc Buffon qui constitue une pronade très agréable.

Il est sillonné d'un grand nombre de sentiers et d'allées dont certaines longent les remparts de l'ancien château.

Tour de l'Aubespin. — Haute de 52 m, elle est fort bien conservée. De son sommet, on a une belle vue sur la ville et ses environs. Collections d'histoire locale.

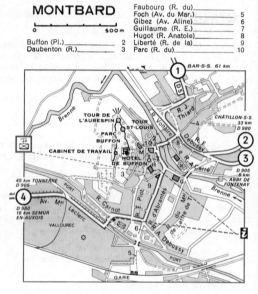

MONTBARD

Buffon (Pl.)	2
Daubenton (R.)	3
Faubourg (R. du)	
Foch (Av. du Mar.)	5
Gibez (Av. Aline)	6
Guillaume (R. E.)	7
Hugot (R. Anatole)	8
Liberté (R. de la)	9
Parc (R. du)	10

Tour St-Louis. — Une salle rassemble des souvenirs de Buffon.

Cabinet de travail de Buffon. — C'est dans ce petit pavillon que Buffon a rédigé une grande partie de son « Histoire naturelle ».

Chapelle de Buffon. — Buffon a été inhumé le 20 avril 1788 dans le caveau d'une petite chapelle accolée à l'église St-Urse, en dehors de l'enceinte.

Hôtel de Buffon. — Buffon fit construire le vaste et confortable hôtel qui constitue le n° 1 de la place qui porte son nom. Par un pont-passage, Buffon gagnait directement ses jardins et son cabinet de travail.

EXCURSION

Ancienne abbaye de Fontenay**. — *6 km, plus 1/2 h de visite. Quitter Montbard par ③, D 905. A Marmagne, prendre à gauche le D 32, petite route pittoresque souvent ombragée. Description de l'abbaye p. 105.*

MONTENOISON (Butte de) *
Carte Michelin n° **65** - pli ⑭ – 10 km au Nord-Est de Prémery.

Au sommet de l'une des collines les plus élevées du Nivernais (altitude 417 m) subsistent quelques vestiges d'un important château du 13e s., construit par Mahaut de Courtenay, comtesse de Nevers. Passer à gauche de la chapelle pour monter au calvaire élevé sur une ancienne motte féodale. De là, on découvre un vaste **panorama***, notamment sur les monts du Morvan : par temps clair, l'église de Lormes se détache nettement.

*Pour circuler en ville, utilisez les plans du **guide Michelin France** :*
— axes de pénétration ou de contournement
— carrefours aménagés, rues nouvelles
— parcs de stationnement, sens interdits...
Une abondante documentation, mise à jour chaque année.

MONTRÉAL

Carte Michelin n° **65** - pli ⑯ – 12 km au Nord-Est d'Avallon – 216 h.

Montréal, le « Mont Royal » de Brunehaut, domine la rive gauche du Serein. Enfermé dans ses remparts, le petit bourg médiéval compte parmi les plus caractéristiques de Bourgogne. Le touriste aimera ses vieilles maisons, son église dont les stalles sont célèbres et l'immense horizon que l'on découvre du petit cimetière.

■ CURIOSITÉS _visite : 3/4 h_

Le vieux bourg. — On entre par la porte d'En-Bas aux belles arcades du 13ᵉ s. et l'on monte par la rue principale bordée de pittoresques maisons anciennes des 15ᵉ et 16ᵉ s.

Église. — _Fermée du 15 novembre à fin mars; s'adresser au presbytère ou à côté à Mme Person._ Cet édifice de style ogival primitif du 12ᵉ s. a été restauré par Viollet-le-Duc. La porte d'En-Haut qui précède l'église lui sert de clocher. Le portail en plein cintre de la façade est orné de redents descendant le long des piédroits et du trumeau et surmonté d'une rosace. A l'intérieur, au bas de la nef, une tribune en pierre du 12ᵉ s. est supportée par une fine colonnette.

Les 26 **stalles★**, en chêne sculpté du 16ᵉ s., attribuées aux deux frères Rigolley, de Nuits-sous-Ravières, sont d'une exécution remarquable. Tous les sujets traités, la plupart du Nouveau Testament, méritent également de retenir l'attention. Les artistes se seraient représentés en train de boire pendant une pause.

Dans le chœur à gauche, un magnifique **retable★** en albâtre du 15ᵉ s. _(mutilé au cours d'un vol)_, d'origine anglaise, est consacré à la Vie de la Vierge.

Remarquer encore la chaire et le lutrin du 15ᵉ s., un triptyque et une Vierge en bois des 16ᵉ et 17ᵉ s., de belles pierres tombales.

Panorama. — De la terrasse, au fond du cimetière derrière l'église, on découvre toute la vallée du Serein, l'Auxois, la Terre-Plaine et, plus loin, les monts du Morvan.

Remarquer dans la plaine, en direction de Thizy, une vaste ferme bourguignonne fortifiée.

EXCURSION

Talcy. — 81 h. _5 km au Nord par le D 957 et le D 115._ Village bâti sur un versant ensoleillé au bord du plateau de Talcy et dominé par son église romane. L'intérieur a été remanié à la Renaissance _(M. le Maire détient la clef)._

(D'après photo Arthaud, Grenoble.)
Montréal. — Stalles de l'église.

Le MORVAN ★★

Cartes Michelin n°ˢ **65** - plis ⑮ ⑯ ⑰ et **69** - plis ⑥ ⑦ ⑧.

A l'écart des grandes routes, le massif du Morvan reçoit un nombre croissant de visiteurs attirés par ses vastes forêts, ses escarpements rocheux, ses cours d'eau rapides qu'apprécient les canoéistes, ses lacs de barrage, ses rivières et ses étangs qui attirent environ 60 000 pêcheurs chaque année, ses vallées encaissées, ses sites pittoresques.

Véritable région naturelle entre le Nivernais et la Bourgogne, le Morvan n'a jamais eu d'existence politique ou administrative propre; il est dépourvu de limites historiques. Les caractères géographiques seuls le distinguent des contrées environnantes.

Au loin, il se signale par la masse sombre de ses forêts : Morvan, selon l'étymologie celtique, ne signifie-t-il pas « montagne noire »?

UN PEU DE GÉOGRAPHIE

La formation du pays. — Le Morvan, surtout formé de roches granitiques, était à l'époque primaire un massif très élevé que l'action des pluies, du gel, des eaux courantes a fort abaissé. Le massif, ainsi aplani, fut complètement immergé à l'époque secondaire. Au tertiaire, le Morvan fut basculé vers le Nord, par suite du mouvement de surrection du plissement alpin. Ce mouvement, extrêmement violent, provoqua de multiples fractures du sol (failles) et raviva l'action des eaux courantes qui, dès lors, reprirent le creusement de leurs vallées en gorges. Le Morvan présente ainsi non seulement des formes lourdes et massives, des croupes arrondies, mais aussi des versants abrupts, des escarpements de failles et des vallées encaissées.

Les deux Morvans. — Le Morvan forme un quadrilatère de 70 km de longueur sur 50 km de largeur, s'étendant d'Avallon à St-Léger-sous-Beuvray et de Corbigny à Saulieu.

Quand on l'aborde par le Nord, le Morvan ressemble à un vaste plateau à peine bosselé qui s'élève lentement vers le Sud. Ces ondulations, qui s'étagent et viennent rejoindre en pente douce le Bassin parisien, forment le Bas-Morvan. L'altitude ne dépasse pas 600 m.

C'est dans la partie méridionale – au Sud de Montsauche – que se dressent les plus hauts sommets : mont Beuvray 821 m, mont Preneley 855 m, massif du Bois du Roi (où le Haut-Folin culmine à 901 m). C'est le Haut-Morvan, dont les sommets cessent brusquement au-dessus de la dépression de l'Autunois et parviennent ainsi, en dépit de leur faible altitude, à communiquer à la région un caractère montagneux.

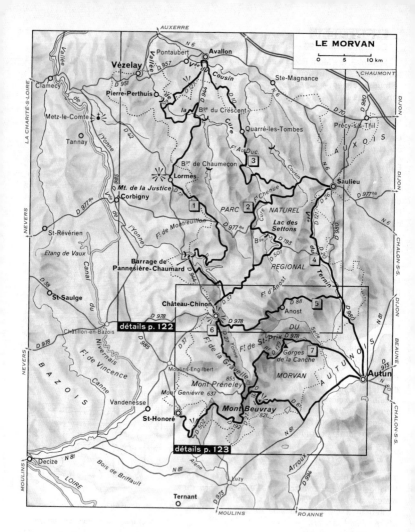

Le pays de l'eau et de la forêt.

Le pays de l'eau et de la forêt. — En raison de sa position et de son altitude, le massif du Morvan connaît des pluies fréquentes et abondantes. Il reçoit en moyenne de 1 000 mm d'eau par an sur ses bordures à plus de 1 800 mm sur le Haut-Folin; il pleut ou il neige 180 jours sur les sommets. Les longues pluies et la fonte des neiges transforment en torrent le moindre ruisseau. La roche imperméable, recouverte d'arène granitique (sorte de sable grossier), fait du Morvan une éponge gorgée d'eau : l'Yonne, la Cure, le Cousin et leurs affluents roulent alors leurs eaux tumultueuses.

Toutes ces rivières, jadis exploitées pour le flottage des bois *(voir p. 80),* sont maintenant utilisées pour la création de l'énergie électrique. Plusieurs barrages et retenues (Pannesière-Chaumard, les Settons, Crescent, Chaumeçon) permettent de régulariser les cours d'eau au moment des crues et de soutenir leur débit en période d'étiage; celui de St-Agnan constitue une réserve en eau potable.

La forêt qui couvre au moins le tiers et souvent la moitié de la superficie des communes morvandelles est l'élément caractéristique du massif. Progressivement les forêts de hêtres ou de chênes sont repeuplées en résineux. Le flottage « à buches perdues » vers Paris a disparu et actuellement le bois est transporté par camions aux usines voisines (menuiserie et surtout carbonisation du bois).

LA VIE DANS LE MORVAN

Pendant très longtemps, le Morvan, pays rude et maigre, a été en butte aux quolibets de ses voisins. C'est en Bourgogne qu'est né le dicton : « il ne vient du Morvan ni bonnes gens, ni bon vent », jugement injuste mais qui traduit bien le sentiment de supériorité du riche Bourguignon vis-à-vis de ces « Morvandiaux » dont le pays ne possède ni vignobles, ni champs fertiles. Ne pouvant tirer qu'un mince profit du sol de leur pays natal, les hommes n'hésitaient pas à « descendre » dans les plaines voisines du Bazois ou de l'Auxois, riches contrées d'élevage et de culture, tandis que les femmes pratiquaient le métier de nourrice.

Les nourrices morvandelles. — Au 19e s. surtout, l' « élevage » humain est la grande particularité du Morvan. A la ville, il n'est pas de bon ton que les jeunes mères allaitent leurs enfants et les Morvandelles sont d'excellentes nourrices. Tantôt elles vont à Paris « se mettre en nourriture », tantôt elles accueillent chez elles les bébés qu'on leur confie. A cette époque, nombreux sont les enfants parisiens qui passent dans le Morvan leurs premiers mois.

Ressources actuelles. — De nos jours, le Morvan est encore loin de constituer une région riche et prospère. Néanmoins le défrichement des landes et l'assèchement des marais ont permis d'y aménager des pâturages. La terre a été fertilisée et amendée grâce au chaulage.

L'Avallonnais et le Morvan sont des régions touristiques. Le faible éloignement de Paris (200 à 300 km) permet aux Parisiens de venir en week-end dans le Morvan et d'y trouver, avec l'air pur et le calme, l'impression de la montagne.

Dans la partie la plus élevée du massif, au Sud-Est de Château-Chinon, a même été aménagé un champ de ski (Haut-Folin).

LE BAS MORVAN ★

1 D'Avallon à Château-Chinon — *103 km — environ 4 h 1/2 — schéma p. 122*

Route de pénétration partant de la bordure Nord du Morvan, plus variée et plus accidentée après Lormes. L'altitude moyenne augmente et le barrage de Pannesière-Chaumard occupe un site agréable au milieu des collines boisées.

Quitter Avallon (p. 52) par le D 127.

La route s'élève rapidement et domine un instant à droite la gorge du Cousin. A la sortie du bois du Rudaillon, on aperçoit à droite Vézelay coiffant une butte. Après Usy, la route descend dans la gorge boisée de la Cure qu'elle franchit.

Plus loin, prendre à droite le D 453 puis le chemin du barrage de Malassis.

Barrage de Malassis. — *Page 92.*

Après Domecy-sur-Cure, la route devient très sinueuse; elle surplombe la vallée encaissée de la rivière qu'elle franchit après St-André-en-Morvan.

Après les Ouches, prendre à droite le D 944.

Le château de Chastellux apparaît perché au sommet d'une butte dominant la Cure.

Château de Chastellux-sur-Cure. — *Page 92.*

Tourner ensuite dans un chemin en forte descente : vues sur la retenue du barrage du Crescent, parmi les collines boisées et les prairies.

Barrage du Crescent. — *Page 92.*

On gagne Lormes par le D 944.

Lormes. — *Page 111.*

Peu après Lormes, quitter le D 944 pour prendre à gauche le D 17 qui traverse Ouroux.

Ouroux-en-Morvan. — *Page 77.*

A 1,5 km prendre à droite le D 12 en direction de Chaumard.

La descente vers le réservoir de Pannesière procure sur les deux derniers km de superbes vues plongeantes sur le plan d'eau.

Avant Chaumard, tourner à droite à angle aigu dans le D 303 qui longe la retenue, puis s'engager sur la crête du barrage. Au-delà, suivre à gauche le D 944, puis le D 161 qui longe la retenue.

Barrage de Pannesière-Chaumard ★. — *Page 130.*

Rejoindre le D 37 après Corancy pour gagner Château-Chinon (p. 75).

2 De Château-Chinon à Saulieu — *59 km — environ 2 h 1/2 — schéma p. 122*

La route offre de jolies vues sur le lac des Settons et la haute vallée de la Cure.

Quitter Château-Chinon (p. 75) par le D 944, qu'on laisse bientôt pour prendre à droite le D 37.

Après un pont sur l'Yonne, s'offre bientôt à gauche une vue sur le site de Corancy accroché à une colline. La route, très sinueuse, contourne à mi-côte des vallons boisés.

Planchez. — *426 h. Lieu de séjour, p. 39.*

Après Planchez, une route à droite mène au lac des Settons.

Lac des Settons ★. — *Page 153.*

Après un pont sur la Cure, on longe la rive Sud du lac. Le D 193 que l'on suit à gauche s'élève et offre de jolies vues sur le lac et ses îles boisées. On atteint bientôt la charmante station des Settons puis le barrage formant ce beau lac artificiel, qu'on laisse à gauche.

Montsauche. — *851 h. Lieu de séjour, p. 39.*

A 650 m d'altitude, au cœur du parc naturel du Morvan, Montsauche est la station la plus élevée du massif. Elle a été reconstruite, comme Planchez, après avoir été aux trois quarts incendiée en 1944.

Prendre à droite le D 977 bis. La route, descend rapidement dans la vallée de la Cure et franchit la rivière un peu avant Gouloux.

Saut de Gouloux. — *1/4 h à pied AR.* Le Caillot forme, un peu avant son confluent avec la Cure, une belle cascade appelée Saut de Gouloux. On y accède par un sentier qui, dans le premier tournant après le pont sur la Cure, descend à droite.

On traverse ensuite des forêts et un plateau parsemé de bois et d'étangs pour gagner Saulieu *(p. 145)*, à la lisière orientale du Morvan.

3 De Saulieu à Avallon — *55 km — environ 2 h 1/2 — schéma p. 122*

Entre Saulieu et Avallon, petites villes situées l'une et l'autre en bordure du Morvan, la route s'enfonce dans le massif, au milieu de vastes forêts dans un décor pittoresque.

Quitter Saulieu (p. 145) par le D 977 bis qui franchit un plateau parsemé de bois et d'étangs, puis prendre à droite la route de Dun (D 26 A) qui traverse une région en grande partie boisée.

Le MORVAN ★★

Forêt de Breuil-Chenue. — 2,5 km après la Vie du Gros Chêne, prendre à droite un chemin qui conduit à une maison forestière près de laquelle a été aménagé un enclos à chevreuils. Des miradors situés à l'extérieur de l'enceinte permettent d'observer les animaux.

Un sentier d'observation *(parcours 1 h)* cerne un périmètre élargi, intéressant à parcourir.

Rejoindre le D 6.

Dun-les-Places. — 551 h. Au Nord du village, un sentier *(1/2 h à pied AR)* conduit au calvaire (altitude 590 m), d'où l'on découvre un **panorama ★** circulaire sur les monts du Morvan.

De Dun-les-Places, une route pittoresque mène au hameau du Vieux-Dun.

Rocher de la Pérouse. — *1/2 h à pied AR.* Au pont de la Cure, en contrebas du Vieux-Dun, s'engager à droite dans une route forestière que l'on suit sur 1,6 km avant de laisser la voiture au parc signalé, à 200 m du rocher. Un sentier en forte montée permet d'atteindre le sommet.

De là se révèle un **point de vue** intéressant sur la vallée solitaire de la Cure et les croupes arrondies du massif.

Poursuivre le long de la route forestière, puis, par le D 10, gagner Quarré-les-Tombes.

Quarré-les-Tombes. — *Page 137.*

Au-delà de Marrault, on aperçoit Avallon.

Après un parcours en forêt, on rejoint le D 944 qui longe le Cousin avant d'entrer dans Avallon *(p. 52)*, ville pittoresquement bâtie sur un éperon rocheux.

VALLÉE DU TERNIN

4 **De Saulieu à Autun** — *45 km — environ 1 h — schémas ci-dessous et p. 123*

Pittoresque route de vallée.

Sortir de Saulieu (p. 145) par le D 26, au Sud-Ouest du plan. La route grimpe rapidement sur un plateau qu'elle franchit pour suivre la **vallée du Ternin**. La rivière serpente dans un paysage verdoyant entre des mamelons aux sommets boisés.

La vallée, qui se resserre après Alligny-en-Morvan, s'élargit de nouveau aux approches du D 980 que l'on rejoint par le D 20 à gauche. Chissey-en-Morvan *(lieu de séjour, p. 39)* et Lucenay-l'Évêque sont les seules localités un peu importantes jalonnant la route.

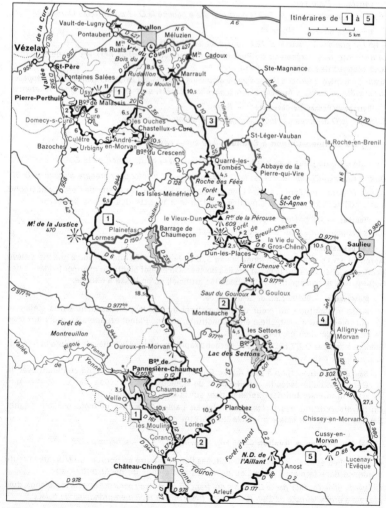

LE HAUT MORVAN *

5 De Château-Chinon à Autun — *54 km — environ 1 h 1/2 — schéma ci-dessous*

Parcours pittoresque de Château-Chinon à Lucenay-l'Évêque procurant des vues variées et étendues sur les hauts sommets du Morvan.

Quitter Château-Chinon (p. 75) par le D 978.

La route traverse de beaux paysages mamelonnés; de nombreux villages s'étagent sur les collines dans une multitude de prés entourés de haies vives.

Arleuf. — *Page 76.*

Après Arleuf, on prend à gauche le D 177, puis le D 88, petites routes très pittoresques menant à Anost.

Anost. — 867 h. Dans un site agréable et pittoresque, Anost offre au touriste la possibilité de nombreuses promenades en particulier dans la forêt *(itinéraires balisés)*, et autour d'un enclos à sangliers *(3 km au Nord par le D 2).*

Notre-Dame de l'Aillant. — *2,5 km AR au départ d'Anost, plus 1/4 h à pied par le D 2 et un sentier.* A hauteur de la statue de la Vierge, on découvre un **panomara*** demi-circulaire sur la cuvette d'Anost et, au-delà des collines, sur la dépression d'Autun.

Au Nord-Est d'Anost, le D 88, sinueux, procure de nombreuses vues sur les collines et les croupes boisées.

Cussy-en-Morvan. — 522 h. Cette petite localité est curieusement bâtie à flanc de colline dans un site agréable. L'église renferme une intéressante Vierge à l'Enfant du 15e s.

Continuer le D 88 en descente rapide sur Mortaise, où l'on prend à droite le D 980. De Lucenay-l'Évêque à Reclesne, la descente révèle le site d'Autun *(p. 44)*, groupé dans un hémicycle de collines boisées.

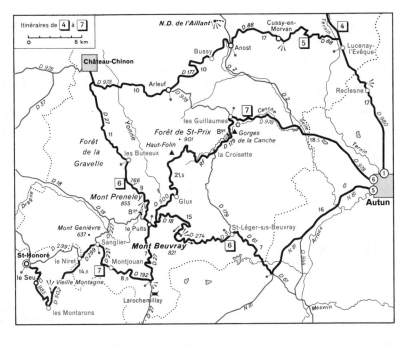

6 Forêt de la Gravelle et Mont Beuvray — *59 km — environ 1 h 1/2 — schéma ci-dessus*

Parcours traversant un massif forestier et offrant des vues étendues.

A la sortie Sud de Château-Chinon (p. 75), prendre à droite le D 27 tracé à flanc de pente.

La vue se dégage vers l'Ouest sur un paysage de prés, de cultures et de bois, puis la route en montée pénètre dans la forêt de la Gravelle. Elle suit la ligne de partage des eaux entre les bassins de la Seine (l'Yonne est à l'Est) et de la Loire (l'Aron et ses affluents coulent vers l'Ouest).

Échappée, à droite, sur une lande aride couverte de genêts peu avant d'atteindre le point culminant de la route (766 m) et de quitter la forêt. Une belle vue panoramique se révèle vers le Sud sur un petit barrage blotti au fond d'un creux verdoyant dominé par des croupes boisées qui limitent le Morvan.

Prendre à gauche le D 18 en direction du Puits, laissant à droite le D 27 en direction de Luzy, puis à droite la route du mont Beuvray à sens unique et en forte montée.

Mont Beuvray. — *Page 58.*

La route passant à St-Léger est encore pittoresque jusqu'à la N 73 qui conduit à Autun *(p. 44)* en suivant la dépression de l'Arroux.

Le MORVAN ★★

GORGES DE LA CANCHE ★

⑦ De St Honoré à Autun — 74 km — environ 2 h 1/2 — schéma p. 123

Quitter St-Honoré (p. 139) par le D 985 qui offre bientôt à droite une lolie vue sur l'étang du Seu. Ce parcours à travers une région mouvementée est très varié et pittoresque. A partir de Montaron, l'itinéraire emprunte une succession de petites routes qui le font passer devant la Vieille Montagne et au pied du mont Genièvre.

Vieille Montagne. — *Du D 502, 1/2 h à pied AR. Description p. 140.*

Du D 27, on aperçoit sur un haut rocher le château de Larochemillay.

Larochemillay. — 516 h. Le château actuel *(on ne visite pas)* qui remplaça au 18ᵉ s. un château féodal est construit sur un piton dominant la vallée de la Roche.

Le Puits. — Ce petit hameau est au carrefour des itinéraires ⑥ et ⑦ .

Après le Puits prendre à gauche le D 500 qui passe par Glux et s'élève jusqu'à la maison forestière du Pré du Massé; de là, prendre à gauche la route forestière qui pénètre dans la forêt domaniale de St-Prix, où se situe le Haut-Folin.

Haut-Folin. — Alt. : 901 m. Point culminant du Morvan. Un champ de ski a été aménagé sur ses pentes par le Club Alpin Français *(remonte-pente et chalet ouvert en saison d'hiver, durant les vacances scolaires et tous les dimanches).* Au sommet a été construite une station-relais de télévision.

Rejoindre la route forestière de la Croisette qui traverse en forêt un magnifique peuplement d'épicéas et de sapins aux fûts immenses.

A la maison forestière de la Croisette, prendre à gauche le D 179.

Gorges de la Canche. — La route suit à flanc de coteau les gorges de la Canche dans un paysage tourmenté de bois et de rochers. Dans un virage à gauche, un beau point de vue se dégage à hauteur d'un petit parc à voitures. On aperçoit, au fond de la gorge, le bâtiment blanc de l'usine hydro-électrique de la Canche.

Le D 978 conduit à Autun (p. 44).

◼ MOULINS-ENGILBERT ────────────

Carte Michelin n° **69** - pli ⑥ – *Schéma p. 120* – 1 832 h. – *Lieu de séjour, p. 39.*

A la limite du Bazois et du Morvan, Moulins-Engilbert, l'un des chefs-lieux du Nivernais comtal, ne perd sa quiétude que les jours de ses grandes foires de bétail. L'harmonie de ses toits et tourelles, groupés autour de la tour gothique de l'église au clocher à flèche d'ardoise, est particulièrement heureuse.

Commagny. — *2,5 km au Sud-Ouest par la route de Decize et la rampe du prieuré, à gauche au sommet de la montée.*

Ancien prieuré bénédictin, bien situé au-dessus des herbages du Bazois.

De l'église romane on verra surtout l'abside à cinq arcatures alternativement aveugles et ouvertes, inscrites dans un décor rappelant les bandes lombardes (pilastres réunis à leur sommet par une frise d'arceaux).

La demeure du prieur (15ᵉ s.), flanquée par le clocher et une haute tour ronde, montre, au-dessus du petit cimetière, sa façade la mieux sauvegardée. En contournant le bâtiment par le pied de la tour, gagner la grille de la propriété, pour admirer le chevet de l'église. *On ne visite pas.*

◼ NEVERS ★ ────────────

Carte Michelin n° **69** - plis ③ ④ – 47 730 h. (les Nivernais).

A quelques kilomètres du confluent de la Loire et de l'Allier, Nevers, capitale du Nivernais, est la ville des belles faïences.

Du grand pont en grès roux qui enjambe le fleuve, on a une vue d'ensemble sur la vieille ville qui s'étage au flanc d'une colline et que dominent la haute tour carrée de la cathédrale et l'élégante silhouette du palais ducal.

Un échec de César. — Avant d'entreprendre le siège de Gergovie en 52 avant J.-C., César fait de la ville forte située à la limite du territoire des Éduens, qui passe généralement pour la « Noviodunum Aeduorum », un important entrepôt de vivres et de fourrages pour son armée. A l'annonce de son échec devant Gergovie, les Éduens n'hésitent pas à détruire Noviodunum par le feu rendant ainsi précaire la situation de César en Gaule.

Faïence et verres filés. — Devenu duc de Nivernais en 1565, **Louis de Gonzague,** troisième fils du duc de Mantoue, fait venir d'Italie un grand nombre d'artistes et d'artisans.

Il développe l'industrie de la verrerie et celle de l'émaillerie qui devient très à la mode et dont les productions – verres filés servant généralement à la composition de scènes religieuses – étaient expédiées par la Loire vers Orléans et Angers.

Louis de Gonzague introduit la faïence d'art à Nevers entre 1575 et 1585. Les frères Conrade, originaires d'Italie, « maîtres pothiers en œuvre blanche et autres couleurs », initient à leur art une pléiade d'artisans locaux. Peu à peu, la forme, les coloris, les sujets d'ornementation qui au début reproduisaient seulement les procédés italiens évoluent vers un style très particulier.

Vers 1650, l'industrie de la faïence atteint son apogée. 12 fabriques occupent 1 800 ouvriers. La Révolution de 1789 leur porte un grave préjudice. Actuellement, trois fabriques dont deux artisanales maintiennent la renommée de cette activité traditionnelle.

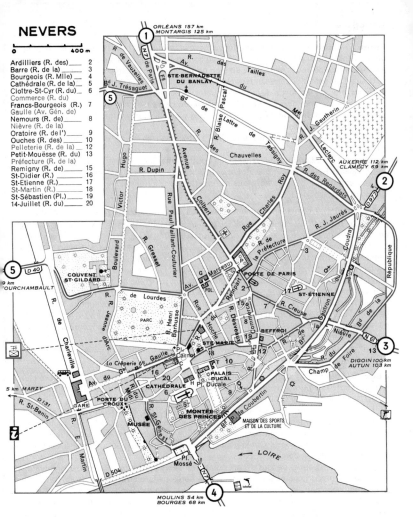

NEVERS

0 _____ 400 m

Ardilliers (R. des)_____ 2
Barre (R. de la)_____ 3
Bourgeois (R. Mlle)___ 4
Cathédrale (R. de la)___ 5
Cloître-St-Cyr (R. du)_ 6
Commerce (R. du)
Francs-Bourgeois (R.) 7
Gaulle (Av. Gén. de)
Nemours (R. de)_____ 8
Nièvre (R. de la)
Oratoire (R. de l')_____ 9
Ouches (R. des)_____ 10
Pelleterie (R. de la)____ 12
Petit-Mouësse (R. du) 13
Préfecture (R. de la)
Remigny (R. de)_____ 15
St-Didier (R.)_____ 16
St-Étienne (R.)_____ 17
St-Martin (R.)_____ 18
St-Sébastien (Pl.)_____ 19
14-Juillet (R. du)_____ 20

Le perroquet Vert-Vert. — Son histoire est contée par J.-B. Gresset, dans un poème badin écrit en 1733 : « A Nevers donc, chez les Visitandines,
Vivoit naguère un perroquet fameux...

Choyé, gâté, d'une éducation parfaite, il coulait des jours exempts de soucis. Mais les Visitandines de Nantes, ayant entendu vanter les mérites de ce merveilleux oiseau, prient leurs sœurs de Nevers de le leur envoyer pendant quelques jours. A Nevers, on se lamente, puis on se résigne. Vert-Vert part, mais, sur le coche d'eau, les mariniers de la Loire et des dragons lui enseignent un vocabulaire moins édifiant que celui des Visitandines :

« Car les Dragons, race assez peu dévote,
Ne parloient là que langue de gargotte...
... Bien vite il sut jurer et maugréer
Mieux qu'un vieux diable au fond d'un bénitier. »

A Nantes, il scandalise le monastère de ses jurons épouvantables. On se hâte de renvoyer à Nevers ce suppôt de Satan. Jugé par le conseil de l'Ordre, il est condamné au jeûne, à la solitude, et, suprême affront, au silence. Ayant fait amende honorable, il rentre en grâce auprès des Visitandines, mais il est de nouveau tant gâté qu'il meurt d'une indigestion :

« Bourré de sucre et brûlé de liqueurs,
Vert-Vert, tombant sur un tas de dragées,
En noirs cyprès vit ses roses changées. »

■ PRINCIPALES CURIOSITÉS *visite : 1 h*

Cathédrale St-Cyr-et-Ste-Julitte*. — Cette vaste basilique, où tous les styles du 10ᵉ au 16ᵉ s. se juxtaposent, a été consacrée en 1331 avant d'être complétée et plusieurs fois remaniée.

Elle présente un curieux plan, caractérisé par deux absides opposées à chaque extrémité de la nef : une romane à l'Ouest, une gothique à l'Est. Cette disposition que l'on rencontre dans quelques cathédrales des bords du Rhin (Worms, Mayence) est extrêmement rare en France.

Extérieur. — Faire le tour de l'édifice hérissé de contreforts, de piliers, d'arcs-boutants et de pinacles pour juger de la succession des styles et admirer la tour carrée, haute de 52 m, flanquée de contreforts polygonaux; l'étage inférieur est du 14ᵉ s., les deux autres, richement décorés de niches, de statues et d'arcatures, sont du 16ᵉ s.

125

Intérieur. — Des fouilles ont fait découvrir des sépultures du 12e s. et un baptistère du 6e s. *(on ne visite pas).* Le baptistère se composait d'une rotonde intérieure octogonale, portée par huit colonnes de marbre dont on ne voit que l'emplacement. Autour de la rotonde, se trouvait un déambulatoire sur lequel s'ouvraient des alvéoles décrivant une croix grecque. Entre les bras de la croix s'inscrivaient quatre absidioles semi-circulaires.

L'abside romane, dite de Ste-Julitte, surélevée de 13 marches et voûtée en cul-de-four, est décorée d'une fresque datant du 12e s., très effacée, représentant le Christ entouré des symboles des Évangélistes.

La crypte du 11e s. renferme une Mise au tombeau en pierre peinte datant du début du 16e s.

Dans le croisillon Sud du transept, on pourra remarquer une porte sculptée et un délicieux escalier Renaissance; une statue de saint Michel surmonte la cage ajourée.

La nef date du 13e s.; la base des colonnettes du triforium est ornée de petites statues. Les chapelles sont du 15e s.

Palais ducal★. — L'ancienne demeure des ducs de Nevers abrite le Palais de Justice.

La construction fut commencée dans la seconde moitié du 15e s. par Jean de Clamecy, comte de Nevers, désireux d'abandonner l'austère forteresse située à l'emplacement actuel de l'hôtel de ville. Le palais fut terminé à la fin du 16e s. par les familles de Clèves et de Gonzague. C'est l'un des plus beaux spécimens de l'architecture civile de la Renaissance.

Les grosses tours rondes de la façade postérieure donnent sur une cour qui surplombe la rue des Ouches. La façade ocre, coiffée d'ardoise, est ponctuée de deux tourelles : une belle tour centrale à pans coupés, terminée par un petit campanile, abrite l'escalier d'honneur.

Elle s'ajoure de fenêtres dont le décalage, d'un gracieux effet, souligne la révolution de l'escalier. Les bas-reliefs modernes évoquent la légende du « Chevalier au Cygne », ancêtre de la maison de Clèves et qui inspira celle de Lohengrin. Remarquer encore les mansardes à cariatides et les cheminées en tuyaux d'orgue.

Sur la tourelle de gauche, une plaque commémorative signale que des princesses nivernaises devinrent reines de Pologne.

Église St-Étienne★. — Cette belle église romane, qui fit partie autrefois d'un prieuré clunisien, présente une pureté de style et une homogénéité remarquables. Elle fut édifiée de 1063 à 1097 sur l'initiative de Guillaume Ier, comte de Nevers.

Le chevet, que l'on peut voir de la rue du Charnier, est, avec sa ceinture d'absidioles, d'une magnifique ordonnance. La tour de la croisée du transept, dont il ne reste que la souche, a été détruite sous la Révolution ainsi que les deux tours surmontant la façade.

La façade est très sobre. Quelques corbeaux de pierre, disposés en ligne, décèlent la présence d'un ancien porche.

L'intérieur, dépourvu de tout décor sculpté, en dehors des chapiteaux du déambulatoire, est de belles proportions et séduit par les tons dorés de la pierre. La nef de six travées est voûtée d'un berceau en plein cintre sur doubleaux; elle est flanquée de bas-côtés voûtés d'arêtes. Dans le chœur restauré a été implanté un autel roman. Le carré du transept est couvert d'une coupole sur trompes. La rangée de fenêtres à la naissance du berceau est d'une hardiesse impressionnante et les deux galeries du triforium ouvertes sur la nef sont remarquables.

■ AUTRES CURIOSITÉS

Porte du Croux★. — Cette belle tour carrée du 14e s., avec mâchicoulis et tourelles en encorbellement, coiffée d'une haute toiture, est un des vestiges des fortifications de la ville. Elle fut élevée de 1394 à 1398 lorsque l'on agrandit l'enceinte établie deux siècles auparavant par Pierre de Courtenay.

Un **musée archéologique** y est installé. *Visite du 1er juin à fin septembre de 14 h à 18 h; le reste de l'année les samedis et dimanches de 14 h à 18 h. Fermé les jours fériés. Entrée : 3 F.*

Il renferme des sculptures antiques (marbres grecs et romains) et une importante collection de sculptures romanes.

Musée — *Visite de 8 h à 12 h et de 14 h à 18 h. Fermé le mardi et en janvier. Entrée : 0,50 F.*

Le musée présente une très belle **collection de faïences de Nevers★** regroupée suivant les styles italien, persan, chinois, nivernais, populaire. Remarquer parmi les faïences de grand feu polychromes et camaïeux une « Vierge à la pomme » (statue de 1636) et un plat bleu de Nevers « Venus l'Amour et Mercure ».

De délicats émaux et verres filés dits de Nevers et de précieux émaux limousins complètent cet ensemble.

(D'après photo Arch. T.C.F.)

Nevers. — La porte du Croux.

Montée des Princes. — Des jardins en terrasse dominant les toits de la vieille ville, on découvre une jolie vue sur la Loire.

Couvent St-Gildard. — *Ouvert de 7 h à 19 h 30.* Pèlerinage de sainte Bernadette.

Bernadette Soubirous, favorisée à Lourdes par de nombreuses apparitions, entra dans ce couvent en 1866 et prit le voile l'année suivante sous le nom de sœur Marie-Bernard. Elle y mourut en 1879 et fut canonisée en 1933. Son corps, préservé de la corruption du tombeau, repose dans une châsse exposée dans la chapelle du Couvent, maison-mère des Sœurs de la Charité et Instruction chrétienne de Nevers.

Chapelle Ste-Marie. — C'est l'ancienne chapelle, désaffectée, du 7e monastère de Visitandines fondé en France. A la demande de l'évêque de Nevers, Mlle de Bréchard, nivernaise devenue religieuse de la Visitation et supérieure du couvent des Moulins, fut envoyée par saint François de Sales pour fonder ce monastère.

La façade, de style Louis XIII, est surchargée d'ornements dans le goût italien : niches, entablements, colonnes et pilastres.

Porte de Paris. — Cet arc de triomphe fut élevé au 18e s. pour commémorer la victoire de Fontenoy; de médiocres vers de Voltaire à la louange de Louis XV y sont gravés.

Beffroi. — Il date du 15e s. Son clocher pointu domine un vaste bâtiment abritant autrefois les halles et la salle des Échevins.

Églises modernes. — L'architecture religieuse contemporaine offre, dans les quartiers neufs de la périphérie, des exemples très originaux de cet art en plein renouveau.

Ste-Bernadette-du-Banlay (1966), délibérément anticonformiste, présente extérieurement la forme lourde et ramassée d'un blockhaus. Au contraire la nef concave, comme suspendue au 1er étage, est éclairée d'une lumière diffuse qui agrandit l'espace *(pour visiter, s'adresser au presbytère, 23 rue du Banlay).*

EXCURSIONS

Marzy. — 2 201 h. *5,5 km à l'Ouest par le D 131.* Intéressante église romane du 12e s. surmontée d'un élégant clocher à deux étages de proportions harmonieuses.

Revenir à Nevers par la route qui longe le bord de l'eau; jolie vue sur le confluent de la Loire et de l'Allier au **« Bec d'Allier ».**

Pont-Canal du Guetin. — *11 km par la route de Nevers à Bourges.* Les péniches qui suivent le canal latéral à la Loire doivent, un peu en amont de Bec d'Allier, franchir la rivière par un aqueduc très élevé qu'elles atteignent par une série de 3 écluses en escalier.

Le pays d'entre Loire et Allier. — *Circuit de 82 km — environ 4 h.* Dans la dernière partie de son cours, l'Allier, rivière épanouie mais vive encore, trace jusqu'à la Loire une voie presque directe; un pays verdoyant et bocager dont le calme est troublé seulement par le trafic de la N 7 est ainsi isolé entre l'Allier, la Loire et, au Sud, la forêt du Perray.

Les bourgs sont rares; de belles demeures se cachent au milieu de vastes domaines où se pratique l'élevage en grand des bœufs charolais.

Toute la région fut pendant la guerre de Cent Ans, le théâtre des exploits de Perrinet-Gressard *(voir p. 70).*

Sortir de Nevers par ④, N 7. A 14 km prendre à gauche la direction du circuit de Magny-Cours.

Circuit automobile de Magny-Cours. — *Suivre les panneaux fléchés.* Entre Magny-Cours et St-Parize-le-Châtel, le circuit automobile est ouvert en permanence à tous les licenciés de la F.F.S.A. et de la F.F.M. pour leur entraînement *(voitures personnelles autorisées avec une assurance prise sur place).* De plus, il est le siège d'une école de pilotage d'automobiles de courses. Des compétitions internationales s'y déroulent chaque année.

St-Parize-le-Châtel. — 985 h. Ce riant village était déjà florissant à l'époque gallo-romaine grâce à ses sources d'eau gazeuse, encore exploitées à l'Est de la localité. Son église construite sur une terrasse dominant le paysage est surtout remarquable par sa crypte du 12e s. L'interprétation des figures représentées sur les chapiteaux historiés est hasardeuse : certains voient dans les animaux musiciens, acrobates et personnages fantastiques la représentation des péchés capitaux. Les autres chapiteaux sont ornés d'éléments décoratifs hérités du paganisme – chimères, emblèmes – de feuillages et de rosaces. Un intéressant sarcophage carolingien est déposé dans un bas-côté.

Gagner St-Pierre-le-Moûtier par le D 203 et le D 978A.

St-Pierre-le-Moûtier. — *Page 142.*

Suivre la N 7 et à 8 km prendre à gauche la direction de Chantenay-St-Imbert.

Forêt du Perray. — Les 2 200 ha de la forêt du Perray s'égayent de plusieurs étangs. Au centre de la forêt, le « Rond-Point » est une vaste clairière d'où partent en étoile des allées profondes. Les coupes de bois alignées sur le pourtour justifient l'importance de la maison forestière qui règne sur le domaine. La forêt de Chabet prolonge le massif du Perray vers l'Ouest.

On rejoint le D 978A que l'on emprunte à droite jusqu'aux Raguet. Prendre alors à gauche le D 13. Tourner à droite à Luthenay-Uxeloup. Traverser le bourg.

Château de Rozemont. — A partir de 1429, Perrinet-Gressard et ses amis occupèrent Rozemont d'où ils organisaient des raids sur le Berry. Dès la sortie de Luthenay-Uxeloup, la silhouette de cette forteresse du 13e s. se détache sur l'autre versant de la vallée. Une route sinueuse permet de l'approcher *(on ne visite pas).* De la porte fortifiée, on distingue les meurtrières et les mâchicoulis de ce qui reste des tours. La vue sur Luthenay-Uxeloup à l'opposé est à son tour très plaisante.

NEVERS ∗

Descendre vers la Loire et prendre à gauche le D 116, puis le D 13.

Chevenon. — 671 h. *Pénétrer dans le village.* En bordure des coteaux qui commandent la vallée, le château occupe un site qui explique son importance. *Visite sur demande au propriétaire.*

Une impression de puissance se dégage de la haute construction dont la coloration rose adoucit la sévérité. Cet ancien logis seigneurial, étroitement resserré entre les fortes tours rondes, était autrefois entouré de fossés. L'importante forteresse avait été édifiée au 14ᵉ s. par Guillaume de Chevenon, « capitaine des châteaux et tours de Vincennes » sous Charles V. Ses héritiers réussirent à faire de leur seigneurie une des plus riches de la région.

La prospérité fut de courte durée et au temps des guerres de Religion le seigneur de Chevenon se signala surtout par des pillages et des brigandages qu'on imagine difficilement dans ce cadre aujourd'hui si calme et ordonné.

Retour à Nevers par le D 13. La route longe le canal latéral à la Loire dont les eaux calmes reflètent un paysage apaisant ; mais le fleuve, caché par une large bande alluviale, reste invisible de la route.

NOLAY

Carte Michelin n° **69** - pli ⑨ – 15 km au Nord-Ouest de Chagny – 1 686 h. – *Lieu de séjour, p. 39.*

Ce bourg, baigné par la Cosanne, s'abrite au fond d'une cuvette à proximité d'un cirque rocheux et boisé, « le Bout du Monde », célèbre par sa cascade et ses grottes. C'est la patrie de **Lazare Carnot** (1753-1823) « organisateur de la victoire » au temps de la Convention. Sa maison natale, devant laquelle se dresse sa statue, est restée propriété de la famille Carnot.

Vue d'ensemble. — Du D 33, à 2,5 km de Nolay, on a une belle vue d'ensemble sur Nolay et la vallée de la Dheune.

Vieilles halles. — Elles furent construites au 14ᵉ s. La charpente est recouverte de lourdes dalles calcaires.

Église. — Cet édifice du 15ᵉ s., reconstruit au 17ᵉ s. et récemment restauré à la suite d'un incendie, est surmonté d'un curieux clocher de pierre, abritant un jacquemart en bois polychrome du 16ᵉ s.

EXCURSIONS

La Rochepot∗. — *5 km plus 1/2 h de visite. Quitter Nolay par le D 973 à l'Est.*

La route traverse une campagne riante et vallonnée. *Description de la Rochepot p. 138.*

Vallon de la Tournée. — *5 km, plus 1/2 h à pied AR. Prendre la route de Vauchignon, étroite et sinueuse.* Sur la droite s'élèvent les **falaises de Cormot**, remarquable école pour la varappe, dont la « Dame de Paris » est la plus majestueuse aiguille.

A la sortie de Vauchignon, suivre à gauche la route remontant le vallon de la Cosanne, au pied de hautes murailles rocheuses jusqu'à un pont (fin de la route).

Le sentier de gauche, après une montée sous bois, mène à une grotte, où la Cosanne coule en cascade sur les rochers de granit rose, dans un joli site. L'autre sentier mène à travers prés au **cirque du Bout du Monde**. Dans un **site∗** remarquable au milieu d'impressionnants à-pics calcaires, tombe en pluie au centre de ce beau cirque une cascade haute de 28 m, peu abondante en général.

Chaque année,
le guide Michelin Camping Caravaning France
vous propose un choix révisé de terrains
et une documentation à jour sur leur situation,
leurs aménagements, leurs ressources, et leur agrément.

NOYERS

Carte Michelin n° **65** - pli ⑥ – 840 h.

Cernée par un méandre du Serein et resserrée entre ses remparts aux seize tours rondes, Noyers (prononcer Noyère) est une pittoresque petite ville ; ses rues aux noms évocateurs, bordées de maisons anciennes à pans de bois ou en pierre et à pignon, sur la façade desquelles grimpe parfois un charmant petit escalier extérieur, forment un ensemble très original.

Les entrées de caves s'ouvrant directement sur la rue rappellent que l'on est ici en pays de vignoble.

■ CURIOSITÉS *visite : 1/2 h*

Partir de la place de l'Hôtel-de-Ville.

Cette place est entourée de jolies maisons à pans de bois des 14ᵉ et 15ᵉ s. et de maisons à arcades. L'hôtel de ville présente une façade du 17ᵉ s. surmontée d'un fronton curviligne et ornée de balcons en fer forgé et de pilastres.

Prendre la rue du Marché-au-Blé qui conduit à la place du même nom.

Cette place, triangulaire, est bordée de maisons anciennes dont une très belle, à arcades et à pignon, sur la droite.

Par la rue de l'Église, on gagne l'église Notre-Dame.

Église Notre-Dame. — Édifice de la fin du 15ᵉ s., avec façade Renaissance et tour carrée.

Non loin de là, un petit musée présente des expositions temporaires sur l'artisanat et les traditions populaires, la peinture et l'archéologie *(visite de mi-juillet à fin août de 14 h 30 à 18 h 30; entrée : 2 F).*

Revenir place du Marché-au-Blé et prendre, sous une voûte à gauche, la pittoresque petite rue du Poids-du-Roy. Sur la gauche, aussitôt après l'arcade, ravissante maison en bois du 15ᵉ s. à colombages et à poteaux corniers sculptés.

Cette rue aboutit, par un passage couvert, à la minuscule place de la Petite-Étape-aux-Vins encadrée de maisons à pans de bois : celle qui se trouve tout de suite à gauche lorsqu'on débouche sur la place porte trois naïves sculptures représentant des saints.

La rue principale, que l'on prend à gauche, conduit à la place du Grenier-à-Sel. A l'extrémité de cette place, s'engager dans la rue de la Madeleine, au début de laquelle on verra, à gauche, une maison Renaissance portant une inscription grecque.

Revenir sur la place du Grenier-à-Sel : à gauche, le passage Hardy débouche sur la promenade, ombragée de platanes et longeant le Serein. Suivre à droite cette promenade le long de laquelle on peut voir encore les nombreuses tours qui défendaient autrefois la ville.

On arrive à la « Porte Peinte », porte fortifiée de forme carrée, par laquelle on entre dans Noyers pour regagner la place de l'Hôtel-de-Ville.

NOYERS

Bassin (R. du)	2
Église (R. de l')	3
Hardy (Pge)	4
H.-de-Ville (Pl.)	5
Jeu-de-Paume (R.)	7
Madeleine (R. de la)	8
Marché-au-Blé (R. et Pl. du)	10
Pte-Etape-aux-Vins (R. et Pl. de la)	12
Poids-du-Roy (R.)	13
Saut-Parabin (Pl. du)	14
Venoise (R. de)	15
Voûte (R. de la)	16

*Les villes, sites et curiosités décrits dans ce guide sont indiqués en **caractères noirs** sur les schémas.*

NUITS-ST-GEORGES

Carte Michelin n° 66 - Sud-Ouest du pli ⑳ – Schéma p. 87 – 5 072 h. (les Nuitons).

Cette petite ville coquette et accueillante, capitale de la Côte à laquelle elle a donné son nom *(voir p. 86),* s'enorgueillit de son vignoble qui produit des crus de renommée mondiale.

La célébrité des vins de Nuits remonte à Louis XIV. Son médecin Fagon ayant conseillé au Roi-Soleil de prendre à chaque repas quelques verres de Nuits et de Romanée, à titre de remède, toute la Cour voulut en goûter.

Le Saint-Georges, constitué en vignoble dès l'an mille, est un des crus les plus cotés.

Musée Archéologique. — *Visite du 1ᵉʳ juillet au 15 septembre de 14 h à 18 h; du 1ᵉʳ mai au 30 juin, les dimanches et jours fériés seulement, de 14 h à 18 h. Entrée : 2 F.*

Des objets gallo-romains et mérovingiens recueillis au cours de fouilles effectuées aux Bolards près de Nuits-St-Georges, y sont exposés.

OTHE (Pays d')

Carte Michelin n° 61 - plis ⑭ ⑮ ⑯.

Entre l'Yonne et la Seine, s'étend le pays d'Othe. C'est une région vallonnée et verdoyante, en grande partie occupée par la forêt. On pourra découvrir là une région plantée de pommiers qui ont remplacé la vigne et sont destinés à la production de cidre.

Auxon. — *764 h. 28 km au Sud-Ouest de Troyes par la N 77.*

A la lisière orientale de la grande forêt d'Othe, à proximité de la vallée de l'Armance, Auxon possède une **église** du 16ᵉ s., à trois nefs. Le portail latéral Renaissance italienne est finement sculpté.

A l'intérieur, statues des 14ᵉ s. et 16ᵉ s. et verrières des 15ᵉ et 16ᵉ s.

Bérulle. — *249 h. 12 km au Sud-Est de Villeneuve-l'Archevêque.*

Ce petit village était le fief de la célèbre famille de Bérulle.

Le cardinal Pierre de Bérulle (1575-1629) eut une influence politique considérable, en particulier dans son opposition aux protestants; il négocia l'accord franco-espagnol de 1626. Il contribua au mouvement de réforme catholique qui eut lieu au 17ᵉ s. afin de restaurer la rigueur de la religion. C'est le fondateur de la congrégation de l'Oratoire.

Le village possède une église du 16ᵉ s. *(clef chez M. Verhoyé – maison près du café);* elle est de style Renaissance avec fonts baptismaux de la même époque; le chœur est orné de beaux vitraux du 16ᵉ s.

Rigny-le-Ferron. — *379 h. 8 km au Sud-Est de Villeneuve-l'Archevêque.*

Le village possède une église des 12ᵉ et 16ᵉ s. *(clef chez le presbytère ou à la mairie),* restaurée au siècle dernier. Le chœur est la partie la plus intéressante, par son architecture et ses vitraux. L'église renferme en outre une importante série de statues du 16ᵉ s.

OUCHE (Vallée de l')

Cartes Michelin n°ˢ 65 - plis ⑲ ⑳ et 69 - pli ⑨.

Située à la limite Ouest de l'arrière-côte dijonnaise, la vallée de l'Ouche facilite les communications avec l'Auxois. Entre des plateaux calcaires, c'est une trouée verdoyante propre aux cultures et aux pâturages. Le canal de Bourgogne l'emprunte à partir de Pont-d'Ouche.

Le canal de Bourgogne. — Achevé en 1834, ce canal, long de 242 km, opère la jonction entre l'Yonne et la Saône, de Laroche (altitude 80 m) à St-Jean-de-Losne (altitude 182 m). Empruntant les vallées opposées de l'Armançon et de l'Ouche, il franchit, à 378 m d'altitude, le faîte de séparation des bassins de la Seine et du Rhône par un tunnel long de 3 300 m. Le canal de Bourgogne est utilisé par une batellerie active seulement dans sa section de Dijon à la Saône; 189 écluses jalonnent son parcours.

De Bligny à Dijon — *47 km – environ 1 h 1/2 – schéma p. 87*

La route suit la verdoyante vallée de l'Ouche dans un paysage vallonné entre des pentes boisées parsemées de rochers.

Bligny-sur-Ouche. — 719 h. *Lieu de séjour, p. 39.* Église gothique avec clocher roman.

Prendre le D 33 à Bligny-sur-Ouche. Aussitôt avant Pont-d'Ouche, on passe sous le grand ouvrage d'art qui permet à l'autoroute A 6 de franchir la vallée de l'Ouche, puis la route rejoint le canal de Bourgogne. Remarquer, au passage, l'aqueduc sur lequel le canal de Bourgogne franchit l'Ouche. La vallée s'élargit et le fond devient boisé et rocheux. Bientôt des rochers apparaissent à gauche dans les côtes portant la forêt de Bouhey.

La Bussière-sur-Ouche. — 148 h. *En venant de Pont-d'Ouche, prendre à gauche sur le D 33, à la sortie de la localité, la deuxième rue après le canal.* L'église romane est surmontée d'un fin clocher d'ardoises. A l'intérieur *(pour visiter, s'adresser à l'abbaye),* la nef, en berceau brisé, est soutenue par des doubleaux. Les bas-côtés possèdent des voûtes primitives, en calotte, légèrement bombées. L'église renferme des tombeaux, des pierres tombales, des bas-reliefs et de nombreuses statues. Au chœur, panneaux peints, du 17ᵉ s., surmontés de deux intéressantes statues : sainte Barbe, à gauche, et saint Sébastien, à droite.

Dans un site agréable, les bâtiments du 13ᵉ s., restaurés, d'une ancienne abbaye cistercienne servent de centre de retraites, loin des préoccupations profanes.

Peu après Auvillard, on aperçoit en haut d'un piton, à gauche, les ruines du château de Marigny. A l'entrée de Ste-Marie-sur-Ouche, on laisse à droite un joli pont en dos d'âne.

Après Pont-de-Pany, le D 905 offre des vues sur les ouvrages d'art de la ligne Paris-Dijon établie sur la falaise calcaire dominant le canal.

Château de Montculot. — *4 km au départ de Pont-de-Pany. Après le pont sur l'Ouche, prendre à droite le D 35.* Ce château *(on ne visite pas)* est une élégante demeure du 18ᵉ s. avec parc et pièces d'eau. L'une d'elles, la source du Foyard, fut chantée par **Alphonse de Lamartine** qui hérita de ce domaine familial. Le poète composa à Montculot une partie de son œuvre, entre 1801 et 1831.

Notre-Dame d'Étang. — *1 km au départ de la Cude, plus 1/2 h à pied AR, à partir du sanatorium.* Du D 10ᶠ en corniche, avant le sanatorium, on découvre un beau panorama sur la vallée de l'Ouche.

Au sommet de la colline d'Étang, a été érigé en 1896 un monument de 24 m de hauteur portant une immense statue de la Vierge (pèlerinages le 2 juillet et le 8 septembre). La statue miraculeuse, découverte en 1435, se trouve dans l'église de Velars-sur-Ouche.

Peu avant l'arrivée à Dijon *(p. 93),* l'Ouche s'élargit en un lac artificiel récemment aménagé.

PANNESIÈRE-CHAUMARD (Barrage de) ★

Carte Michelin n° 65 - Sud du pli ⑯ – *Schémas p. 76, 120 et 122.*

Le barrage de Pannesière-Chaumard, long de 340 m et haut de 50 m, est soutenu en son centre par des voûtes multiples; ses ancrages sur les rives sont faits de digues massives en béton; 12 contreforts prennent appui sur le fond de la gorge. Il régularise le régime des eaux du bassin de la Seine. Une usine hydroélectrique installée en aval produit près de 18 millions de kWh par an.

Sa retenue (82,5 millions de m³) forme un magnifique plan d'eau, apprécié des pêcheurs, long de 7,5 km dans un joli **site ★** de collines boisées. Une route *(voir p. 76)* en fait le tour et franchit la crête du barrage d'où la **vue** s'étend sur les ramifications du plan d'eau tandis qu'à l'horizon se profilent les sommets du Haut-Morvan.

Près du D 944, en aval de l'ouvrage principal, a été édifié un barrage de compensation long de 220 m et composé de 33 voûtes minces. Il permet de restituer à l'Yonne sous un débit constant l'eau turbinée par l'usine et il fournit de l'eau à la rigole d'alimentation du canal du Nivernais.

Aimer la nature,

c'est respecter la pureté des sources,
la propreté des rivières,
des forêts, des montagnes...

c'est laisser les emplacements nets de toute trace de passage.

PARAY-LE-MONIAL ★★

Carte Michelin n° **69** - pli ⑰ – *Schéma p. 65* – 12 128 h. (les Parodiens).

Paray-le-Monial, berceau de la dévotion au Sacré-Cœur de Jésus, est situé aux confins du Charollais et du Brionnais, au bord de la Bourbince que longe le canal du Centre. Sa basilique romane est un magnifique exemple de l'architecture clunisienne.

L'industrie des matériaux de construction, concentrée dans la vallée de la Bourbince, est représentée à Paray par des fabriques de carrelage et pavage de grès, de produits réfractaires.

Marguerite-Marie Alacoque. — Fille du notaire royal de Verosvres-en-Charollais, Marguerite-Marie Alacoque manifeste très tôt le désir de se faire religieuse mais ne réalisera ce vœu qu'à 24 ans.

Le 20 juin 1671, elle entre comme novice au couvent de la Visitation de Paray-le-Monial et y prend le voile deux mois plus tard.

Dès 1673 se produisent pour sœur Marguerite-Marie des apparitions qui se succèdent jusqu'à sa mort. Secondée par son confesseur, le Père Claude de la Colombière, elle révèle les messages reçus — consignant par écrit les Révélations qui lui sont faites : « Voilà ce Cœur qui a tant aimé les hommes » — et préconise la dévotion au Sacré-Cœur. Elle meurt le 17 octobre 1690.

La dévotion au Sacré-Cœur. — Ce n'est qu'au début du 19e s., après la tourmente révolutionnaire, que la dévotion au Sacré-Cœur se développe.

En 1817 commence en Cour de Rome le procès qui aboutit, en 1864, à la béatification de sœur Marguerite-Marie. En 1873 a lieu à Paray-le-Monial, en présence de 30 000 personnes, le premier grand pèlerinage au cours duquel est décidée la consécration de la France au Sacré-Cœur de Jésus. Cela rejoignait le vœu émis en 1870 de construire par souscription nationale, une église consacrée au Sacré-Cœur, qui devait être la basilique érigée sur la colline de Montmartre.

Depuis 1873 les pèlerinages se sont renouvelés chaque année à Paray-le-Monial. Sœur Marguerite-Marie a été canonisée en 1920. De nombreuses communautés religieuses se sont fixées à Paray-le-Monial qui est devenu un des hauts lieux de la chrétienté.

■ BASILIQUE DU SACRÉ-CŒUR ★★

Visite de 8 h à 19 h 30. Durée : 1/2 h

Au bord de la Bourbince, se dresse l'église primitivement dédiée à Notre-Dame, mais élevée au rang de basilique et consacrée en 1875 sous le vocable du Sacré-Cœur.

Commencé en 1109, sous la direction de saint Hugues, abbé de Cluny, l'édifice, contemporain de Cluny et restauré aux 19e et 20e s., peut être considéré comme un modèle réduit de la célèbre abbaye bénédictine.

Comme tant d'églises du Brionnais tout proche *(voir p. 65)*, elle est bâtie en belle pierre dorée et l'éclairage du couchant est favorable.

Du pont sur la Bourbince, on a une vue d'ensemble sur la façade et les trois clochers.

Extérieur. — La façade est d'une admirable simplicité : deux tours carrées surmontent le narthex. Épaulées à leurs angles par de puissants contreforts, elles présentent quatre étages de fenêtres dont le premier éclaire l'étage du narthex.

La tour de droite, construite au début du 11e s., a une décoration très sobre; celle de gauche, qui lui est postérieure, présente une décoration plus riche : les étages supérieurs sont séparés par une corniche moulurée, le troisième étage est percé de deux baies accouplées, cantonnées de colonnes ornées de chapiteaux; au dernier étage, l'arc des baies est formé de deux rangs de claveaux au lieu de trois, tandis que les chapiteaux des colonnettes sont réunis par un cordon d'oves et de losanges.

(D'après photo Kill-Zodiaque.)

Paray-le-Monial.
La basilique du Sacré-Cœur.

La tour octogonale qui se dresse au-dessus de la croisée du transept a été restaurée en 1860.

Pour admirer le chevet harmonieusement étagé et d'une grande unité, contourner l'édifice par la gauche *(rue de la Visitation)* et se placer en haut de l'escalier de l'ancienne maison des Pages qui abrite la chambre des Reliques *(voir p. 132)*.

Entrer dans la basilique par le croisillon gauche dont la belle porte romane est décorée de motifs floraux et géométriques.

Intérieur. — On est frappé à la fois par la hauteur de l'édifice (22 m dans la nef principale) et par la sobriété du décor. On retrouve toutes les caractéristiques de l'art clunisien *(voir p. 23)*.

Huysmans décelait le symbole de la Trinité dans les 3 nefs composées de 3 travées comportant au-dessus des grandes arcades 3 arcatures surmontées de 3 fenêtres.

PARAY-LE-MONIAL ★★

Le chœur et son déambulatoire aux 3 absidioles – le promenoir des Anges – constituent un ensemble d'une grande élégance. Les chapiteaux historiés des fines colonnes sont un exemple typique de l'art bourguignon du 12ᵉ s. L'abside en cul-de-four est décorée d'une fresque du 14ᵉ s., représentant le Christ en gloire bénissant, découverte à l'occasion d'un décapage en 1935.

La croisée du transept, recouverte d'une coupole sur trompes, est d'une élégante élévation.

■ LE PÈLERINAGE

Chambre des Reliques. — *Visite du 1ᵉʳ mars au 30 novembre de 9 h à 12 h et de 13 h 30 à 19 h.*

Dans l'ancienne maison des Pages du Cardinal de Bouillon ont été rassemblés de nombreux souvenirs de sainte Marguerite-Marie.

La cellule de la sainte a été fidèlement reconstituée.

Parc des Chapelains. — C'est dans ce vaste enclos, orné d'un chemin de croix, que se déroulent les grandes cérémonies de pèlerinages. Dans le parc, un diorama est consacré à la vie de sainte Marguerite-Marie *(visite du diorama du 15 avril au 20 octobre de 9 h à 12 h et de 14 h à 19 h ; entrée : 3 F).*

Chapelle de la Visitation. — C'est dans cette chapelle, également appelée « Sanctuaire des Apparitions », que sainte Marguerite-Marie reçut ses principales Révélations. La châsse en argent doré abritant ses reliques se trouve dans une chapelle à droite.

■ AUTRES CURIOSITÉS

Hôtel de ville★. — La façade de ce bel hôtel Renaissance, construit en 1525 par un riche drapier, Pierre Jaillet, est ornée de coquilles et de médaillons, représentant les rois de France. Voir le vestibule.

Musée du Hiéron. — *Visite du 15 avril au 18 octobre, de 9 h à 12 h et de 14 h à 19 h. Entrée : 3 F.*

Ce musée d'art sacré ayant pour thème l'Eucharistie, ainsi que la vie du Christ, de la Vierge et des Saints, renferme des tableaux des primitifs florentins et des écoles italienne, française et flamande du 16ᵉ au 18ᵉ s. (Giaquinto, Lebrun, Cavalluci, etc). Il possède en outre un très beau **tympan★** du 12ᵉ s. provenant du prieuré brionnais d'Anzy-le-Duc *(p. 42).* Lors des destructions révolutionnaires en 1791, ce portail fut transporté dans le parc du château d'Arcy et, de là, réinstallé au musée du Hiéron. Le Christ enseignant est assis dans une mandorle soutenue par deux anges ; sur le linteau, la Vierge, portant l'Enfant sur ses genoux, est entourée à sa droite par les 4 Évangélistes et à sa gauche par 4 saintes femmes. L'ensemble est remarquable tant par sa composition que par les attitudes des personnages.

Alsace-Lorraine (Pl. d')	2	Lamartine (Pl.)		8
Champ de Foire (Pl.)	3	République (R. de la)		10
Commerce (Q. du)	4	Visitation (R. de la)		12
Four (R. du)	5	Victor Hugo (R.)		13
Hôtel de Ville	6	2 ponts (R. des)		14

Tour St-Nicolas. — Cette grosse tour carrée du 16ᵉ s. est le clocher de l'ancienne église St-Nicolas, désaffectée. La façade qui borde la place Lamartine s'orne d'une belle rampe en fer forgé et d'une fine tourelle construite en encorbellement à la pointe du pignon.

EXCURSIONS

Château de Digoine. — *15 km au Nord-Est de Paray-le-Monial, par ② du plan, D 248, puis à gauche le D 974. Après avoir traversé le canal du Centre, il reste à franchir 1 km.*

Cette belle demeure du 18ᵉ s. *(on ne visite pas)*, construite sur l'emplacement d'un château fort, présente deux façades d'un aspect très différent. La façade principale est précédée d'une cour que ferme une grille de fer forgé ; elle porte un élégant fronton sculpté et elle est flanquée de deux pavillons en saillie. La façade qui regarde le parc, édifiée dans les premières années du 18ᵉ s., comprend en son milieu un portique de deux étages ; à ses extrémités se dressent deux tours d'angle cylindriques, à coupoles.

Églises du Brionnais★. — *Circuit de 69 km au Sud — compter 1/2 journée.* Cartes Michelin nᵒˢ 69 · pli ⑰ et 73 · plis ⑦, ⑧ — schéma p. 65. Quitter Paray-le-Monial par ④, D 352 bis et prendre à gauche un peu après St-Yan la route suivant la vallée de l'Arconce.

132

Montceaux-l'Étoile. — *Page 66.*
Poursuivre le D 174 au Sud.

Anzy-le-Duc★. — *Page 42.*
Par le D 10 en direction de Marcigny et le D 989, gagner Semur.

Semur-en-Brionnais★. — *Page 150.*
Le D 9, puis le D 8 mènent à St-Julien.

St-Julien-de-Jonzy. — *Page 140.*
Poursuivre le D 8 et prendre à gauche le D 20, puis le D 34.

Varenne-l'Arconce. — *Page 66.*
Revenir, par le D 34, à Paray-le-Monial.

PERRECY-LES-FORGES

Carte Michelin n° **69** - pli ⑰ – 13 km au Sud-Est de Toulon-sur-Arroux – *Schéma p. 90* –
2 175 h.

Ce petit bourg industriel possède une église précédée d'un **porche-narthex★** d'une grande
ampleur et d'une très belle architecture *(en cas de fermeture de l'église, s'adresser à la mairie).*

Au tympan du portail, trône le Christ en majesté dans une gloire soutenue par deux séra-
phins aux six ailes accolées. En contraste avec l'austérité de cette évocation apocalyptique,
les sculptures du linteau et des chapiteaux offrent plus de souplesse et de vie. La croisée du
transept est surmontée d'une coupole sur trompes et éclairée par des baies géminées.

L'ensemble de l'édifice est mis en valeur par un entourage d'arbustes et de talus gazon-
nés, recréant au sol les plans de l'ancien cloître. Au titre de l'Écomusée, est présentée dans
le prieuré l'exposition « Perrecy et le prieuré ».

PIERRE-DE-BRESSE

Carte Michelin n° **70** - pli ③ – 2 050 h.

Le château de Pierre *(on ne visite pas)* est un bel édifice du 17ᵉ s. en brique calcaire. Le
corps de logis central est décoré d'arcades en plein cintre supportant un balcon. Un fronton
se détache sur les combles mansardés. Les tours sont coiffées de dômes d'ardoises et surmontées de hauts campaniles.

Du pont sur les douves, on a une belle vue sur la cour d'honneur.

EXCURSION

Château de Terrans. — *3 km. Quitter Pierre-de-Bresse à l'Ouest par le D 73 et prendre à
gauche une petite route.*

La construction du château, qui débuta en 1765, est d'une grande sobriété, *(visite possible de l'extérieur, sur demande au gardien).* Une belle grille de fer forgé ferme la cour d'honneur, laissant apparaître une élégante façade, dont la porte d'entrée est précédée d'un
escalier encadré par deux lions.

PIERRE-PERTHUIS ★

Carte Michelin n° **65** - pli ⑯ – 6 km au Sud de Vézelay – *Schémas p. 91, 120 et 122* – 73 h.

A l'entrée du Morvan, le petit village de Pierre-Perthuis, dont l'église surplombe la vallée
de la Cure, occupe un **site★** très pittoresque.

La Cure s'écoule tumultueuse au fond d'une gorge étroite qu'enjambe, à 33 m, un pont
moderne d'une seule arche. De ce pont, on aperçoit au loin Vézelay et, sur la rive droite, la
Pierre Percée formant arcade, à laquelle le village de Pierre-Perthuis doit son nom. En amont
du pont et en contrebas, la Cure est franchie par un vieux pont en dos d'âne du 18ᵉ s.

A Pierre-Perthuis même, s'élèvent les ruines d'un château féodal du 12ᵉ s.

PIERRE-QUI-VIRE (Abbaye de la)

Carte Michelin n° **65** - plis ⑯ ⑰ – 10 km à l'Est de Quarré-les-Tombes – *Schéma p. 122.*

Ce monastère est bâti dans un site solitaire et sauvage du Morvan, sur une rive accidentée
du Trinquelin, nom local du Cousin, petit torrent aux eaux claires coulant au pied de roches
granitiques au milieu de bois touffus.

La fondation de l'abbaye. — Le nom du **Père Muard** reste attaché à la fondation de l'abbaye.
Né en 1809 dans le diocèse de Sens, il manifeste très tôt le désir d'entrer dans les ordres.
Nommé curé de Joux-la-Ville, puis de la paroisse de St-Martin à Avallon, il veut se consacrer
aux Missions Étrangères. Malgré les réticences de l'archevêque de Sens, il obtient de faire
son apprentissage de missionnaire chez les RR. PP. Maristes de Lyon.

En 1850, sur un domaine donné par la famille de Chastellux, le R. P. Muard jette les bases
de son monastère. Il tire son nom de « Pierre-qui-Vire » d'une énorme pierre plate posée en
équilibre sur un rocher et que l'on pouvait faire osciller d'une faible pression de la main.

La mort du R. P. Muard, supérieur de l'abbaye, survenue en 1854, n'arrête pas l'essor de
la communauté qui s'agrège à l'ordre bénédictin en 1859.

Les bâtiments actuels – église et bâtiments conventuels – furent édifiés de 1850 à 1953.

Visite. — Bien que la clôture monastique ne permette pas la visite des bâtiments, une salle
d'exposition est ouverte en permanence aux touristes qui désirent connaître la vie des moines
et leurs travaux (notamment les éditions d'art religieux de la collection Zodiaque). On peut
entrer à l'église pour les offices *(messe en hiver à 9 h 15 en semaine, à 10 h les dimanches et
fêtes; en été variable en semaine et à 10 h 30 le dimanche)* et voir également la pierre plate qui
est hors de l'enceinte.

133

Ce petit village bâti au bord du Serein est célèbre par son ancienne abbaye, « seconde fille » de Cîteaux, fondée en 1114. Mais à la différence de Cîteaux, dont il ne subsiste plus que des vestiges, l'abbaye de Pontigny (occupée depuis 1968 par un centre de rééducation) a conservé intacte son église.

UN PEU D'HISTOIRE

La fondation. — Au début de l'année 1114, douze religieux, ayant à leur tête l'abbé Hugues de Mâcon, sont délégués de Cîteaux par saint Étienne pour établir un monastère au bord du Serein, dans une grande clairière, au lieu-dit Pontigny. Le sol est encore en friche mais apte à toutes les cultures. De plus, l'abbaye, à la limite de trois évêchés (Auxerre-Sens-Langres) et de trois provinces (comtés d'Auxerre, de Tonnerre, de Champagne), bénéficie dès son origine, de la protection et de la générosité de six maîtres différents. Un vieux dicton rappelait que trois évêques, trois comtes et un abbé pouvaient dîner sur le pont de Pontigny tout en restant sur leurs terres.

C'est en la personne de Thibault le Grand, comte de Champagne, que l'abbaye connaît son plus généreux donateur : en 1150, il donne à l'abbé le moyen d'entreprendre la construction d'une église plus vaste que celle qui existait alors (chapelle St-Thomas). Il fait entourer la propriété de l'abbaye d'une enceinte, haute de 4 m, dont subsistent encore de nombreux vestiges.

Un refuge pour archevêques. — Pontigny fut au Moyen Age le refuge des persécutés d'Angleterre. Trois archevêques de Cantorbéry y trouvèrent successivement asile :

Thomas Becket, primat d'Angleterre, encourut la haine du roi d'Angleterre Henri II et vint se retirer à Pontigny en 1164. De retour dans son pays en 1170, il fut assassiné dans sa cathédrale deux ans plus tard.

Étienne Langton, en désaccord avec Jean sans Terre, se réfugia à Pontigny de 1208 à 1213.

Edmund Rich (saint Edme) y vécut saintement pendant plusieurs années. En 1240, il fut inhumé dans l'église de l'abbaye. Canonisé en 1246, son culte est resté très populaire dans toute la région.

Les décades de Pontigny. — Abandonnée pendant la Révolution, l'abbaye sert de carrière aux villages voisins jusqu'en 1840.

Les ruines rachetées par l'archevêque de Sens sont mises à la disposition des Pères missionnaires des Campagnes, congrégation fondée par le Père Muard *(voir p. 133)* qui restaurent l'église et ce qui reste des bâtiments.

Au début du 20e s., les Pères sont expulsés et la propriété rachetée par le philosophe Paul Desjardins (1859-1940) qui y organise les fameuses Décades groupant tous les esprits éminents de l'époque : Thomas Mann et André Gide, T. S. Elliot et François Mauriac, à l'occasion de ces « retraites » ont eu, dans la célèbre allée des charmilles, de longues conversations littéraires.

■ **L'ABBAYE*** *visite : 1/2 h*

Du village, face au Monument aux Morts, franchir un portail du 18e s. flanqué de petits pavillons et prendre une avenue ombragée qui conduit à l'église abbatiale en longeant les bâtiments monastiques.

Église*. — Construite dans la seconde moitié du 12e s., par Thibault, comte de Champagne dans le style gothique de transition, elle est d'une austérité rigoureuse, conformément à la règle cistercienne *(voir p. 25)*. De dimensions imposantes (108 m de longueur à l'intérieur, 117 m avec le porche, et 52 m de largeur au transept), elle est presque aussi vaste que Notre-Dame de Paris.

Extérieur. — Un porche en appentis festonné d'arcatures reposant soit sur consoles, soit sur colonnettes, occupe toute la largeur de la façade. Fermé latéralement, il est percé de deux baies géminées en plein cintre et d'une porte centrale en arc surbaissé.

La façade, ornée d'une haute fenêtre en arc brisé et de deux arcatures aveugles, se termine en pignon aigu avec oculus. Les flancs de l'église sont caractéristiques avec leur longue ligne de faîte que ne coupe aucun clocher. Le transept et les bas-côtés sont d'une grande simplicité, avec contreforts à pans plats et arcs-boutants au chevet et au flanc Nord.

Intérieur. — La longue nef à deux étages compte sept travées ; c'est la première nef cistercienne voûtée d'ogives parvenue jusqu'à nous. La perspective est coupée par la clôture en bois du chœur monastique.

Les bas-côtés trapus voûtés d'arêtes contrastent avec la nef de forme plus dégagée. Le transept, éclairé à chaque extrémité par une rose, est très caractéristique avec ses six chapelles rectangulaires ouvrant dans chaque croisillon.

Le chœur date du début du 13e s. ; il est d'une grande élégance avec son déambulatoire et ses onze chapelles rayonnantes. Au fond du chœur se trouve la châsse (18e s.) contenant les reliques de saint Edme ; elle est surmontée d'un lourd baldaquin. Des chapiteaux à crochets terminent les belles colonnes monolithes ; ceux de la nef ont pour tout élément décoratif des feuilles plates stylisées.

On peut voir, dans une des chapelles de l'abside, une châsse en bois de la Renaissance qui a contenu le corps du saint. Les belles et imposantes **stalles*** sont de la fin du 17e s., ainsi que les grilles du transept et le buffet d'orgues. La tribune d'orgues, très ouvragée, les grilles du chœur et l'autel datent de la fin du 18e s.

Les bâtiments monastiques. — *On ne visite pas.* Des beaux bâtiments cisterciens du 12ᵉ s., il ne reste aujourd'hui que l'aile des Frères convers.

La façade, où le moellon s'allie à la fine pierre de Tonnerre, est épaulée par des contre-forts. Au rez-de-chaussée, l'ancien cellier est une magnifique salle voûtée en croisée d'ogives, très primitive, à arcs surbaissés.

Le premier étage était primitivement occupé par le dortoir des Frères convers. L'ordonnance en est fort belle.

Des autres bâtiments, il ne reste que la galerie méridionale du cloître reconstruite au 17ᵉ s.

EXCURSION

Ligny-le-Châtel. — 1 038 h. *4,5 km. A la sortie Nord de Pontigny, prendre à droite le chemin vicinal en direction de la Rue Feuillée, puis, encore à droite, le D 91.*

L'église date des 12ᵉ s. (nef) et 16ᵉ s. (chœur). Le plan du chevet s'inspire de celui de l'abbaye de Pontigny, mais l'abside, circulaire à Pontigny, est ici polygonale.

Dans la seconde chapelle Nord, tableau (retouché) du 16ᵉ s. représentant saint Jérôme.

Remarquer aussi deux statues en bois polychrome du début du 16ᵉ s. et un Saint-Jean et la Vierge au pied de la Croix, du 16ᵉ s.

POUGUES-LES-EAUX

Carte Michelin nº 🔢 - pli ③ – 11 km au Nord-Ouest de Nevers – 2 014 h. (les Pougeois) – *Lieu de séjour, p. 39.*

A proximité de la Loire, Pougues-les-Eaux occupe un site agréable dans un vallon ombragé que domine la butte du mont Givre.

Les eaux de Pougues, fraîches, gazeuses, pétillantes *(leur exploitation est interrompue)* sont recommandées pour les affections de l'estomac et du foie, mais surtout pour le diabète et toutes les maladies de la nutrition dont le Centre hospitalier assure les soins.

Ses parcs aux futaies centenaires, la terrasse du parc de Bellevue sur le mont Givre, d'où l'on a une **vue** étendue sur la vallée de la Loire et le Berry, constituent d'agréables lieux de promenade ou de repos pour le séjournant qui dispose aussi d'une gamme étendue de distractions (casino).

POUILLY-EN-AUXOIS

Carte Michelin nº 🔢 - pli ⑱ – 1 249 h. (les Polliens).

Cette petite ville s'est développée au pied du mont de Pouilly (altitude 559 m) au débouché du tunnel par lequel le canal de Bourgogne passe du bassin du Rhône dans celui de la Seine. Dans la traversée du tunnel, la traction des péniches se fait par touage (remorquage à l'aide d'une chaîne mouillée au fond de l'eau). Aux alentours de 1870 fut mis en service dans ce secteur précis le premier toueur à vapeur en souterrain.

Église N.-D. Trouvée. — *S'adresser à la maison de M. Thibault à l'entrée du cimetière : le gardien accompagne.* Cette petite église des 14ᵉ et 15ᵉ s., centre de pèlerinage et sanctuaire, a été construite pour conserver une statue très ancienne de la Vierge, appelée « Notre-Dame Trouvée » depuis sa découverte miraculeuse. Elle s'élève à mi-pente de la butte St-Pierre, au milieu d'un cimetière. Elle renferme un beau Sépulcre du 16ᵉ s., à neuf personnages, où l'on retrouve à la fois des influences bourguignonnes (modelé des draperies), champe-noises (Saintes Femmes groupées au centre de la composition) et italiennes (de nombreux figurants complètent la scène : soldats endormis, anges portant les instruments de la Passion).

A l'extérieur, près de l'une des entrées du cimetière, se dresse un original ensemble du 15ᵉ s. en pierre constitué par une chaire, un autel et un calvaire.

EXCURSIONS

St-Thibault ; Mont-St-Jean ; Chailly. — *Circuit de 48 km – environ 1 h 1/2. Quitter Pouilly-en-Auxois par la route de Semur (D 970) qui suit bientôt le canal de Bourgogne.*

St-Thibault. — *Page 143.*
A St-Thibault, prendre le D 108 ᴮ par Charny et à Thorey le D 117 vers Mont-St-Jean.

A la Croix St-Thomas, on découvre un très vaste **panorama*** sur l'Auxois et le Morvan.

Mont-St-Jean. — 283 h. Le vieux bourg féodal occupe un **site*** remarquable avec son château du 12ᵉ s., entouré de belles allées ombragées.
Par le D 36 au Sud, gagner le D 977 bis, route de retour.

Chailly-sur-Armançon. — 245 h. Son beau château de la Renaissance possède une façade joliment décorée.

Commarin* ; Châteauneuf*. — *Circuit de 29 km – environ 3/4 h. Dès la sortie de Pouilly par la route de Beaume, prendre à gauche le D 16 puis le D 18.*
Après Créancey le D 114ᴰ contourne le réservoir de Panthier.

Commarin *. — *Page 85.*
Faire demi-tour et suivre le D 977 bis jusqu'aux Bordes où l'on tournera à gauche.

Châteauneuf *. — *Page 77.*

Ste-Sabine. — 216 h. L'église est précédée d'un beau porche.
Revenir à Pouilly par le D 970 et le D 977 bis.

PRÉCY-SOUS-THIL

Carte Michelin n° **65** - pli ⑰ – 16 km au Nord de Saulieu – *Schéma p. 120* – 535 h.

Au centre d'une région exploitée autrefois pour son minerai de fer (plus de 80 forges), Précy occupe un site agréable dans la vallée du Serein, au pied de la montage de Thil.

Thil*. — *2,5 km par le D 10J, à l'Est de Précy et une route à gauche à la sortie de Maison Dieu. Visite de la collégiale, du château, s'adresser à M. Grenot.*

Une allée bordée de tilleuls séculaires conduit, à droite, à la collégiale, à gauche, aux murs d'enceinte du château.

Ancienne collégiale. — Fondée en 1340 par Jean II de Thil, connétable de Bourgogne, cette collégiale ne possède plus de toiture à l'exception du clocher et de deux chapelles.

L'édifice, de plan très simple, comporte un chevet plat à trois baies. La voûte, avec ses pierres se présentant de chant, est remarquable. On notera quelques chapiteaux reposant sur des culs-de-lampe. Sous la tour, à gauche, en entrant, une petite salle renferme trois pierres tombales.

Faire le tour de la collégiale par la droite, pour voir le bâtiment. Remarquer, à la corniche, une frise très fine et la belle tour carrée. On jouit d'un beau **panorama** sur l'Auxois.

Château. — *En restauration. On visite les salles, les tours et les remparts.* Construit directement sur l'oppidum romain dont il affecte la forme ovale, le château comporte des murs d'enceinte, percés d'étroites meurtrières, datant du 9ᵉ s. et un donjon du 14ᵉ s. L'énorme tour carrée permettait de surveiller 50 km à la ronde : on l'avait surnommée « l'espionne de l'Auxois ». Au midi, fortifications en pierre de taille du 12ᵉ s.

Du pied de la tour de guet, jolie vue sur la campagne environnante et les contreforts du Morvan.

PRÉMERY

Carte Michelin n° **65** - Sud du pli ⑭ – 2 788 h. – *Lieu de séjour, p. 39.*

Dans un joli cadre de collines, au bord de la Nièvre, Prémery doit à une importante usine, spécialisée dans la distillation des bois et la fabrication de produits chimiques, une bonne part de son activité.

Église St-Marcel. — Cet édifice des 13ᵉ et 14ᵉ s., ancienne collégiale, est surmonté d'un clocher massif. L'intérieur *(fermé le dimanche après 11 h)* présente des voûtes gothiques surbaissées et de larges bas-côtés. L'abside est à deux étages de fenêtres.

Ancien château. — *On ne visite pas.* Il appartint autrefois aux évêques de Nevers. Construit aux 14ᵉ, 16ᵉ et 17ᵉ s., il possède une belle porte fortifiée du 14ᵉ s.

Pour tout ce qui fait l'objet d'un texte ou d'une illustration dans ce guide (villes, sites, curiosités, rubriques d'histoire ou de géographie, etc.), reportez-vous à l'index alphabétique, à la fin du volume.

La PUISAYE

Carte Michelin n° **65** - plis ③ ④ ⑬ ⑭.

Pays de forêts, d'eau et de bocage, la Puisaye, dont St-Fargeau est le centre, a une réputation de monotonie et même d'austérité. Mais l'uniformité du paysage n'est qu'apparente et le touriste y trouve au contraire les aspects les plus variés.

Le pays. — Le mot Puisaye aurait pour origine la réunion de deux mots celtes : poel, signifiant lac, marais, étang, et say, la forêt. Si la forêt qui recouvrait autrefois toute la région a en grande partie disparu, les étangs restent fort nombreux. De Toucy à Bléneau et d'Arquian à St-Sauveur, l'eau, qui suinte de partout, est l'élément dominant : multitude de rivières, étangs enfouis dans la verdure. Entre St-Sauveur, St-Fargeau, Bléneau et Rogny, les étangs de Moutiers, réservoir de Bourdon, étang de la Tuilerie, étang de la Grande Rue ,etc., forment un véritable chapelet.

Les prés et les champs coupés de haies vives, les collines boisées et la silhouette de nombreux châteaux – Ratilly, St-Fargeau, St-Sauveur, St-Amand – que l'on découvre au hasard de petites routes charmantes, ajoutent à l'intérêt d'une promenade à travers la Puisaye.

La patrie de Colette. — C'est à **St-Sauveur** qu'elle est née et qu'elle a passé toute son enfance. Dans la rue des Vignes, sur la façade d'une grande maison à un étage et à perron, un médaillon de marbre rouge porte simplement l'inscription : « Ici est née Colette. »

Ce village qu'elle connaissait bien, elle l'a décrit dans « La Maison de Claudine » et dans « Sido », avec une exactitude et une vérité qu'elle n'a jamais cherché à déguiser ou à embellir. Mais le temps a passé et le St-Sauveur d'aujourd'hui n'a plus l'aspect que lui connut l'écrivain.

La poterie en Puisaye. — Le sol de la Puisaye contient des silex non roulés empâtés d'argile blanche ou rouge utilisée dès le Haut Moyen Age par les potiers de St-Amand, Treigny, St-Vérain et Myennes.

Mais c'est surtout au 17ᵉ s. que se développe l'industrie de la poterie; aux pièces de luxe, dites « Bleu de St-Vérain », succèdent, au siècle suivant, des productions pour la plupart utilitaires; l'artisanat de la fin du 19ᵉ s. leur assure une réputation nouvelle.

Actuellement, l'activité s'est concentrée à Saint-Amand-en-Puisaye, devenu Centre de formation, et aux abords mêmes de la localité où fonctionnent plus de quatorze poteries lui assurant l'un des premiers rangs pour la fabrication des grès. St-Sauveur propose faïences et grès au lieu-dit « la Bâtisse ». Au château de Ratilly *(voir p. 137)*, ceux qu'intéresse l'art de la céramique peuvent s'initier au travail des potiers : coulages, moulages des pièces, travail sur le tour.

Le PUITS XV

Carte Michelin n° 65 - pli ⑲ – 7 km au Nord-Est de Sombernon.

Le tunnel de Blaisy-Bas, long de 4,5 km, est utilisé par la ligne Paris-Dijon qui franchit ainsi la crête séparant les bassins du Rhône et de la Seine. Le tracé de ce tunnel est jalonné par quinze puits qui ont été utilisés pour l'extraction des matériaux lors du percement du tunnel : trois d'entre eux ont été comblés; les autres servent actuellement à son aération. Le Puits XV est le plus profond (197 m).

Du plateau que l'on atteint par le D 16, près du Puits XV, la vue s'étend sur la **falaise de Baulme-la-Roche,** falaise d'escalade dont les parois sont les plus hautes du Dijonnais, le signal de Mâlain, et au-delà, sur le mont Afrique.

QUARRÉ-LES-TOMBES

Carte Michelin n° 65 - pli ⑯ – *Schémas p. 120 et 122* – 863 h. – *Lieu de séjour, p. 39.*

Quarré-les-Tombes est situé sur l'étroit plateau qui sépare les vallées de la Cure et du Cousin, dans une région pittoresque du Morvan. C'est un excellent centre de séjour et d'excursions.

La localité doit son nom aux nombreux sarcophages de pierre (plus de cent actuellement; il y en avait plus de deux mille jadis, dit-on) qui entourent l'église. A l'interrogation que suscite leur origine mystérieuse, peut répondre la découverte d'une fabrique de sarcophages carolingiens et mérovingiens sur le domaine de Chastenay *(p. 91),* près d'une voie romaine.

EXCURSIONS

Abbaye de la Pierre-qui-Vire. — *10 km. Quitter Quarré-les-Tombes par le D 55 à l'Est.*

La route, sinueuse, franchit le Trinquelin et atteint St-Léger-Vauban *(p. 141),* patrie du grand ingénieur militaire Vauban. Par le V 5 et le V 16, on gagne l'abbaye de la Pierre-qui-Vire *(description p. 133).*

Les Isles Ménéfrier. — *5 km au Sud.* On se rend dans ce joli site par le hameau de Bousson. Près du vieux village, la Cure bondit en torrent, de rocher en rocher.

La Roche des Fées. — *3,5 km au Sud, plus 1/4 h à pied AR.* Un joli sentier traverse la pittoresque Forêt au Duc.

La Roche des Fées est une arête de granit et constitue un agréable but de promenade.

RATILLY (Château de) ★

Carte Michelin n° 65 - Nord-Est du pli ⑬ – 11 km à l'Est de St-Amand-en-Puisaye.

La découverte de cet important château du 13ᵉ s., dissimulé à l'écart des grandes routes dans un décor de beaux arbres au cœur de la Puisaye, ne manque pas de charme.

Visite de 9 h à 18 h 30. Fermé le dimanche du 15 septembre au 24 juin. Entrée : 5 F.

Des tours massives et de hauts murs d'aspect sévère surplombent les douves entourant le château construit en belle pierre ocre, patinée par le temps.

En 1653, la Grande Mademoiselle, exilée à St-Fargeau *(voir p. 138),* séjourna une semaine à Ratilly. Un peu plus tard, Ratilly servit de refuge aux jansénistes qui y imprimèrent un journal clandestin, à l'abri des poursuites de la police royale.

Un atelier artisanal de poteries de grès propose des stages d'initiation à l'art de la céramique.

EXCURSION

Treigny. — 1 202 h. *2 km à l'Est.* Belle église des 15ᵉ et 16ᵉ s., de style gothique flamboyant. De vastes proportions, étonnantes pour un sanctuaire de campagne, elle est surnommée la « cathédrale de la Puisaye ».

Les RICEYS

Carte Michelin n° 61 - Sud des plis ⑰ ⑱ – 1 539 h.

Cette petite ville pittoresque, qui produit des vins rosés réputés, se compose de trois agglomérations, jadis fortifiées, ayant chacune une église Renaissance.

A Ricey-Bas, l'église St-Pierre, bel édifice du 16ᵉ s., a une riche façade à triple portail *(visite sur demande préalable au Syndicat d'Initiative, château St-Louis).*

A l'intérieur, dans les chapelles de la Passion des bas-côtés Nord et Sud, on peut voir deux retables en bois sculpté, restaurés en 1868.

L'église de Ricey-Haute-Rive *(prévenir le Syndicat d'Initiative)* renferme une belle chaire sculptée du 18ᵉ s. Celle de Ricey-Haut présente moins d'intérêt.

Chaque année,
le **guide Michelin France**
révise sa sélection d'établissements

— servant des repas soignés à prix modérés,
— pratiquant le service compris ou prix nets,
— offrant un menu simple à prix modeste,
— accordant la gratuité du garage...

Tous comptes faits, le **guide de l'année,** c'est une **économie.**

La ROCHEPOT *

Carte Michelin n° 69 - pli ⑨ – 5 km à l'Est de Nolay – 258 h.

Le village, qu'une déviation de la nationale fait éviter maintenant, s'étage au pied du promontoire rocheux qui supporte un château féodal, restauré.

Là naquit Philippe Pot (1428-1494), célèbre homme politique et ambassadeur à Londres des ducs de Bourgogne, dont le tombeau, chef-d'œuvre de l'école bourguignonne, se trouve au musée du Louvre.

Château. — *Visite accompagnée des Rameaux au 1er novembre de 10 h à 11 h 30 et de 14 h à 17 h 30 (17 h en octobre). Fermé le mardi, sauf fériés. Durée : 3/4 h. Entrée : 6 F.*

Le château se dresse dans un **site *** admirable. La construction primitive du 12e s. a été remaniée au 15e s., mais le donjon a été rasé lors de la Révolution. La reconstruction complète du château est due à M. Sadi Carnot, fils du Président.

On remarquera les défenses extérieures, les tours massives mais élégantes. Passé le pont-levis, la cour intérieure, avec son puits en fer forgé, est bordée d'une aile Renaissance avec tourelles couvertes de tuiles vernissées.

La Rochepot. — Le château.

On visite la salle des Gardes, avec sa vaste cheminée, ses plafonds aux belles poutres, la chambre du capitaine des gardes, la cuisine, la salle à manger, qui contient un riche mobilier et de nombreux objets d'art, l'ancienne chapelle, la tour Nord avec ses chambres et le chemin de ronde extérieur.

D'une petite terrasse, au fond de la cour, vue étendue sur le village et les collines.

Église. — *Provisoirement fermée pour travaux.* Édifiée au 12e s. par les bénédictins de Flavigny, cette église possède des chapiteaux (Anesse de Balaam, Annonciation, Combat d'un chevalier contre un aigle), d'une facture rappelant celle d'Autun. Elle renferme plusieurs œuvres d'art intéressantes et un triptyque du 16e s. dont il ne reste que la partie centrale figurant la Déposition de Croix.

ST-FARGEAU

Carte Michelin n° 65 - pli ③ – 3 301 h. (les Fargeaulais).

L'exploitation des forêts permit autrefois d'installer à St-Fargeau, capitale de la Puisaye (*voir p. 136*), des bas-fourneaux pour traiter le minerai extrait du sol ferrugineux.

St-Fargeau conserve un beau château où plane le souvenir d'Anne-Marie-Louise d'Orléans, cousine de Louis XIV, plus connue sous le nom de Mlle de Montpensier ou de « Grande Mademoiselle », incorrigible frondeuse et touchante amoureuse.

UN PEU D'HISTOIRE

C'est à l'emplacement d'un château fort élevé à la fin du 10e s. que fut édifié en plusieurs étapes, à partir de la Renaissance, le château actuel. La plus grosse tour fut bâtie par Jacques Cœur, argentier du roi Charles VII qui posséda quelque temps St-Fargeau.

Antoine de Chabannes, acquéreur du château à la suite de la disgrâce de Jacques Cœur, y fit exécuter d'importants travaux d'embellissement, mais c'est à la **« Grande Mademoiselle »** que revient l'honneur d'avoir complètement transformé l'aspect des bâtiments.

Mlle de Montpensier passa plusieurs années à St-Fargeau sur l'ordre de Louis XIV qui lui reprochait son attitude au cours de la Fronde. Lorsqu'elle y arriva en 1652, elle dut « traverser la cour avec de l'herbe jusqu'aux genoux » et trouva une bâtisse délabrée. Pour embellir sa cage d'exilée, elle fit appel à Le Vau, architecte du Roi qui aménagea la cour intérieure et transforma complètement l'intérieur du château. En 1681, Mlle de Montpensier fait don de St-Fargeau à Lauzun, personnage peu recommandable dont elle était amoureuse et auquel elle s'unit peu après par un mariage secret.

En 1715, la propriété est acquise par Le Pelletier des Forts. Son arrière-petit-fils, **Le Pelletier de St-Fargeau,** fait édifier une cinquième façade, à droite de l'entrée de la cour. Député à la Convention Nationale en 1793, il vota la mort de Louis XVI et fut assassiné la veille de l'exécution du Roi, par le garde du corps Pâris. Son corps repose dans la chapelle.

■ CURIOSITÉS *visite : 1 h 1/2*

Château*. — *Visite accompagnée du 15 avril au 15 octobre de 10 h à 12 h et de 15 h à 19 h. Fermé le mardi. Entrée : 10 F. Visite libre du parc.*

La tendre couleur rose de la brique enlève à cette imposante construction, cernée de fossés, l'aspect rébarbatif que pourraient lui conférer les tours massives de la porte d'entrée et celles des angles. Ces tours trapues sont surmontées d'une lanterne ajourée très élancée, sauf la plus grosse, dite tour de Jacques Cœur.

A l'intérieur de ce corset féodal, la vaste cour d'honneur, entourée de trois corps de logis, forme un ensemble d'une rare élégance.

Dans l'angle des deux ailes principales, un escalier semi-circulaire donne accès à la rotonde d'entrée. La chapelle est aménagée dans l'une des tours. Dans la tour Jacques Cœur est présenté le musée du cheval. Un escalier d'honneur conduit aux appartements.

Dans le parc de 118 ha aux belles futaies *(terrain de cross, promenades équestres)* l'immense pièce d'eau est alimentée par le ruisseau de Bourdon.

Tour de l'Horloge. — Cette tour en brique et pierre est une ancienne porte fortifiée de la fin du 15ᵉ s.

Église. — Elle date des 11ᵉ, 13ᵉ et 15ᵉ s. La façade gothique s'éclaire d'une rose rayonnante inscrite dans un carré. Dans la nef, à droite, Pietà en pierre polychrome du 16ᵉ s. Dans le chœur, stalles du 16ᵉ s. et au fond du chœur, Christ en bois, du 14ᵉ s. Dans la chapelle du bas-côté Sud, triptyque en bois du 15ᵉ s. représentant la Passion, statue de Vierge en bois polychrome du 16ᵉ s. et la « Charité de saint Martin », remarquable bois sculpté du 16ᵉ s.

Lac de Bourdon. — *3 km au Sud-Est de St-Fargeau.* Il couvre 220 ha et forme un beau réservoir destiné à alimenter le canal de Briare. Plan d'eau aménagé *(promenades autour du lac, voile, canotage, pêche et baignade).*

EXCURSION

Boutissaint. — *9 km au Sud-Est par le D 185.* Le parc naturel St-Hubert de 400 ha permet de voir différents animaux (cerfs, daims, sangliers, bisons d'Europe, mouflons) en liberté ou dans des enclos *(visite du 1ᵉʳ mai au 15 octobre, de 7 h 30 à 19 h; du 16 octobre au 30 avril, du lever au coucher du soleil. Fermé quelques dimanches entre le 3 novembre et le 10 mars. Entrée : 15 F.*

ST-FLORENTIN

Carte Michelin n° 61 - Sud du pli ⑮ – 7 207 h (les Florentinois) – *Lieu de séjour, p. 39* – *Plan dans le guide Michelin France.*

Étagé sur une colline dominant le confluent de l'Armance et de l'Armançon et desservi par le canal de Bourgogne, St-Florentin, qui fut autrefois le siège d'un important bailliage, a porté pendant la Révolution le nom de Mont-Armance.

Petit centre industriel d'une région où l'on fabrique des fromages réputés, le Soumaintrain et le St-Florentin, c'est un lieu de villégiature apprécié des amateurs de pêche; la proximité des forêts d'Othe et de Pontigny lui confèrent un agrément supplémentaire.

Église. — *Fermée en dehors des vacances; s'adresser au presbytère 8 rue de la Halle.*

Entourée de rues pittoresques, elle se dresse au sommet de la colline. Ce bel édifice, sans clocher, a été commencé en 1376 et terminé en 1614. Il comprend une nef inachevée, qui ne possède que deux travées tandis que le chœur en compte trois, et une abside dépourvue d'absidioles, entourée d'un déambulatoire.

Les portails du transept sont richement décorés.

L'intérieur est particulièrement intéressant. **Vitraux★** d'un coloris éclatant et grisailles de la Renaissance, de l'école troyenne, forment un ensemble remarquable; les vitraux figurent la vie des Saints et des scènes de la Bible ou du Nouveau Testament. Le chœur, entouré d'une jolie clôture de pierre d'époque Renaissance, à colonnettes cannelées, est fermé par un jubé à trois arcades du début du 17ᵉ s.; une châsse moderne, placée au milieu du chœur, abrite les reliques de St-Florentin.

Promenade du Prieuré. — De cette terrasse, on a une jolie vue sur la vallée de l'Armançon et sur la vieille ville qui a conservé de ses anciennes fortifications une tour de Brunehaut.

EXCURSION

Neuvy-Sautour. — 947 h. *7 km. Quitter St-Florentin au Nord-Est par la N 77.*

Dominant le bourg, l'**église,** construite aux 15ᵉ et 16ᵉ s., possède deux beaux portails latéraux *(en cas de fermeture, demander la clef à l'étude de Me Héau, en face).* Le chœur et le transept sont de style Renaissance; les influences champenoises et bourguignonnes s'y mêlent.

Remarquer à droite du chœur une grande croix du 16ᵉ s. – dite Belle-Croix – ornée de nombreuses statues.

ST-HONORÉ ★

Carte Michelin n° 69 - pli ⑥ – *Schémas p. 120 et 123* – 958 h. – *Lieu de séjour, p. 39.*

La **station thermale★** de St-Honoré, déjà utilisée par les Romains, a connu depuis le siècle dernier un regain d'activité. Ses eaux sulfurées, arsenicales et radio-actives sont employées contre l'asthme, la bronchite, les maladies des voies respiratoires et l'emphysème. Les curistes peuvent jouir des ombrages du parc thermal tapi dans un vallon ou utiliser les nombreuses installations sportives mises à leur disposition.

Situé à la lisière du Morvan, St-Honoré constitue aussi pour les touristes un excellent point de départ pour la visite de cette belle région.

EXCURSIONS

Mont-Beuvray★★. — *Circuit de 56 km – environ 1 h 1/2 – schéma p. 140. Quitter St-Honoré par le D 299.*

La route pittoresque contourne le mont Genièvre.

Après Sanglier, le D 227 croise le D 18, route sinueuse et pittoresque, que l'on prend à droite. Du D 3, une route étroite et en forte pente mène au sommet du Beuvray d'où l'on jouit d'un immense **panorama★★** *(description p. 58).*

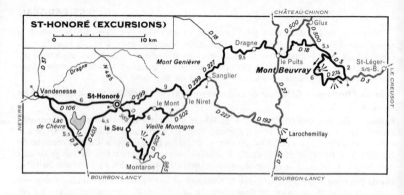

ST-HONORÉ (EXCURSIONS)

Finir le circuit et revenir à St-Honoré par la même route.

Cette excursion peut être combinée avec celle de Vieille-Montagne.

Vieille Montagne. — *Circuit de 16 km, plus 1/2 h à pied AR – schéma ci-dessus. Quitter St-Honoré par le D 985.*

La route procure une jolie vue sur le site de l'étang du Seu. A Montaron, prendre à gauche le D 502.

Dans une clairière entourée de beaux arbres, garer la voiture.

Un sentier donne accès au belvédère de la Vieille Montagne, dans un site agréable d'où l'on bénéficie d'une vue étendue *(en partie cachée par la végétation)* sur le Mont Beuvray et la Forêt de la Gravelle.

Retour à St-Honoré par le Mont et le D 985.

Vandenesse. — *514 h. Circuit de 16 km – schéma ci-dessus. Quitter St-Honoré par le D 106.* La route traverse presque constamment la forêt.

En arrivant à Vandenesse, on voit de la route le vaste château, construit en 1475 et flanqué de nombreuses tours.

Retour à St-Honoré par les D 3 et D 403 qui offrent de belles vues sur le lac de Chèvre.

ST-JULIEN-DE-JONZY

Carte Michelin n° **73** - pli ⑧ – 12 km au Nord de Charlieu – *Schéma p. 65* – 316 h.

D'un petit édifice roman du 12ᵉ s., l'église actuelle conserve un clocher carré et un joli portail dont certains détails rappellent les sculptures du porche de Charlieu.

Le portail *. — Les sculptures du tympan et du linteau sont prises dans un même bloc de grès dont la finesse a facilité la virtuosité de l'artiste.

Le linteau évoque la Cène : toutes les têtes, sauf deux, ont été martelées en 1793 par les révolutionnaires. Les plis de la nappe sont traités avec une merveilleuse souplesse; une scène du Lavement des pieds figure à chaque extrémité.

Intérieur. — L'ancienne croisée du transept voûtée d'une coupole sur trompes forme le narthex de l'église actuelle; les quatre colon-

(D'après photo Protat, Mâcon.)

Église de St-Julien-de-Jonzy. — Tympan du portail.

nes engagées ont conservé de beaux chapiteaux; celle de droite avant la nef présente un décor de feuilles d'eau, réminiscence de l'art cistercien.

Du cimetière, derrière l'église, la vue s'étend sur le Brionnais et les monts du Beaujolais.

ST-JULIEN-DU-SAULT

Carte Michelin n° **61** - Sud du pli ⑭ – 2 123 h.

Ce petit bourg s'élève sur la rive gauche de l'Yonne.

Église. — Des 13ᵉ et 14ᵉ s., elle fut en partie remaniée au 16ᵉ s. A l'extérieur remarquer les porches latéraux.

Le chœur, remanié à la Renaissance, est de proportions hardies. Beaux vitraux à médaillons du 13ᵉ s. et vitraux à personnages, de la Renaissance.

Maison de bois. — De la place du Général-Leclerc, prendre, devant la façade Ouest de l'église, la rue Notre-Dame (D 107) en direction de Courtenay. Dans la première rue à gauche (rue du Puits-de-la-Caille) vers la place Fontenotte, s'élève une maison du 16ᵉ s. Cette maison à pans de bois est décorée de briques au premier étage et de silex au rez-de-chaussée.

Chapelle de Vauguillain. — *Environ 1 h à pied AR.* Une route en forte montée conduit à la chapelle et aux vestiges du château édifiés sur la butte. De là, on découvre une belle vue sur St-Julien et la vallée de l'Yonne.

ST-LÉGER-VAUBAN

Carte Michelin n° 🔢 - plis ⑯ ⑰ – 5,5 km au Nord-Est de Quarré-les-Tombes – *Schéma p. 122* – 509 h.

Dans ce village, qui portait alors le nom de St-Léger-de-Foucheret, naquit, en 1633, Sébastien le Prestre qui devait devenir, sous le nom de marquis de Vauban, l'une des gloires du grand siècle.

Vauban « le plus honnête homme de son siècle ». — Resté orphelin de bonne heure et sans fortune, Sébastien le Prestre s'enrôla à 17 ans dans l'armée du prince de Condé, alors révolté contre la Cour, fut fait prisonnier par l'armée royale et s'attacha désormais au service du roi Louis XIV.

Ingénieur militaire à 22 ans, il travailla, en cette qualité, à 300 places anciennes, en construisit 33 nouvelles, dirigea et mena à bien 53 sièges, justifiant le proverbe : « ville défendue par Vauban, ville imprenable; ville assiégée par Vauban, ville prise ». Brigadier général des armées, puis Commissaire général des fortifications, il reçut en octobre 1704 le bâton de maréchal. Il couvrit les frontières de la France d'une ceinture de forteresses d'une conception absolument nouvelle, utilisant des procédés tels que les feux croisés, le tir à ricochet, les boulets creux, les parallèles, les cavaliers de tranchée et de nombreuses autres inventions d'une portée révolutionnaire pour l'époque.

Saint-Simon, qui n'avait pas la plume tendre, a fait de lui ce portrait : « Un homme de taille médiocre, assez trapu, qui avait fort l'air de guerre, mais en même temps un extérieur rustre et grossier, pour ne pas dire brutal et féroce. Il n'était rien moins; jamais homme ne fut plus doux, plus compatissant, plus obligeant, plus respectueux, sous mille politesses, et le plus avare ménager de la vie des hommes, avec une valeur qui prenait tout parfois et donnait tout aux autres... »

Les dernières années de la vie de cet homme qui n'avait jamais renié ses origines furent malheureuses. Ému par la misère du peuple, il voulut adresser au roi son « Projet d'une dîme royale » dans lequel il proposait des remèdes pour améliorer le sort des basses classes de la société, en instituant un impôt unique proportionnel aux revenus. Les ministres formant barrage, il dut publier son mémoire clandestinement. L'ouvrage fut interdit et Vauban, relégué par Louis XIV indifférent, dans une sorte de disgrâce. Il mourut le 30 mars 1707, pleuré par les humbles. Le roi dit simplement de lui : « Je perds un homme fort attaché à ma personne et à l'État. »

En 1808, Napoléon Ier fit placer le cœur de Vauban aux Invalides. Le reste de son corps repose dans l'église de **Bazoches**, petit village du Morvan, à 20 km au Sud-Ouest d'Avallon, près duquel s'élève le château en grande partie reconstruit par ses soins et d'où la vue s'étend jusqu'à Vézelay.

ST-PÈRE ★

Carte Michelin n° 🔢 - pli ⑮ – 2 km au Sud-Est de Vézelay – *Schémas p. 91 et 122* – 348 h. – *Lieu de séjour, p. 39.*

Le petit village de St-Père est agréablement situé sur les bords de la Cure, au pied de la célèbre colline de Vézelay.

Il possède une belle église gothique.

■ ÉGLISE NOTRE-DAME★ *visite : 1/4 h*

Commencée vers 1240, cette église a connu tous les stades de l'évolution du style gothique, du 13e au 15e s. Achevée en 1455 et primitivement dédiée à Notre-Dame, elle passe sous le patronage de saint Pierre-aux-Liens (d'où le nom de St-Père), en devenant église paroissiale au 16e s.

Extérieur. — Le pignon, surmontant une rose d'un beau dessin, est creusé d'arcatures formant niches. Celles-ci abritent, au centre, les statues du Christ couronné par deux anges et de saint Étienne, encadrées d'un côté par la Vierge et les saints, Pierre, André et Jacques, de l'autre par sainte Madeleine, saint Jean et deux évangélistes.

La tour-clocher du 13e s., finement ouvragée, est d'une grande élégance. A chacun des angles, des anges sonnent de la trompette.

Le porche du 14e s., restauré par Viollet-le-Duc, s'ouvre par trois portails. Celui du centre, avec arcade trilobée, s'orne d'un Jugement dernier : à droite du Christ, les élus sont recueillis dans le sein d'Abraham, à gauche les damnés sont dévorés par Satan. Sous le porche, abritant le tombeau des donateurs, daté de 1258, remarquer l'ampleur des voûtes et le beau dessin des larges baies latérales.

Intérieur. — L'ensemble est d'une grande pureté de style et d'un plan simple. Le chœur est entouré d'un déambulatoire à cinq chapelles rayonnantes.

St-Père — Église Notre-Dame.

141

ST-PÈRE *

A l'entrée deux bénitiers en fonte du 14e s., en forme de cloche renversée, précèdent la
nef centrale aux clefs de voûtes peintes et aux consoles sculptées de têtes expressives.
Une étroite galerie sans balustrade contourne l'édifice au niveau des fenêtres hautes et
allège l'ensemble. Remarquer dans le collatéral gauche un gisant mutilé du 13e s., dans
la chapelle droite du chœur, une pierre d'autel du 10e s. provenant de l'église primitive et,
en sortant, les curieux fonts baptismaux peints d'époque carolingienne.

■ AUTRE CURIOSITÉ

Musée archéologique régional. — *Visite du 1er mars au 23 décembre de 9 h à 12 h 30 et de
14 h 30 à 18 h 30. Fermé le mercredi sauf de Pâques à septembre. Entrée : 5 F, donnant droit
à l'accès aux Fontaines Salées.*

Installé dans l'ancien presbytère, construit au 17e s., ce musée abrite les antiquités provenant des fouilles des Fontaines Salées *(maquette)*, notamment l'un des cuvelages hallstat-
tiens (1er âge du fer) destinés à capter des sources minérales et faits de troncs de hêtres
creux. On y voit aussi une balance en fer gallo-romaine du 4e s., des fibules en bronze
émaillé, en forme d'hippocampe ou de canard sauvage, des armes et bijoux mérovingiens
trouvés dans les nécropoles du Vaudonjon, près de Vézelay, et de Gratteloup, près de Pierre-
Perthuis. La salle médiévale réunit une collection de sculptures du 12e au 16e s. provenant de
la région de Vézelay, entre autres une statue de saint Jacques le Majeur et un Christ bénissant du 13e s.

EXCURSION

Fouilles des Fontaines Salées. — *2 km. Visite aux mêmes conditions que le musée de
St-Père; s'adresser au gardien du musée.*

Les fouilles, toutes proches du D 958, ont fait découvrir des thermes gallo-romains dépendant d'un sanctuaire d'origine gauloise (temple circulaire du 2e s. avant J.-C., avec bassin
sacré au centre), et piscine en plein air dans une vaste enceinte rectangulaire, consacrée
aux divinités des sources.

Ces sources, exploitées depuis l'âge du fer, puis par les Romains et au Moyen Age,
furent comblées au 17e s. par l'administration des gabelles. Dix-neuf cuvelages de bois, que
l'on peut dater du premier millénaire avant J.-C., ont été conservés par la forte minéralisation
de l'eau (sulfate, silicate de chaux, magnésium, fer, potassium, traces d'hélium) qui sortait à
15° 25. Un captage en pierre d'époque romaine donne accès à une source minérale, de nouveau utilisée pour soigner l'arthritisme.

ST-PIERRE-LE-MOUTIER

Carte Michelin n° **69** - Sud-Est du pli ③ – 2 256 h.

De part et d'autre de la passante N 7, cet ancien siège d'un bailliage royal est un bourg
commerçant, aux tranquilles petites places. On y voit encore des traces des remparts qui
fortifiaient la ville au 15e s.

La dernière victoire de Jeanne d'Arc. — Après le sacre de Reims, le conseil du Roi, jaloux du
prestige de Jeanne, lui avait imposé plusieurs mois d'inaction à la cour alors qu'elle avait
hâte de reprendre Paris. En octobre 1429, il décide de l'envoyer débarrasser le comté de
Nevers des bandes de Perrinet-Gressard *(voir p. 70)*. Partie du Berry, la petite troupe royale
entraînée par l'enthousiasme de la Pucelle prend d'assaut St-Pierre-le-Moûtier aux premiers
jours de novembre. Après avoir dû attendre à Moulins des renforts en hommes et en matériel,
l'armée repartit en décembre pour tenter de reprendre la Charité. Peu après ce sera Compiègne et l'emprisonnement.

Église. — Elle appartenait à un prieuré bénédictin dont l'origine remonterait à la reine Brunehaut. Sa masse carrée et solide est aujourd'hui isolée au milieu de la place du marché.

Le tympan du portail Nord malheureusement dégradé représente le Christ et les quatre
évangélistes entourés d'anges dans les voussures. Certains chapiteaux de la nef sont ornés
de scènes pittoresques. Gisant du 14e s.

Sur la place de l'église l'entrée du presbytère est marquée par une porte gothique au
délicat décor flamboyant.

EXCURSION

Mars-sur-Allier. — *404 h. 9,5 km au Nord-Ouest par le D 108.*

La petite église romane de Mars était au 12e s. un prieuré de Cluny. Bien dégagée sur
une petite place, elle offre un plan rectangulaire très simple. Le tympan du portail d'entrée
figure le Christ en gloire entouré des symboles des quatre évangélistes et d'apôtres. On en
fera le tour pour admirer la variété des modillons sculptés et le chevet.

ST-RÉVÉRIEN

Carte Michelin n° **65** - pli ⑮ – 17 km au Sud-Ouest de Corbigny – *Schéma p. 120* – 321 h.

Ce village du Nivernais possède une église romane dont l'intérêt est nettement supérieur
à celui des autres églises rurales de la région. Pour en avoir une bonne vue d'ensemble
et en apprécier le cachet roman, il faut arriver par l'Est, route de Guipy.

Église. — De l'église primitive édifiée au milieu du 12e s., il ne reste, après le violent incendie de 1723, que le chœur, le chevet avec son déambulatoire et les chapelles rayonnantes.
Au 19e s., la nef a été reconstruite et le clocher central a été remplacé par un clocher-
porche.

La porte est surmontée de deux anges à quatre ailes d'inspiration byzantine.

L'**intérieur** * est d'une grande pureté. Remarquer la nef avec doubleaux et l'alternance des piles fortes et des piles faibles. Parmi les églises à nef dépourvue de fenêtres hautes, c'est l'une des seules à posséder un chevet à déambulatoire. Celui-ci, très clair, prolonge les bas-côtés. La retombée des voûtes est soutenue par de beaux chapiteaux à feuillages. Les trois petites chapelles renferment de très beaux chapiteaux historiés. La chapelle absidale et celle de droite, consacrée à saint Joseph, conservent des fresques du 16e s. Dans les bas-côtés sont réunies des pierres tombales provenant de l'église et du cimetière.

EXCURSION

Étang de Vaux. — *10 km. Quitter St-Révérien par le D 977 bis ; puis prendre le D 277 ; on passe à Vitry et Laché avant d'aborder le D 135 qui conduit à plusieurs étangs.*

L'étang de Vaux et son voisin, l'**étang de Baye,** dont il est séparé par une digue, servent à alimenter le canal du Nivernais. L'étang de Vaux, le plus important des deux, environné de bois, est un agréable lieu de pêche ; l'étang de Baye se prête aux évolutions des voiliers.

ST-ROMAIN (Mont) ★★

Carte Michelin n° **69** - pli ⑲ – 7 km au Nord-Ouest de Lugny – *Schéma p. 115.*

Une route en forte montée se détachant du D 187 conduit au mont St-Romain. Table d'orientation. Prendre à droite le chemin vers la tour accolée à la ferme (parking).

Du sommet de cette tour, on découvre un magnifique **panorama** ★★ circulaire : à l'Est, sur la plaine de la Saône, et au-delà, sur la Bresse, le Jura et les Alpes ; au Sud, sur le Mâconnais et le Beaujolais ; à l'Ouest, sur le Charollais.

ST-SAULGE

Carte Michelin n° **69** - Nord du pli ⑤ – *Schéma p. 120* – 1 039 h.

Ce petit bourg, qui appartint autrefois aux comtes de Nevers, est célèbre par ses « légendes » connues dans toute la région.

L'église à trois nefs, de style gothique, a de belles voûtes d'ogives. Dans les travées des bas-côtés, beaux vitraux du 16e s.

EXCURSION

Jailly. — 114 h. *4 km par un chemin vicinal à l'Ouest de St-Saulge.*

L'église romane de Jailly bâtie à flanc de coteau dans un site agréable faisait partie d'un prieuré clunisien. Un arbre magnifique se dresse devant le portail. Un ancien portail roman surmonté d'une petite frise de roses précède l'église couronnée d'un clocher octogonal.

Pour choisir un lieu de séjour à votre convenance,
consultez la carte et le tableau p. 38 et 39.

ST-SEINE-L'ABBAYE

Carte Michelin n° **65** - pli ⑲ – 26 km au Nord-Ouest de Dijon – 352 h.

Cette petite cité, située à une dizaine de kilomètres des sources de la Seine, a gardé le nom du saint homme qui, au 6e s., fonda sur son territoire une abbaye bénédictine. De cette abbaye, il reste une belle abbatiale.

Église. — Cette ancienne abbatiale (du début du 13e s.) marque la transition entre le style roman bourguignon et le style gothique venu de l'Ile-de-France. Après un incendie, l'église fut restaurée au 14e s. ; la façade date du 15e s. Le porche est resserré entre deux tours épaulées de contreforts, mais seule celle de gauche est terminée.

Intérieur. — La nef est éclairée de fenêtres hautes ; le chevet plat s'ajoure d'une belle rose reconstituée au 19e s. Sur le transept à fond plat s'ouvrent des chapelles communiquant avec les collatéraux du chœur par des clôtures de pierre ajourées de baies. Dans le bras de ce transept, nombreuses pierres tombales. Au fond du chœur se trouve l'ancien jubé. Les stalles sculptées (18e s.) s'appuient sur une clôture Renaissance, au revers de laquelle des peintures représentent notamment la légende de saint Seine.

En sortant de l'église, remarquer la fontaine de la Samaritaine dont le bassin est surmonté d'un bronze du 18e s.

ST-THIBAULT

Carte Michelin n° **65** - pli ⑱ – 19 km au Sud-Est de Semur-en-Auxois – 161 h.

Ce village d'Auxois, siège d'un ancien prieuré qui reçut, au 13e s., les reliques de saint Thibault, se pare d'une église dont le chœur est d'une rare élégance ; son portail compte parmi les beaux morceaux de la sculpture bourguignonne du 13e s.

■ L'ÉGLISE* *visite : 1/2 h*

On aborde l'édifice par le flanc Nord. De l'église construite grâce aux libéralités de Robert II, duc de Bourgogne, et de sa femme Agnès de France, fille de Saint Louis, pour abriter les reliques du saint, il ne reste plus, après une suite de catastrophes, que le chœur, une chapelle absidale et le portail sculpté appartenant à l'ancien transept écroulé avec la nef au 17e s.

ST-THIBAULT

Le portail*. — Le portail, qui s'abritait autrefois sous un porche, est un admirable livre d'images. Les sculptures du tympan, exécutées dans la seconde moitié du 13e s., sont consacrées à la Vierge. Celles des voussures, de la même époque, représentent, sur le premier rang, les Vierges sages à gauche, les Vierges folles à droite.

Vers 1310, cinq grandes statues furent ajoutées : celle de saint Thibault est adossée au trumeau; les quatre autres qui l'encadrent seraient des portraits du duc Robert II et de son fils Hugues V, bienfaiteurs de l'église, de la duchesse Agnès et de l'évêque d'Autun, Hugues d'Arcy : l'expression des physionomies est d'une exquise finesse. Les vantaux aux beaux panneaux sculptés sont de la fin du 15e s.

Intérieur. — *Eglise fermée du 15 novembre au 15 mars; s'adresser à Mme J. Cueff, au village.* La nef, reconstruite au 18e s., est décorée de boiseries de l'époque, provenant de Semur-en-Auxois, mais tout l'intérêt se concentre sur le chœur et l'abside, édifiés à la fin du 13e et au début du 14e s., chefs-d'œuvre de hardiesse et d'habileté.

Le **chœur** * à cinq pans est la plus élégante des constructions bourguignonnes de l'époque. Du sol aux voûtes, les fines colonnettes s'élèvent d'un seul jet, unissant dans le même mouvement ascensionnel l'arcature aveugle du soubassement, les fenêtres basses bordées d'une claire-voie délicate, le triforium et les fenêtres hautes *(illustration p. 27)*. Dans le chœur, à gauche, une statue en bois polychrome de la fin du 14e s. représente saint Thibault jeune, dans une pose un peu affectée, un doigt retenant une page de livre.

A droite du chœur, sous un enfeu aux bas-reliefs restaurés en 1839, tombeau du fondateur de l'église, Hugues de Thil, du 13e s.; à côté, piscine d'autel à deux vasques du 12e s.

Le **mobilier** * est fort intéressant : l'autel est décoré de deux retables en bois sculpté représentant des épisodes de la vie de saint Thibault.

Remarquer, au fond du chœur, un grand Crucifix du 14e s. et, au-dessus de l'autel, sur une belle crosse, une colombe eucharistique du 16e s., qui servait autrefois à conserver le Saint Sacrement.

Dans la nef, à droite, contre le mur du chœur, on peut voir une jolie statue de la Vierge regardant son Fils jouer avec un oiseau (14e s.).

Dans la chapelle St-Gilles, partie la plus ancienne de l'église, grande châsse de saint Thibault, en bois, du 14e s. et statues figurant l'Ancien et le Nouveau Testament.

EXCURSIONS

Vitteaux. — 1 077 h. *7 km au Nord-Est de St-Thibault par le D 26, puis le D 70.*

L'église St-Germain *(fermée de novembre à mars; s'adresser à la Cure voisine)* possède un portail aux lignes harmonieuses du 13e s. avec des vantaux sculptés du 15e s.

A l'intérieur, une belle tribune d'orgue en bois sculpté du 15e s. retrace le récit de la passion selon Saint-Matthieu.

Château de Posanges. — *10 km au Nord-Est de St-Thibault par le D 26, puis le D 70 jusqu'à Vitteaux. Prendre ensuite, à gauche, le D 905.*

Cette imposante construction, érigée par Guillaume Dubois, maître d'hôtel de Philippe le Bon, date du 15e s. Remarquer la belle porte d'entrée fortifiée : un pont-levis commandait autrefois l'accès du château.

L'une des quatre tours cylindriques qui se dressent aux angles de l'édifice fut rasée par Henri IV.

Le château, restauré depuis 1963, a été transformé pour abriter des ateliers d'art *(on ne visite pas).*

STE-MAGNANCE

Carte Michelin n° 65 - pli ⑰ – Sur la N 6, à 25 km au Nord-Ouest de Saulieu – *Schémas p. 120 et 122* – 355 h.

L'église de ce petit village, édifiée aux environs de 1514, est de style gothique; le chœur et l'abside sont surmontés de voûtes flamboyantes.

Elle renferme le curieux **tombeau*** de sainte Magnance, du 12e s. Les bas-reliefs de ce tombeau, endommagé à la Révolution puis restauré, racontent la légende et les miracles de la sainte, qui accompagna avec quatre dames romaines le corps de saint Germain d'Auxerre *(voir p. 48)*, mort à Ravenne au milieu du 5e s.

SANCOINS

Carte Michelin n° 69 - pli ③ – 3 558 h. (les Sancoinnais) – *Lieu de séjour, p. 39.*

Aux confins du Bourbonnais, du Berry et du Nivernais, cité ouverte à de nombreuses activités artisanales et industrielles (tuilerie, pièces détachées, meubles et confection), Sancoins est devenue un centre européen du marché des bestiaux.

Le parc des Grivelles *(accès par la déviation Nord)* couvre 17 ha et comprend un centre administratif sur deux niveaux et 28 000 m² de terrain pour accueillir bovins, veaux, moutons et porcs. Il attire, les mercredis, des acheteurs venus des départements français et des pays de la Communauté.

Les remparts du 15e s., les diverses tours Ste-Catherine et Jeanne d'Arc et les vieux quartiers de la ville restée place forte jusqu'à la Révolution, intéresseront les visiteurs.

EXCURSION

Château de Grossouvre. — *Circuit de 17 km. Quitter Sancoins au Nord par le D 920 et prendre à droite le D 76 passant devant le château restauré (on ne visite pas).* Sa tour carrée, au curieux appareil en bossages, remonte au 12e s. *Prendre ensuite à droite le D 78 passant à travers bois, puis encore à droite le D 41 rejoignant la voie rapide en direction de Sancoins.*

SAÔNE (Plaine de la)

Cartes Michelin n°⁵ 66 - plis ⑬ ⑭, 70 - plis ① ② ③ et 74 - pli ③.

La Saône prend sa source à Vioménil au contact du Plateau lorrain et des Vosges, à 395 m d'altitude.

Elle pénètre en Bourgogne aux abords de Pontailler, et après un parcours total de 480 km conflue avec le Rhône à la Mulatière, au sortir de Lyon.

Sa très faible pente et la régularité de son débit en font une voie d'eau facile et douce, navigable sur plus des trois quarts de son cours.

Les paysages de la Saône. — La Saône traîne ses eaux lentes dans une large plaine correspondant au fossé d'effondrement entre le Massif Central et le Jura.

La rivière inonde sa vallée chaque hiver et dépose des alluvions fertiles dont bénéficient les prairies voisines ainsi que les cultures maraîchères (Auxonne). Un vaste marécage recouvrait encore au 18ᵉ s. les vallées de l'Ouche et des Tilles, dévolues aujourd'hui aux cultures industrielles (tabac, betterave à sucre...).

Après Seurre, la Saône se rapproche de la « Côte » mais en reste séparée par une zone boisée discontinue (forêt de Cîteaux, de Gergy), éclaircie par les défrichements effectués au Moyen Age par les moines cisterciens.

Une voie de passage. — Dès l'âge du bronze, au 2ᵉ millénaire avant J.-C., la Bourgogne s'ouvre au commerce entre le Nord et le Sud, avec les routes de l'ambre (venant de la mer Baltique), de l'étain (venant de Cornouailles, par la vallée de la Seine) et du sel (venant d'Italie).

Les échanges se développent à l'époque romaine. La Via Agrippa reliant Lyon à Trèves et passant par Mâcon, Tournus, Chalon-sur-Saône et Langres est alors établie. On emprunte aussi la Saône et Chalon-sur-Saône joue dès lors un rôle de port fluvial et d'entrepôt de la corporation des « nautes » de la Saône.

Parmi les produits importés d'Italie, figurait le vin : on a pu retrouver à Chalon-sur-Saône, dans le lit du fleuve, un dépôt estimé à 24 000 pointes d'amphores.

Aux 13ᵉ et 14ᵉ s., les foires de Chalon-sur-Saône deviennent une des grandes assises du commerce international : les drapiers de Dijon, Châtillon, Beaune y côtoient ceux de Flandre et les marchands italiens.

La Saône est reliée par canal à la Loire en 1793, à la Seine en 1832, au Rhin en 1833, à la Marne en 1907.

L'axe de la Saône est la seule grande voie naturelle Nord-Sud de l'Europe occidentale. Elle est empruntée par la route (autoroute A 6, N 5, N 6) et par le chemin de fer (ligne Paris-Lyon-Marseille). Des travaux d'aménagement, en cours de réalisation, doivent d'abord permettre la remontée des bateaux de 1 350 t de Marseille à Auxonne. Dans un avenir plus lointain, avec la réalisation du projet de jonction Rhône-Rhin, les convois poussés de 3 000 t pourraient relier Fos à Rotterdam.

QUELQUES SITES CARACTÉRISTIQUES

Pontailler-sur-Saône. — 1 310 h. *Lieu de séjour, p. 39.* Du « Mont Ardoux », éminence dominant la localité, on jouit d'une belle vue sur la plaine de la Saône et sur les hauteurs du Jura qui la limitent à l'Est.

Auxonne. — *Page 52.*

St-Jean-de-Losne. — 1 605 h. C'est une véritable gare d'eau sur la Saône, à l'origine du canal de Bourgogne et à proximité du point de départ du canal du Rhône au Rhin.

Cette ancienne place forte soutint en 1636 un siège mémorable contre les Impériaux, alors que la Saône servait de frontière entre la France et l'Empire. Les quelques centaines d'hommes de sa garnison résistèrent victorieusement aux 60 000 soldats du général autrichien Gallas, les contraignant à la retraite.

L'église bâtie aux 15ᵉ et 16ᵉ s. est surmontée d'un clocher avec tourelles et de beaux toits à forte pente.

Verdun-sur-le-Doubs. — 1 216 h. *Lieu de séjour, p. 39.* Cette petite localité occupe un joli site à proximité du confluent de la Saône nonchalante et du Doubs turbulent, dans un paysage de prairies. C'est le pays de la « pauchouse », sorte de matelote, célèbre spécialité régionale.

Chalon-sur-Saône. — *Page 68.*

Tournus. — *Page 158.*

Mâcon. — *Page 112.*

SAULIEU *

Carte Michelin n° 65 - pli ⑰ – *Schémas p. 120 et 122* – 3 156 h. (les Sédélociens).

Aux confins du Morvan et de l'Auxois, Saulieu, sur la N 6, propose aux visiteurs sa basilique St-Andoche et les œuvres du sculpteur animalier François Pompon, né dans la ville en 1855.

La route et la table. — Saulieu a connu dès le 17ᵉ s. une réputation gastronomique bien établie, et déjà diffusée dans le monde littéraire. C'est à la route qu'elle le doit. En effet, en 1651, les États de Bourgogne décidaient de rendre à l'ancienne route Paris-Lyon, passant par le rebord oriental du Morvan, toute l'importance qu'elle avait eue avant le Moyen Age. Saulieu connut alors un essor considérable en développant ses industries et ses foires. Relais de poste, la ville se devait de bien « traiter » les voyageurs de passage. Rabelais avait déjà vanté Saulieu et sa bonne chère. Mme de Sévigné, se rendant à Vichy par Autun, s'y arrêta le 26 août 1677 et elle avoua plus tard s'y être grisée, pour la première fois de sa vie, au cours d'un plantureux repas.

145

SAULIEU ★

Le bois du Morvan. — A mesure que le progrès pénétrait dans les campagnes, Saulieu a dû transformer ses activités. L'exploitation des arbres de Noël peut entrer en ligne de compte puisque chaque année il en part plus d'un million (épiceas surtout) à destination de Paris, des grandes villes de France, d'Europe et d'Afrique. La reconversion des forêts, entraînant le développement des résineux, a toutefois assuré aux belles futaies de hêtres et de chênes la place prépondérante. D'importantes pépinières expédient un peu partout plusieurs centaines de milliers de plants.

La forêt domaniale de Saulieu (768 ha) a été aménagée (aires de pique-nique, de jeux et de stationnement, sentiers de promenades et sentiers équestres, étang à truites).

■ BASILIQUE ST-ANDOCHE★

visite : 1/2 h

La basilique se dresse sur la place de la Fontaine (jolie fontaine du 18e s.). Légèrement postérieure à celle de Vézelay, elle fut édifiée au début du 12e s. pour remplacer l'église d'une abbaye fondée au 8e s. sur les lieux du martyre de saint Andoche, de saint Thyrse et de saint Félix.

Ce beau monument roman a été fort maltraité; le portail, mutilé à la Révolution, a été refait au 19e s. Intérieurement, la base des piliers est enterrée de près d'un mètre. Le chœur brûlé par les Anglais en 1359 a été reconstruit en 1704.

Tout l'intérêt se concentre sur les **chapiteaux★** historiés ou décoratifs, reprenant les mêmes sujets que ceux d'Autun. On reconnaîtra notamment : la fuite en Égypte, la Tentation du Christ au désert, la Pendaison de Judas, l'Apparition du Christ à Madeleine, le Faux prophète Balaam. Les stalles du chœur sont du 14e s., la tribune d'orgues du 15e s. Très restauré, le tombeau

(D'après photo Combier, Mâcon.)

Basilique St-Andoche. — Chapiteau.

de saint Andoche a été placé dans la 2e chapelle du bas-côté gauche. A droite du chœur, Vierge Renaissance en pierre et statue de saint Roch du 14e s. Dans le bas-côté gauche, belle pierre tombale et statue de la Vierge offerte, dit-on, par Mme de Sévigné, en guise de « mea culpa » *(voir p. 145).*

■ AUTRES CURIOSITÉS

Musée. — *Visite de Pâques au 15 septembre de 10 h à 13 h et de 14 h à 20 h; le reste de l'année de 10 h à 12 h et de 14 h à 18 h. Fermé le mardi, sauf en saison d'été. Entrée : 3 F.*

Le musée est installé dans l'ancien presbytère, bâtiment du 17e s. attenant à la basilique. Dans la cour, fragments lapidaires dont une vasque baptismale du 13e s.

Au rez-de-chaussée : une salle, consacrée à l'art religieux, contient de belles statues du 12e au 18e s.; une deuxième salle a trait à l'archéologie et à l'histoire locales et régionales; une dernière groupe de nombreuses stèles funéraires gallo-romaines en granit provenant de la nécropole antique de Saulieu.

Au 1er étage : sur le palier sont présentés les documents concernant les traditions gastronomiques de Saulieu. La **salle François-Pompon★** renferme de nombreuses œuvres originales (bronzes, terres cuites, moulages) du grand sculpteur animalier (le **taureau★**, l'une de ses œuvres maîtresses, a été érigé en 1948 à l'entrée de la ville. Les autres salles exposent, à l'aide de nombreux outils et documents : la reconstitution d'un intérieur morvandiau du 19e s., l'artisanat ancien du Morvan, le métier à tisser ancien et le Saulieu d'autrefois.

Église St-Saturnin. — Cette jolie église du 15e s., au clocher pointu couvert en bardeaux, se dresse au milieu d'un cimetière en terrasse.

Derrière l'abside, tombe de François Pompon, surmontée d'un condor, une de ses œuvres.

Promenade Jean-Macé. — Elle est plantée de tilleuls séculaires.

EXCURSION

Thoisy-la-Berchère. — 365 h. *10 km à l'Est par ③, N 6 et à gauche le D 977 bis passant devant le château.*

Château. — *Visite suspendue.* Édifié au 15e s. par le cardinal Rolin, évêque d'Autun, et restauré au siècle dernier, entouré d'un parc, il présente une sobre façade Renaissance.

Henri IV séjourna à Thoisy en 1595, après la victoire de Fontaine-Française.

Le château renferme, au premier étage, une collection de fresques du 16e s.

SAULIEU

0   200 m

Roclore (Pl.) _____ 3
Marché (R. du) ___ 2
Sallier (R.) _____ 4
Vauban (R.) _____ 5

146

SEIGNELAY

Carte Michelin n° 65 - pli ⑤ – 1 132 h. (les Seignelois) – *Lieu de séjour, p. 39.*

Construite au flanc d'une colline boisée au pied de laquelle serpente le Serein, Seignelay, siège au Moyen Age d'une importante seigneurie, doit à Colbert ses titres de noblesse.

Ayant fait, aux environs de 1660, acquisition de la baronnie de Seignelay, il la fit ériger en marquisat et appela, pour en restaurer le château, les architectes du roi.

De ce château, détruit à la Révolution, il ne reste plus aujourd'hui, couronnant le bourg, que l'ancien parc, une partie de l'enceinte fortifiée, une tour restaurée au siècle dernier, et l'un des deux pavillons d'entrée construit à la fin du 18ᵉ s. par les Montmorency.

Place Colbert. — Une avenue bordée de platanes aboutit à cette place qui a conservé son caractère du 17ᵉ s.

Du haut de cette avenue se présente une jolie perspective sur le Serein.

L'ancien auditoire ou salle du bailliage (actuellement hôtel de ville), remarquable pour sa façade ornée d'un fronton et ses portes à fortes moulures, fut édifié sous Colbert par l'architecte Duplessis-Dieulamant. A côté, le bâtiment qu'occupe la gendarmerie est l'ancienne capitainerie adjointe à l'auditoire par les soins du duc de Montmorency. L'ensemble forme un corps de bâtiment à deux ailes, harmonieux, avec ses toits à la Mansart couverts d'ardoises.

Le pavillon d'entrée de l'ancien château est construit en équerre avec la capitainerie.

Face à l'auditoire, la pittoresque **halle** du 17ᵉ s., en bois, possède une originale toiture présentant 4 faces avec 8 rampants de forme et d'inclinaison différentes, soutenues par une belle charpente et reposant sur 32 colonnes.

Église St-Martial. — Cette église, rebâtie au 15ᵉ s. sur une église romane dont elle a conservé les contreforts extérieurs, est flanquée d'une belle tour-clocher, massive, surmontée d'un lanternon; elle est originale par son plan irrégulier (un seul bas-côté).

Du 15ᵉ s. datent le chœur, l'abside, la chapelle de la Vierge et celle des Fonts.

Au 16ᵉ s., la nef est refaite; on élève la voûte du collatéral à hauteur de celle de la nef. De cette époque date aussi le petit portail Renaissance surmonté d'un auvent.

A l'intérieur, banc d'œuvre Louis XIII; dans le sanctuaire, six chandeliers Louis XVI en cuivre argenté provenant du château, ainsi que trois tabourets et deux petites châsses aux armes de Colbert; une Vierge peinte du 17ᵉ s.

Aux fenêtres de la nef gauche et du chœur, restes des remplages de vitraux du 16ᵉ s., œuvre des frères Veissières et de leur élève Mathieu, originaires de Seignelay.

*De nombreux terrains de camping
offrent des commodités : magasins, bars, laveries,
et des distractions : salle de jeux, golf miniature,
jeux et bassins pour enfants, piscine...
Consultez le **guide Michelin Camping Caravaning France** de l'année.*

SEINE (Sources de la)

Carte Michelin n° 65 - pli ⑱ – 10 km au Nord-Ouest de St-Seine-l'Abbaye.

A 2 km à l'Ouest de la N 71, on atteint, par le D 103, les sources de la Seine qui jaillissent dans un petit vallon planté de sapins. La ville de Paris est propriétaire de l'enclos. *On visite librement.* La source principale bouillonne sous une grotte abritant une statue de nymphe personnifiant la Seine, copie de celle exécutée en 1865 par le sculpteur Jouffroy.

Aussitôt en aval, où des fouilles ont été pratiquées à diverses reprises, ont été mis au jour les vestiges d'un temple gallo-romain et un certain nombre d'objets en bronze (Faune, Dea Sequana) prouvant que la source de la Seine était un objet de culte à l'époque romaine.

Les dernières fouilles exécutées en 1963 ont mis au jour un grand nombre de statuettes en bois, des ex-voto, entre autres des « planches anatomiques » (au total 200 pièces environ) exposées au musée archéologique de Dijon.

SEMUR-EN-AUXOIS ★

Carte Michelin n° 65 - plis ⑰ ⑱ – 5 371 h. (les Sémurois) – *Lieu de séjour, p. 39.*

Capitale de l'Auxois, riche pays de culture et d'élevage s'inscrivant entre les plateaux dénudés du Châtillonnais et les terres granitiques du Morvan, Sémur bénéficie d'un autre privilège. Le **site ★** et la ville constituent un ensemble très pittoresque, quand on l'aborde par l'Ouest ou par le Nord. De la route de Paris, dans la descente avant le pont Joly, on a une belle vue sur la ville et sur les remparts.

Sur une falaise de granit rose dominant le ravin au fond duquel coule l'Armançon, s'accrochent un fouillis de petites maisons claires et une cascade de jardins que dominent les grosses tours coiffées de tuiles rouges du donjon et la flèche effilée de l'église Notre-Dame.

Une place forte. — Au 14ᵉ s., lorsqu'on eut renforcé sa citadelle par un rempart appuyé sur 18 tours, Semur devint la place la plus redoutable du duché. La ville se divisait alors en trois parties entourées chacune d'une enceinte.

Au centre, occupant toute la largeur de l'éperon rocheux, le « donjon » était en fait une vraie citadelle réputée imprenable, plongeant à pic, au Nord et au Sud, sur la vallée de l'Armançon, et flanquée, aux angles, de quatre énormes tours rondes : tour de l'Orle d'Or, tour de la Gehenne, tour de la Prison et tour Margot.

A l'Ouest, le « château », dont subsistent les remparts, couvrait la partie haute de la presqu'île enfermée dans le méandre de la rivière.

A l'Est, le « bourg » demeura le quartier le plus peuplé de Semur même lorsque la ville se fût étendue sur la rive gauche de l'Armançon.

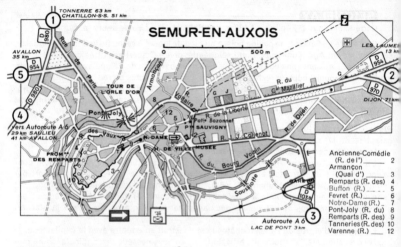

■ PRINCIPALES CURIOSITÉS *visite : 1 h 1/2*

Spectacle « Son et Lumière », voir p. 6.
Partir de la place, devant l'église.

Église Notre-Dame*. — La petite place Notre-Dame, bordée de maisons anciennes, a beaucoup de cachet.

L'église, fondée au 11e s. a été reconstruite au cours des 13e et 14e s.; plusieurs fois remaniée aux 15e et 16e s. et agrandie par l'adjonction de chapelles sur les bas-côtés Nord, elle a été restaurée par Viollet-le-Duc.

D'une grande élégance, c'est une cathédrale en miniature.

Extérieur. — La façade du 14e s., flanquée de deux tours carrées, est précédée d'un vaste porche.

S'avancer, à gauche de l'église, dans la rue Notre-Dame : la porte du croisillon Nord, dite « Porte des Bleds » (13e s.), a conservé un beau tympan contant l'incrédulité que manifesta saint Thomas lors de la résurrection du Christ. Au sommet de l'archivolte, un ange ouvre les bras en un geste d'accueil. De fines colonnettes encadrent le portail; sur l'une d'elles, deux escargots sculptés symbolisent la gastronomie bourguignonne.

Du petit jardin, derrière l'église, on a une belle vue sur le chevet, surprenant par son élévation et d'une grande pureté de lignes, avec son abside très élancée et ses chapelles au toit conique.

Le carré du transept est surmonté d'une tour octogonale coiffée d'une belle flèche de pierre.

Revenir à la façade.

Le porche (15e s.), à trois arcades, abrite trois portails; les sculptures des voussures et des niches ont disparu à la Révolution, mais on peut voir encore, peuplant les piédroits de chacun des portails, de petits personnages sculptés en bas relief.

Intérieur. — En entrant, on est frappé par l'étroitesse de la nef centrale (13e et 14e s.), qui accuse la hauteur des voûtes soutenues par des fines colonnes.

Gagner tout de suite le bas-côté gauche où s'ouvrent plusieurs chapelles intéressantes : dans la 2e, une Mise au tombeau polychrome (1) de la fin du 15e s. frappe par ses personnages monumentaux dans la tradition de Claus Sluter *(p. 28);* la 3e, voûtée en étoile, est éclairée par un vitrail (2), du 16e s., illustrant la légende de sainte Barbe; les deux dernières chapelles conservent des panneaux d'anciens vitraux offerts au 15e s. par diverses confréries de l'époque : bouchers (3) et drapiers (4), ce dernier en huit panneaux.

Derrière la chaire, adossé au mur, remarquable ciborium (5) en pierre, du 15e s. orné d'un clocheton finement sculpté, haut de 5 m.

Autour des deux bras du transept et du cœur, règne

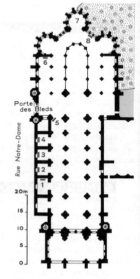

Plan de l'église Notre-Dame.

un triforium aveugle aux élégantes colonnettes surmontées de têtes humaines d'un curieux réalisme. La clef de voûte du chœur, peinte, représente le Couronnement de la Vierge, au milieu de feuillages et de têtes d'anges.

Le plan du sanctuaire est très développé, le chœur est accosté d'un double collatéral; sur le déambulatoire s'ouvrent trois chapelles rayonnantes séparées par des fenêtres à triple baie. Remarquez l'orgue Riepp-Callinet des 17e et 18e s. *(voir p. 6).*

Dans la chapelle faisant suite au transept, un retable peint en 1453 (6) représente l'Arbre de Jessé; un dais gothique en bois sculpté le surmonte. De beaux vitraux du 13e s., restaurés par Viollet-le-Duc, éclairent la chapelle absidale dédiée à la Vierge (7). Un peu plus loin, un Christ aux Cinq plaies (8), statue polychrome du 16e s., montre de la main droite la plaie de son côté, dans une attitude un peu théâtrale; deux petits anges soutiennent son manteau.

Tour de l'Orle d'Or et musée. — *Visite accompagnée en juillet et août; se renseigner pour les horaires à la Maison du Tourisme. Entrée : 3 F.*

Cette tour faisait partie du donjon, démantelé en 1602. Elle doit son nom aux créneaux (supprimés), qui avaient un revêtement de plomb cuivré (« ourlée d'or »). De dimensions imposantes (45 m de hauteur, murs de 2,25 m d'épaisseur au sommet, de 5 m à la base) elle est le siège de la Société des Sciences historiques et naturelles de Semur qui y a installé un musée renfermant des collections géologiques, archéologiques et folkloriques. Avant la construction du pont Joly (1783), cette tour était l'une des entrées de la ville. Des étages successifs de la tour, on découvre des vues différentes du donjon, de la ville et de son site.

Promenade des remparts. — Aménagée sur les anciens remparts à la proue de l'éperon granitique, cette promenade, plantée de beaux tilleuls, domine en corniche la vallée de l'Armançon. Pour s'y rendre, on passe devant l'hôpital, assez bel édifice du 18e s., ancien hôtel du marquis du Châtelet, gouverneur de Semur et lieutenant général des armées du roi, dont la pédante épouse fut la tendre amie de Voltaire.

De la promenade, un sentier dévale dans la vallée jusqu'à la rue des Tanneries et contourne la ville en longeant la rivière.

(D'après photo Arch. T.C.F.)

Semur-en-Auxois. — Vue générale.

■ AUTRES CURIOSITÉS

Pont Joly. — Du pont Joly, on a une **vue d'ensemble ★** du site et de la petite cité médiévale. L'éclairage du soir, au soleil couchant, est particulièrement favorable. Le pont franchit l'Armançon au pied du donjon qui verrouillait l'isthme étroit rattachant la falaise rose, où naquit la cité, au plateau granitique, où la ville s'est étalée. Au premier plan, la vue s'étend sur la vallée; de gauche à droite on découvre des jardins, des rochers, des parcs, des cascatelles.

Tour de ville par le bas. — Il est possible de longer le pied des remparts par la rue Basse-du-Rempart. Le site est alors mis en valeur par les énormes masses de granit rouge pailleté de mica et de quartz qui servent d'assise au donjon.

Musée et bibliothèque. — *Visite les mercredis et vendredis de 14 h 30 à 18 h 30 du 15 juin au 30 septembre pour le musée; les mercredis de 14 h à 18 h toute l'année pour la bibliothèque.*

Ils sont installés dans l'ancien couvent des Jacobines. Le **musée** abrite une importante collection géologique et paléontologique, deux salles de peinture et des sculptures du 13e au 18e s. Une salle est consacrée à l'archéologie, une à l'histoire naturelle. La **bibliothèque** possède des manuscrits et des incunables de grande valeur, parmi lesquels un manuscrit orné de magnifiques enluminures du 10e s., le Missel d'Anne de Bretagne et l'un des plus anciens incunables sortis des presses de Gutenberg.

Porte Sauvigny. — Cette porte du 15e s., précédée d'une poterne, marquait l'entrée principale de l'enceinte dite du Bourg-Notre-Dame.

EXCURSIONS

Lac de Pont. — *3 km au Sud par D 103B. Lieu de séjour, p. 39.*

Long de 6 km environ, le lac artificiel s'étend entre Pont-et-Massène et Montigny.

Une retenue d'une hauteur de 21 m et d'une superficie de 80 ha, créée au 19e s., alimente le canal de Bourgogne.

Les rives du lac de Pont (plage aménagée et sports nautiques) forment un joli site dans un cadre de verdure et de rochers.

Les Laumes. — *13 km au Nord-Est par le D 954.*

Située sur une esplanade près de la gare, l'église a été construite en 1968 par l'architecte Jacques Prioleau. L'édifice, très sobre, est éclairé par une grande baie dans le chœur et deux baies latérales donnant accès à deux petits jardins.

Carte Michelin n° 73 - Nord des plis ⑦ et ⑧ – *Schéma p. 65* – 755 h.

Ce village est bien situé sur un promontoire couvert de vignes et d'arbres fruitiers. Un château, une église romane près de laquelle se dressent un ancien prieuré et un auditoire de Justice (mairie) du 18ᵉ s. composent un ensemble architectural d'une belle pierre ocre rose.

Église*. — De style clunisien, elle présente un très beau chevet; son aspect trapu est atténué par la hauteur des murs-pignons à l'extrémité du chœur et des bras du transept, et sa sévérité par les corniches de modillons sculptés qui règnent à la base des toits. L'élégant clocher octogonal qui la domine est remarquable par son double étage d'arcatures romanes géminées qui s'ouvrent, à l'étage supérieur, sous un réseau de voussures.

Le portail Ouest est richement décoré, mais ses sculptures sont traitées avec une certaine maladresse dans le modelé. A la clé de la voussure extérieure on voit, comme à Charlieu, l'agneau nimbé. Au linteau, est représentée une scène de la vie de saint Hilaire, patron de l'église : condamné par un concile d'évêques ariens, il part en exil, la besace sur l'épaule; en chemin, il rencontre un ange qui lui rend l'espoir et sa place parmi les évêques; cependant le diable s'empare brutalement de l'âme du président du concile.

La nef est très harmonieuse avec son triforium, soutenu par des arcs à deux voussures, qui vient, au revers de la façade, former une tribune ronde en saillie, supportée par un remarquable encorbellement prenant appui sur la clé de voûte de la porte. Cette tribune a été vraisemblablement imitée de celle de la chapelle St-Michel établie au-dessus du grand portail, dans l'église abbatiale de Cluny. A la croisée du transept, la coupole sur trompes s'orne d'arcatures rappelant le triforium.

Château St-Hugues. — *Visite du 1ᵉʳ avril au 31 octobre de 9 h à 12 h et de 15 h à 19 h. Fermé le mardi. Entrée : 3 F. Spectacle « Son et Lumière », voir p. 6.*

On visite le donjon rectangulaire bâti au 9ᵉ s. où naquit saint Hugues *(voir p. 23, 82 et 131)* et deux petites tours arrondies aménagées en prison au 18ᵉ s. Vue sur les coteaux plantés de vignes et au loin sur les monts du Forez et de la Madeleine.

SÈNE (Mont de) **

Carte Michelin n° 69 - pli ⑨ – 10 km à l'Ouest de Chagny.

On accède au mont de Sène, ou **montagne des Trois-Croix** (en raison des trois croix érigées au sommet), par une route s'embranchant sur la route reliant Dezize-lès-Maranges à la N 6. Ces routes assez étroites comportent de fortes rampes aux virages difficiles vers le haut.

Panorama.** — Du sommet on jouit d'un panorama circulaire, au Nord, au-delà de la Rochepot, sur la côte au célèbre vignoble, à l'Est, sur la vallée de la Saône, le Jura et les Alpes, au Sud, sur le Clunisois dominé par le mont St-Vincent, à l'Ouest, sur la masse du Morvan.

SENNECEY-LE-GRAND

Carte Michelin n° 69 - plis ⑲ ⑳ – 10 km au Nord de Tournus – 2 269 h.

Au bord d'une grande place ceinturée de fossés, la mairie occupe ce qui reste de l'ancien château féodal, à la place duquel on construisit au 19ᵉ s., dans le style classique, une église monumentale, dont les hautes colonnes intérieures ne manquent pas de majesté.

Églises anciennes. — Sennecey possède en outre deux églises romanes, l'une et l'autre de plan très simple, montrant extérieurement des arcatures lombardes mais dépourvues de décoration intérieure. La toiture de leurs charmants clochers carrés repose sur une petite coupole sur trompes.

Église St-Julien. — Au bourg. Nef et clocher du 11ᵉ s. ; le reste de l'édifice est du 15ᵉ s.

Église St-Martin-de-Laives. — *A 2,5 km à l'Ouest. Accès par la D 18 et, à Sermaizey, après le passage sous l'autoroute, par un chemin se détachant à gauche.*

Située sur un éperon d'où la vue s'étend sur la Bresse, le Jura, Chalon et ses environs, la vallée de la Grosne et le Charollais, elle a été construite comme St-Julien au 11ᵉ s. et complétée par des chapelles au 15ᵉ et au 16ᵉ s.

SENS **

Carte Michelin n° 61 - pli ⑭ – 27 930 h. (les Sénonais).

Simple sous-préfecture du département de l'Yonne, Sens est le siège d'un archevêché, témoignage de sa grandeur passée. La vieille ville est entourée de boulevards et de promenades qui ont remplacé les anciens remparts. Au centre se dresse la cathédrale St-Étienne.

L'arrivée par la D 81 qui débouche sur les hauteurs de la rive gauche de l'Yonne procure, dans un virage et tout le long de la descente, une belle vue d'ensemble de la ville.

UN PEU D'HISTOIRE

Au pays des Senons. — Le peuple des Senons, qui donna son nom à la ville, fut longtemps un des plus puissants de la Gaule. En 390 avant J.-C., les Senons, commandés par Brennus, envahirent l'Italie et s'emparèrent de Rome. Maîtres à leur tour de toute la Gaule, les Romains firent de Sens la capitale d'une province de la Lyonnaise, la Lyonnaise IVᵉ ou Senonie.

Un important diocèse. — Jusqu'en 1627, date à laquelle Paris fut érigé en archevêché, Sens eut la prééminence sur les évêchés de Chartres, Auxerre, Meaux, Paris, Orléans, Nevers et Troyes, dont les initiales forment la devise de l'église métropolitaine : « Campont ». Le séjour que fit à Sens, en 1163-1164, le pape Alexandre III, transforma la ville en capitale provisoire de la chrétienté. C'est encore à Sens que se tint le Concile qui condamna Abélard, et c'est dans la cathédrale que fut célébré, en 1234, le mariage de Saint Louis et de Marguerite de Provence. Avec Paris, le diocèse de Sens perdit Meaux, Chartres et Orléans.

■ PRINCIPALES CURIOSITÉS *visite : 1 h*

Cathédrale St-Étienne★★. — Commencée vers 1140, sur l'initiative de l'archevêque Henri San-glier, c'est la première en date des grandes cathédrales gothiques de France. L'architecte Guillaume de Sens s'en inspira pour reconstruire le chœur de la cathédrale de Cantorbéry (1175-1192).

Extérieur. — La façade Ouest, amputée d'une tour, conserve néanmoins une imposante majesté et un harmonieux équilibre. La tour Nord, ou « tour de plomb », édifiée à la fin du 12ᵉ s., était surmontée d'un beffroi en charpente couvert de plomb, détruit au siècle dernier.

La tour Sud, ou « tour de pierre », écroulée à la fin du 13ᵉ s., fut reconstruite au siècle sui-vant et achevée au 16ᵉ s. Couronnée par un élégant campanile, elle est haute de 78 m. Elle abrite deux cloches pesant respectivement 14 000 et 16 000 kg.

Les statues de la galerie haute, ajoutées au 19ᵉ s., représentent les principaux archevêques de Sens.

Au-dessus du portail central s'étagent une immense fenêtre rayonnante, une rose de moindre dimension et un Christ bénissant encadré de deux anges (statues modernes).

Portail de gauche. — Le tympan de ce portail du 12ᵉ s. évoque l'histoire de saint Jean-Baptiste. A la base des piédroits des bas-reliefs figurent la libéralité et l'avarice.

Portail central. — Adossée au trumeau du portail central, la très belle statue de saint Étienne, en costume de diacre et portant l'évangile, a heureusement été épargnée à la Révolution. Cette œuvre de la fin du 12ᵉ s. qui marque la transition entre les sculptures de Chartres et de Bourges, et celles de Paris et d'Amiens, constitue un intéressant exemple de la statuaire gothique à ses débuts.

Les bas-reliefs des piédroits encadrant le portail représentent à droite les Vierges folles et à gauche les Vierges sages. Les statues des apôtres qui occupaient les douze niches des ébra-sements du portail ont disparu. Les soubassements sont finement sculptés. Le tympan pri-mitif qui représentait, croit-on, le Jugement dernier, a été refait au 13ᵉ s. : il est consacré à différentes scènes de la vie de saint Étienne. De nombreuses statuettes de saints ornent les voussures.

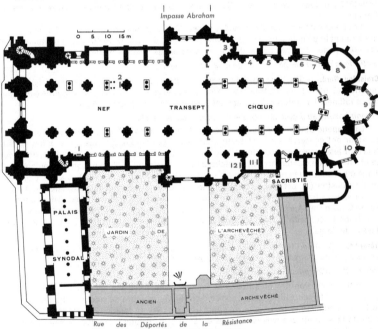

Plan de la cathédrale St-Étienne.

Portail de droite. — Le tympan du portail de droite (début 14ᵉ s.) est consacré à la Vierge. Les statuettes représentant les prophètes ont été décapitées. Un décor d'anges orne les voussures.

Entrer par le portail de droite de la façade.

Intérieur. — On est frappé par l'ampleur et l'unité de la nef communiquant avec les bas-côtés par de magnifiques arcades surmontées d'un triforium. L'alternance de piles fortes et de piles faibles est caractéristique du gothique primitif. Le vaisseau est couvert d'une voûte d'ogives sexpartite.

L'aspect primitif de l'église a été un peu modifié par des remaniements successifs : les fenêtres hautes ont été rehaussées au 13ᵉ s. dans le chœur et au 14ᵉ s. dans la nef; le transept fut ajouté au 15ᵉ s. par l'archevêque Tristan de Salazar et le chœur se trouva ainsi coupé de la nef.

Les **vitraux ★★**, exécutés du 12ᵉ au 17ᵉ s., forment un magnifique ensemble.

Dans le bas-côté droit, à la 3ᵉ travée, vitrail (1) de Jean Cousin, de 1530. Sur le côté gauche de la nef, on peut voir un retable Renaissance et le monument (2) élevé par l'archevêque de Salazar à la mémoire de ses parents.

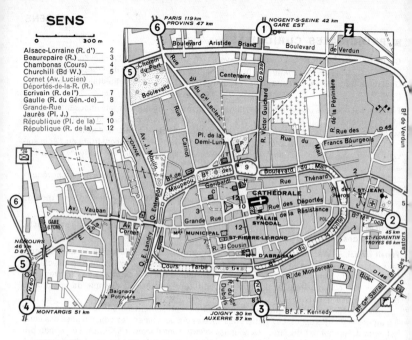

Les verrières du croisillon droit (1500-1502) proviennent d'ateliers troyens : celles qui figurent l'Arbre de Jessé et la légende de saint Nicolas sont particulièrement remarquables; la rosace représente le Jugement dernier. Celles du croisillon gauche ont été exécutées en 1516-1517 par Jean Hympe et son fils, verriers à Sens; le vitrail de la rosace représente le Paradis.

Le chœur est fermé par d'admirables grilles (1762) aux armes du cardinal de Luynes; celles qui ferment le déambulatoire et ses chapelles datent de 1764. Le maître-autel monumental a été exécuté au 18ᵉ s. par Servandoni et les vitraux des fenêtres hautes sont du 13ᵉ s.

Sortir de la cathédrale par le bras gauche du transept.

Croisillon Nord. — De l'impasse Abraham, on admire la magnifique façade de style flamboyant, exécutée de 1500 à 1513, par Martin Chambiges et son fils. Le décor sculpté est d'une grâce raffinée. La statue d'Abraham qui surmonte le pignon est moderne.

Revenir ensuite au déambulatoire que l'on aborde par la gauche.

La chapelle St-Jean, qui renferme un beau calvaire (3) du 13ᵉ s., et l'arcature aveugle du pourtour ont conservé leur architecture ancienne. Les vitraux les plus anciens (fin 12ᵉ s.) éclairent les quatre fenêtres de cette partie du déambulatoire : on reconnaît l'histoire de saint Thomas de Cantorbéry (4), l'histoire de saint Eustache (5), la parabole de l'enfant prodigue (6) et celle du bon Samaritain (7). Le tombeau du dauphin, père de Louis XVI, par Guillaume Coustou (8), est placé dans la chapelle suivante. La chapelle absidale, du 13ᵉ s., conserve des vitraux (9) de la même époque. Dans la chapelle du Sacré-Cœur, vitrail attribué à Jean Cousin (10). Après la sacristie, dans l'une des chapelles suivantes, retable Renaissance (11). Dans la chapelle Notre-Dame, on vénère une Vierge assise du 14ᵉ s. (12) placée au-dessus de l'autel.

Trésor**. — *Visite de 10 h à 12 h et de 14 h à 17 h (16 h du 1ᵉʳ octobre au 31 mai). Fermé le dimanche matin, le mardi et en février. Entrée : 5 F.*

Prendre l'escalier près de la sacristie.

Ce trésor est l'un des plus riches de France. Il renferme une magnifique collection de tissus et de vêtements liturgiques : suaire de saint Victor, mitre de soie blanche brodée d'or du 13ᵉ s.; d'admirables tapisseries de haute lisse du 15ᵉ s. (Adoration des Mages, Couronnement de la Vierge); des ivoires (pyxides du 5ᵉ et 6ᵉ s., peigne liturgique de saint Loup du 7ᵉ s., coffret byzantin du 11ᵉ s., coffret islamique du 12ᵉ s.); des pièces d'orfèvrerie.

Sortir par le bras droit du transept.

Croisillon Sud. — Exécuté par Martin Chambiges, maître d'œuvre de Beauvais et de Troyes, c'est une belle réussite du style flamboyant. La décoration du portail de Moïse est remarquable. Le gâble de la porte est surmonté d'une statue moderne de Moïse; une statue de la Vierge, moderne également, domine le pignon.

Palais synodal - Officialité*. — *Visite accompagnée du 1ᵉʳ mai au 3 septembre, de 9 h à 11 h 30 et de 14 h à 17 h 30; du 1ᵉʳ octobre au 30 avril, de 10 h à 11 h 30 et de 14 h à 15 h 30. Fermé le mardi. Entrée : 3 F.*

Ce beau bâtiment du 13ᵉ s., au toit de tuiles vernissées, est contigu à la cathédrale. Il a été restauré par Viollet-le-Duc. C'était le siège de l'Officialité, tribunal ecclésiastique. Six magnifiques fenêtres éclairent la façade. Les contreforts se terminent en pinacles portant des statues.

Un musée lapidaire a été aménagé dans la salle basse et dans la grande salle synodale magnifiquement voûtée. On y a réuni, outre des statues provenant de la cathédrale, des mosaïques gallo-romaines et des tapisseries. Dans les dépendances du palais, deux salles annexes renferment des tableaux de Lemoine, des portraits et des peintures sur bois. *On sort par les jardins.* En revenant vers la cathédrale, belle vue sur la « tour de pierre ».

■ AUTRES CURIOSITÉS

Maisons anciennes. — Parmi les nombreuses demeures anciennes que le touriste peut découvrir au hasard de ses promenades à travers la ville, deux méritent plus particulièrement de retenir son attention. A l'angle de la rue de la République et de la rue Jean-Cousin, s'élève la maison dite « d'Abraham », du 16ᵉ s. Le poteau cornier, très ouvragé, est orné d'un arbre de Jessé, restauré. La maison voisine, 50 rue Jean-Cousin, dite maison du Pilier (du 16ᵉ s.) possède un porche curieux.

Musée municipal. — *Visite de 8 h (10 h les dimanches et jours fériés) à 12 h et de 14 h à 17 h. Fermé le mardi. Entrée : 1 F, gratuite les dimanches et jours fériés.*

Installé dans un hôtel du 17ᵉ s., le musée abrite des collections archéologiques locales, parmi lesquelles une importante série gallo-romaine, quelques bonnes peintures des 17ᵉ et 18ᵉ s. et des souvenirs napoléoniens.

Église St-Jean. — De cet édifice du 13ᵉ s., ancienne abbatiale, subsiste le chœur, éclairé de larges baies. Belle chapelle absidale.

Église St-Pierre-le-Rond. — *Fermée pour restauration.*

La nef, voûtée en bois, date du 13ᵉ s. Le bas-côté gauche, de style gothique, est éclairé par cinq fenêtres qui ont conservé en grande partie leurs verrières du 16ᵉ s. Les grilles en fer forgé sont du 17ᵉ s.

SETTONS (Lac des) ★

Carte Michelin n° 65 - Sud-Ouest du pli ⑰ - *Schémas p. 76, 120 et 122.*

Le lac des Settons s'étale sur 359 ha au travers de la vallée de la Cure, dans un des coins les plus retirés du Morvan. Entouré de bois de sapins et de mélèzes, il constitue, à 573 m d'altitude, un site des plus reposants. On y pratique la pêche et, dès l'automne, le gibier d'eau fait son apparition. Des sentiers et une route longeant le lac, nouvellement aménagé pour la plaisance et les sports nautiques, permettent d'agréables promenades.

Au barrage long de 277 m, construit en 1861, fut adjoint en 1901 une digue de 227 m. La capacité du réservoir ainsi constitué est de 21 millions de m³. Destiné primitivement à faciliter le flottage des bois sur la Cure (*voir p. 80 et 91*), il sert maintenant à régulariser le débit de l'Yonne.

A proximité, la petite localité des **Settons** est un agréable lieu de villégiature.

SOLUTRÉ

Carte Michelin n° 69 – Sud du pli ⑲ – *Schéma p. 115* – 374 h. – *Lieu de séjour, p. 39.*

La roche de Solutré, superbe escarpement calcaire au profil caractéristique, est célèbre dans le domaine de la préhistoire.

Elle a donné son nom à une époque de l'âge de la pierre taillée, le solutréen (15 000 à 12 000 avant J.-C.). L'homme primitif se servait de silex taillé, et utilisant l'os de renne, fabriquait des pointes et les premières aiguilles à chas.

Les fouilles. — Les premières fouilles entreprises au pied de la roche en 1866 ont permis de découvrir un charnier de près d'un hectare où les ossements de chevaux formaient une couche de plus d'un mètre d'épaisseur. On a évalué à près de 100 000 le nombre de ces squelettes.

Cette arête montagneuse tenait lieu de terrain de chasse ; les chevaux étaient rassemblés au sommet, puis on les contraignait à sauter en les effrayant par le bruit et le feu. On suppose que les chevaux étaient mangés après cuisson ; leur os, raclés, étaient jetés et s'agglutinaient à l'argile, formant un magma.

Reprises après 1922 et poursuivies depuis, les fouilles révélèrent la présence sous le charnier de trois squelettes d'hommes de la période aurignacienne (plus ancienne que le solutréen), de silex taillés, de squelettes de la période néolithique (plus récente) avec outils en pierre polie, céramique et poteries et de squelettes de l'âge de bronze, encore plus proche de nous.

Les touristes intéressés par la civilisation solutréenne ne manqueront pas de visiter la salle de Préhistoire du musée municipal de Mâcon (p. 112).

Panorama. — *1 km plus 3/4 h à pied AR. En venant de Mâcon par le D 54, traverser Solutré et, 600 m après le cimetière, prendre à droite la deuxième petite route accessible aux voitures et aboutissant à un parking.*

Le sentier conduisant au « Cros du Charnier » (fouilles), puis au sommet de la roche de Solutré (495 m d'altitude), est déconseillé. Le parcours bien que limité assure une vue étendue sur la vallée de la Saône, sur la Bresse, le Jura, et par temps clair, sur les Alpes.

Musée. — *Pour visiter, s'adresser à l'épicerie à côté du musée. Entrée : 1 F.*

Un petit musée préhistorique présente sous vitrines une partie du produit des fouilles.

Avec ce guide,
utilisez les **cartes Michelin** à 1/200 000
indiquées sur le schéma p. 3
Les références communes faciliteront votre voyage.

SUIN (Butte de) **

Carte Michelin n° 69 - pli ⑱ – 7 km au Sud-Est de St-Bonnet-de-Joux.

A proximité du D 17, à mi-chemin entre Charolles et Cluny, se dresse la butte de Suin, à 593 m d'altitude.

Laisser la voiture au parking derrière le monument aux morts, et prendre le sentier qui passe à droite de l'église. A hauteur de la statue de la Vierge, monter à droite les escaliers qui donnent accès à la table d'orientation *(1/4 h à pied AR)*.

De là, on découvre un magnifique **panorama**** circulaire.

Au Nord, se dresse le mont St-Vincent (603 m); au Nord-Est, s'étend la dépression formée par la vallée de la Grosne et, au-delà, la vallée de la Saône.

A l'Est, s'élève la ligne des monts du Mâconnais.

Au Sud-Est, on distingue le signal de la Mère Boitier (758 m); au Sud, le mont St-Rigaux et la montagne de St-Cyr; à l'Ouest, au premier plan, le mont Botey (561 m), et au-delà, le Brionnais, le Charollais et la vallée de la Loire.

SULLY (Château de) **

Carte Michelin n° 69 - pli ⑧ – 4 km au Nord-Ouest d'Épinac – *Schéma p. 48.*

Visite extérieure seulement, du samedi des Rameaux au 30 septembre, de 8 h à 18 h. Entrée : 5 F.

Le château de Sully constitue, avec son vaste parc et ses beaux communs, un magnifique ensemble.

Cette belle résidence Renaissance rappelle, par son ordonnance et sa décoration, le château d'Ancy-le-Franc *(p. 42)*.

C'est au début du 16e s. que Jean de Saulx, ayant acquis la terre de Sully, commença d'y édifier le château dont son fils, le maréchal de Tavannes, poursuivit la construction.

Les douves qui l'entourent sont alimentées par la Drée.

Quatre ailes flanquées de tours d'angle carrées posées en losanges enserrent une cour intérieure.

La façade d'arrivée présente au premier étage de larges baies séparées par des pilastres.

Sur la façade Sud, deux tourelles en encorbellement encadrent la chapelle, tandis que la façade Nord, refaite au 18e s., est précédée d'un escalier monumental donnant accès à une terrasse, aux beaux balustres, dominant une pièce d'eau.

C'est dans ce château que naquit le maréchal de Mac-Mahon, duc de Magenta, président de la République de 1873 à 1879.

(D'après photo Arthaud, Grenoble.)

Sully. — Le château.

TAIZÉ

Carte Michelin n° 69 - pli ⑲ – 10 km au Nord de Cluny – *Schéma p. 115* – 144 h.

En 1940, s'est installée à Taizé une communauté œcuménique, qui réunit plus de 80 frères d'environ quinze nationalités, appartenant aux diverses Églises chrétiennes, catholique et protestantes. Engagés pour la vie par les vœux monastiques, ils accueillent, depuis 1960, des jeunes venus de très loin parfois, à la recherche d'unité et de réconciliation.

Un concile de jeunes, ouvert en août 1974 sur la colline, a rassemblé 40 000 participants. Il poursuit son action, grâce aux rencontres organisées à Taizé et en divers autres points du monde.

■ CURIOSITÉS *visite : 1/2 h*

Église de la Réconciliation. — Inaugurée en 1962, c'est le lieu de la prière commune.

La nef, dans laquelle on pénètre par un grand portail en dalles de verres et de béton, sert aux trois prières quotidiennes de la communauté; elle est bordée, à droite, par un passage donnant accès aux cryptes et éclairé de petits vitraux carrés représentant les grandes fêtes liturgiques : l'agneau de Pâques, couleur de flamme, ne se distingue tout d'abord du fond rouge-orangé que par son œil clair; le dernier vitrail, la Transfiguration, offre une symphonie bleutée aux personnages marron pâle.

La première crypte est une chapelle orthodoxe ; la deuxième crypte, hexagonale, est un lieu de silence : elle s'ordonne autour d'un pilier central soutenant le chœur.

Église paroissiale. — Petite, très sombre, éclairée de vitraux en meurtrière, cette église romane a été réaménagée dans un style dépouillé. Utilisée également pour la prière œcuménique de la communauté, elle est surtout consacrée à la prière personnelle et silencieuse.

> L'estimation de temps indiquée pour chaque itinéraire
> correspond au temps global nécessaire
> pour bien apprécier le paysage
> et effectuer les visites recommandées.

TALMAY (Château de) ★

Carte Michelin n° 66 - pli 13 – 6 km au Nord de Pontailler-sur-Saône.

Visite accompagnée de Pâques au 15 septembre les dimanches et jours fériés, et en semaine du 1er juillet au 15 septembre, de 14 h 30 à 18 h. Fermé le lundi. Durée : 3/4 h. Entrée : 7 F. Par un vieux pont, on accède à la cour d'honneur.

Le puissant donjon féodal, coiffé d'une toiture d'époque Louis XIV surmontée d'un lanternon, contraste avec l'élégant corps de logis de style Louis XV chinois, entouré de jardins arrosés par la Vingeanne. Ce donjon du 13e s., haut de 46 m, est le seul vestige du château féodal qui fut détruit en 1760 et remplacé par cette belle demeure de style classique.

Le corps de logis 18e s. porte à son fronton une curieuse décoration : Cybèle au centre, le Soleil et la Lune à droite et à gauche. Beau parc à la française.

Les différents étages de la tour sont meublés avec goût. On visite tout d'abord de belles pièces Renaissance, avec plafond sculpté et boiseries du 17e s. et au-dessus, la bibliothèque, une salle ornée de boiseries Louis XIV, le corps de garde doté d'une belle cheminée.

Du haut de la tour, on découvre un vaste panorama : à l'Ouest la « Côte » prolongée au Nord par le plateau de Langres tandis que se profilent au Sud-Est les hauteurs du Jura.

TANLAY (Château de) ★★

Carte Michelin n° 65 - pli 7 – 9 km à l'Est de Tonnerre.

Magnifique composition architecturale, le château de Tanlay, édifié vers 1550, peu de temps après celui d'Ancy-le-Franc, est un beau monument de la Renaissance française, dégagée de l'influence italienne.

En arrivant à Tanlay de l'Est par le D 965 qui se rapproche de l'Armançon, on a une vue d'ensemble sur cette somptueuse résidence et son parc; l'éclairage de fin d'après-midi est particulièrement favorable.

VISITE *environ 3/4 h*

Visite accompagnée de Pâques à la Toussaint, de 9 h 15 à 11 h 30 et de 14 h 15 à 17 h 15. Fermé le mardi. Entrée : 9 F.

Extérieur. — Le « petit château », élégante construction de style Louis XIII donne accès à la « cour Verte » entourée d'arcades sauf à gauche où un pont, passant sur les larges douves, conduit au portail monumental ouvrant sur la cour d'honneur du grand château.

Construit sur une ancienne forteresse féodale par François de Coligny d'Andelot, le château a été terminé et somptueusement embelli par Michel Particelli, surintendant des Finances, génie financier dont Mazarin dut pourtant se séparer tant « l'effort fiscal » qu'il réclamait suscita le mécontentement.

Le corps de logis principal se rattache aux deux ailes – plus basses et construites en retour d'équerre – par deux belles tourelles d'escalier à pans coupés. Chaque aile se termine par une tour ronde couverte d'un dôme à lanternon.

A gauche se dresse la tour des Archives, à droite celle de la Chapelle.

(D'après photo Éd. La Cigogne.)

Tanlay. — **Entrée du château.**

Intérieur. — On visite successivement : au rez-de-chaussée, le vestibule dit « des Césars », fermé par une admirable grille en fer forgé du 16e s., le très beau salon de compagnie aux boiseries du 17e s., la salle à manger avec meubles et portraits d'époque. L'escalier en colimaçon est pourvu d'une rampe d'une grande légèreté. Les chambres du premier étage sont meublées avec goût. La plupart sont, comme les salles du rez-de-chaussée, ornées de cheminées sculptées. Une grande galerie en trompe-l'œil est recouverte de fresques en camaïeu.

Au dernier étage, une pièce d'angle dans la tourelle aurait été un lieu de rendez-vous des conspirateurs huguenots à l'époque des guerres de Religion. Sa voûte en forme de coupole est recouverte d'une fresque de l'École de Fontainebleau composée de personnages représentant des catholiques et des protestants marquants du 16e s.

TANNAY

Carte Michelin n° 65 - pli 15 – 12 km au Sud-Est de Clamecy – *Schéma p. 120* – 741 h.

Au centre d'un vignoble s'étalant sur des collines calcaires bien exposées et produisant un excellent vin blanc, sec et très bouqueté, Tannay est perché sur un coteau qui domine la rive gauche de l'Yonne.

Église St-Léger. — Cette ancienne collégiale, édifiée du 13e au 16e s. et flanquée d'une massive tour carrée du 14e s., a belle allure. Les voûtes de la nef sont supportées par des piliers sans chapiteaux « en palmiers ».

EXCURSION

Amazy. — 228 h. *1,5 km par le D 6 et le D 34, au Nord-Ouest.* Église gothique du 16e s.

TERNANT *

Carte Michelin n° 69 - pli ⑥ – 13,5 km au Sud-Ouest de Luzy – *Schéma p. 120* – 378 h.

L'amateur d'art qui visite le Nivernais ou le Morvan ne doit pas manquer de se rendre à Ternant pour voir, dans la modeste église de ce village, deux magnifiques triptyques flamands du 15ᵉ s., en bois sculpté, peint et doré, offerts à l'église entre 1432 et 1435 par le baron Philippe de Ternant, chambellan du duc de Bourgogne, Philippe le Bon.

Les triptyques**. — *Visite de 9 h à 18 h (16 h en hiver). Commentaire enregistré; durée : 1/2 h.*

Grand triptyque. — Il est consacré à la Passion du Christ. Dans le panneau central est figurée la Mort du Christ. En bas, c'est la pamoison de la Vierge soutenue par saint Jean et les Saintes Femmes; au premier plan sont agenouillés le donateur et sa femme.

Dans le compartiment de gauche, la pietà est entourée de saint Jean, de Marie-Madeleine et des Saintes Femmes. A droite, c'est la Mise au tombeau. Les volets peints représentent des scènes de la Passion : l'Agonie au Jardin des Oliviers, le Christ portant sa Croix, la Résurrection, la Descente de Jésus aux limbes.

Petit triptyque. — Il est dédié à la Vierge et traité avec une finesse exquise. Au centre du panneau sculpté, dans la scène de la Dormition, un petit ange – la tête recouverte d'un capuchon – extrait, du chevet de la Vierge, son âme figurée par une fillette en prières. Au-dessus de cette scène est représentée l'Assomption de la Vierge portée au Ciel sur un croissant de lune que soutient un ange : cette particularité ne se retrouve nulle part ailleurs.

A gauche du motif central est représentée la dernière audience de la Vierge aux Apôtres tandis qu'à droite se déroule son cortège funèbre.

Les peintures des volets sont remarquables. Outre des scènes de la vie de la Vierge – l'Annonciation, la Vierge couronnée, le Christ portant le globe, les funérailles de la Vierge –, on peut voir représentés le donateur Philippe de Ternant, vêtu du damier – armes de sa maison –, le cou orné du collier de la Toison d'Or, et la donatrice en costume d'apparat, accompagnée de la Vierge couronnée, sa patronne.

TONNERRE

Carte Michelin n° 65 - pli ⑥ – 6 517 h. (les Tonnerrois).

Entourée de vignes et de verdure, Tonnerre est une agréable petite ville adossée à l'une des collines qui soulignent la rive gauche de l'Armançon. Vieille ville et nouveaux quartiers étagés sont dominés par l'église St-Pierre et la tour Notre-Dame. Vue d'ensemble très étendue, de la terrasse St-Pierre.

Peu de monuments ont survécu à l'incendie qui ravagea la ville au 16ᵉ s., mais son vieil hôpital du 13ᵉ s. et le beau sépulcre qu'il abrite comptent parmi les trésors bourguignons. La fosse Dionne, avec ses eaux d'un bleu-vert profond, est une belle curiosité naturelle.

Le chevalier d'Éon. — C'est à Tonnerre que naquit, en 1728, Charles-Geneviève-Louise-Auguste-Andrée-Thimotée Éon de Beaumont, connu sous le nom de chevalier ou chevalière d'Éon. Après une brillante carrière militaire et diplomatique, au cours de laquelle il avait dû utiliser un costume féminin, il subit des revers de fortune, dut s'exiler à Londres et ne fut autorisé à reparaître en France que sous des vêtements de femme. Étant retourné en Angleterre, il y mourut en 1810. Jusqu'au bout, l'incertitude persista au sujet de son sexe. L'annonce de sa mort provoqua un vaste mouvement de curiosité. L'autopsie de son cadavre mit un point final à cette controverse. Charles d'Éon était bien du sexe masculin.

■ CURIOSITÉS *visite : 1 h*

Ancien hôpital. — *Visite accompagnée du 1ᵉʳ juillet au 15 septembre, de 10 h à 11 h 30 et de 14 h à 17 h 30. Fermé le mardi. Entrée : 5 F.*

Ce beau bâtiment, édifié en 1293 par Marguerite de Bourgogne, veuve du roi de Naples et de Sicile Charles d'Anjou, frère de Saint Louis, nous est parvenu intact, à quelques modifications de détail près.

Extérieurement, les murs de la salle, malgré leurs contreforts, semblent écrasés par la haute toiture qui couvre une surface de 4 500 m². La façade Ouest a été transformée au 18ᵉ s.

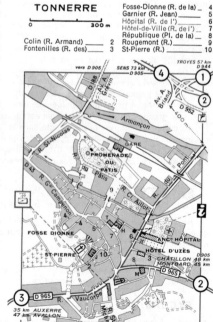

TONNERRE

0 _____ 300 m

Colin (R. Armand) _____ 2
Fontenilles (R. des) _____ 3

Fosse-Dionne (R. de la) __ 4
Garnier (R. Jean) _____ 5
Hôpital (R. de l') _____ 6
Hôtel-de-Ville (R. de l') __ 7
République (Pl. de la) ___ 8
Rougemont (R.) _____ 9
St-Pierre (R.) _____ 10

156

Intérieur. — Bien que raccourcie de 20 m au 18e s., la grande salle est de dimensions impressionnantes (longueur 80 m, largeur 18,20 m). Le berceau lambrissé et la **charpente*** en chêne sont remarquables. Les lits des malades, au nombre de quarante, étaient installés dans des alcôves de bois et s'alignaient, comme à l'Hôtel-Dieu de Beaune, qui est postérieur de 150 ans, le long des murailles percées de hautes baies cintrées que divisent des arcs brisés. A partir de 1650, la salle fut désaffectée et servit maintes fois d'église paroissiale. De nombreux Tonnerrois y furent inhumés : c'est ce qui explique la présence de nombreuses dalles funéraires.

Sur le dallage, on remarque le gnomon (sorte de cadran solaire) tracé au 18e s. par un bénédictin et l'astronome Lalande.

La chapelle s'ouvre au fond. Au centre du chœur, tombeau de Marguerite de Bourgogne, refait en 1826. Au-dessus de l'autel, Vierge en pierre du 14e s.

A droite du maître autel, une petite porte donne accès à la chapelle du Revestière abritant une **Mise au tombeau*** offerte au 15e s. par un riche marchand de la ville *(illustration p. 28)*. Les personnages de ce sépulcre composent une scène d'une dramatique intensité. Dans la chapelle latérale gauche, on peut voir le tombeau monumental de Louvois, acquéreur du comté de Tonnerre en 1684. Les statues de bronze représentent, l'une la Vigilance, par Desjardins, l'autre la Sagesse, par Girardon.

Les statues de bois placées dans des niches au fond de la salle, au-dessus de la tribune, et représentant Marguerite de Bourgogne et Marguerite de Beaumont, comtesse de Tripoli, qui se retira ici avec la fondatrice, sont de la fin du 13e s.

Dans la salle du Conseil de l'hôpital, parmi les objets exposés, on peut voir les originaux de la Charte de Fondation (1293), le testament de la reine (1305), une grande croix d'or dans laquelle est enchâssé un morceau de la Croix.

Église St-Pierre. — Elle s'élève sur une terrasse rocheuse offrant une belle vue sur la ville et les environs. Sauf le chœur, du 14e s., et la tour carrée, du 15e s., elle a été reconstruite en 1556 après l'incendie de la ville. Sur le côté droit, beau portail avec statue de saint Pierre au trumeau.

A l'intérieur, le buffet d'orgues est du 17e s. ainsi que la chaire et le banc d'œuvre. Deux peintures sur bois du 16e s. représentent la Passion.

Fosse Dionne. — Ce bassin circulaire, qu'emplit une belle eau de teinte bleu-vert, est utilisé comme lavoir. Il est alimenté par une source vauclusienne qui, après avoir parcouru dans les rochers une galerie à forte pente de 45 m de longueur, débouche par un entonnoir au centre du bassin; son débit est extrêmement variable suivant les saisons et l'abondance des pluies. Il se déverse dans l'Armançon par un petit cours d'eau.

Hôtel d'Uzès. — La Caisse d'Épargne occupe ce charmant logis de la Renaissance, maison natale du chevalier d'Éon de Beaumont; le dessin des portes de la façade Est est d'un goût particulièrement délicat.

Promenade du Pâtis. — Agréable promenade ombragée.

TOUCY

Carte Michelin n° 🆖 - pli ④ – 24 km à l'Ouest d'Auxerre – 2 819 h. (les Toucyquois) – *Lieu de séjour, p. 39.*

Cette localité, bâtie sur la rive droite de l'Ouanne, possède une église ayant l'aspect d'une forteresse : le chevet, flanqué de deux tours du 12e s., et le mur Nord de l'édifice sont les restes de l'ancienne enceinte du château des barons de Toucy.

Toucy est la ville natale du grand lexicographe **Pierre Larousse** (1817-1875).

Cet infatigable chercheur se signala très jeune par un intense désir d'apprendre. Il se consacra d'abord quelque temps à l'enseignement. Mais son besoin d'« instruire tout le monde et sur toute chose » le poussa à entreprendre un « Dictionnaire de la Langue française », bientôt suivi de nombreux ouvrages sur le style et la grammaire.

Travailleur acharné, il rêva d'un dictionnaire universel « donnant réponse à toutes les questions ». Pierre Larousse disparut avant la sortie de cette œuvre gigantesque que constitue le « Grand Dictionnaire du XIXe Siècle », mais il en avait pourtant assuré l'achèvement. C'est un monument intellectuel d'une portée considérable qui pendant longtemps fut sans égal à l'étranger.

EXCURSION

Villiers-St-Benoît. — 527 h. *8 km au Nord-Ouest de Toucy par le D 950.*

Un musée d'art régional a été aménagé. *Visite de 10 h à 12 h et de 14 h à 18 h. Fermé le mardi, le 14 juillet et de mi-décembre à mi-janvier. Entrée : 3 F.*

Il renferme une importante collection de grès de la Puisaye et de faïences de l'Yonne. Il offre la reconstitution d'un intérieur bourguignon contenant un beau mobilier et un panorama de la sculpture bourguignonne de l'époque romane jusqu'au 16e s. englobant d'importantes œuvres de l'école dijonnaise du 15e s.

En saison, le nombre de chambres vacantes dans les hôtels
est souvent limité.
Nous vous conseillons de retenir par avance.

Carte Michelin n° 69 - pli 20 – *Schéma p. 115* – 7 808 h. (les Tournusiens).

La ville, bien située sur la rive droite de la Saône entre Chalon et Mâcon, bénéficie du cadre agreste des collines du Mâconnais, région riche de vieilles pierres et de vins renommés, favorisée par la douceur du climat.

Cette ancienne cité des Éduens devenue castrum romain a conservé des vestiges de ses anciennes fortifications, que dominent les hauts clochers de son église abbatiale.

Son activité industrielle est diversifiée : fabrique d'articles d'aluminium, mais aussi vernis et laques, matières plastiques, sièges, récupération de plumes et duvets.

Mais Tournus demeure surtout, par la beauté architecturale et l'harmonieuse ampleur de l'église et des bâtiments abbatiaux qui remontent au 10e s., l'un des plus importants témoins et le plus ancien des centres monastiques de France.

La cité monastique. — Vers l'an 180, un chrétien d'Asie Mineure, saint Valérien, vient à Tournus évangéliser la population; il y est martyrisé sur une colline dominant la Saône. Les sanctuaires fondés à l'emplacement de son tombeau sont, à l'époque mérovingienne, convertis en abbaye et placés sous le vocable de Saint-Valérien.

En 875, le monastère prend un développement considérable, par suite de l'arrivée des moines de Noirmoutier. Fuyant dès le début du 9e s. devant les Normands, ils mènent une vie errante avant de s'installer à l'abbaye St-Valérien, concédée aux moines par Charles le Chauve. Ils y transportent les reliques de saint Philibert, fondateur de Jumièges, mort à Noirmoutier en 684 — événement déterminant qui place l'abbaye sous un nouveau vocable.

Une invasion hongroise, en 937, compromet la prospérité de l'abbaye, qui est incendiée, puis reconstruite, pour être vers 945 abandonnée des religieux, regroupés en Auvergne au monastère de St-Pourçain. Ancien prieur de cette abbaye, l'abbé Étienne est appelé avec les moines à revenir à l'abbaye St-Philibert en 949, par décision du concile. Sous son impulsion reprennent les constructions, concrétisées au 12e s. par l'achèvement d'une des plus belles parties de l'église. Plusieurs fois endommagée au cours des siècles, elle sera restaurée et remaniée jusqu'à sa mise à sac par les Huguenots en 1562.

Transformée en collégiale en 1627, l'abbaye devient église paroissiale en 1790, échappant mieux que Cluny, sa puissante voisine, aux destructions irrémédiables.

■ ANCIENNE ABBAYE
visite : 1 h

Église St-Philibert. — On y accède depuis la route nationale par la rue Albert-Thibaudet passant entre les deux tours rondes qui marquaient l'entrée principale appelée encore « porte des Champs », de l'ancienne enceinte de l'abbaye. La petite place proche de l'église a conservé son aspect ancien.

La façade, faite de belles pierres taillées aux 10e et 11e s., se présente comme une sorte de donjon percé d'archères ponctuant de taches sombres la chaude couleur de la pierre. La nudité des murs puissants est rompue par des bandes lombardes. Le parapet crénelé avec mâchicoulis reliant les tours accuse l'aspect militaire de l'édifice. Cette galerie de la terrasse ainsi que le porche sont l'œuvre de restauration de Questel, au 19e s.

La tour de droite est coiffée d'un toit en bâtière, tandis que l'autre a été surhaussée à la fin du 11e s., par un clocher dont les deux étages remarquablement ornementés sont surmontés d'une haute flèche.

Les deux statues-colonnes qui ornent les arêtes de l'étage supérieur figurent parmi les plus anciennes de ce type.

(D'après photo Arch. photographiques, Paris.)

Tournus. — Église St-Philibert.

Pénétrer dans l'église par la porte du petit bâtiment, à droite de la façade. Dans le monument, le narthex et la nef se différencient nettement du transept et du chœur. *Consulter le plan détaillé qui se trouve à l'entrée du narthex, à gauche.*

Narthex et chapelle St-Michel. — C'est un lieu de transition entre l'extérieur et la maison de Dieu, lieu de recueillement, de préparation à la prière, que favorise la pénombre.

Dans sa rudesse et sa simplicité, son architecture atteint une singulière grandeur. Quatre énormes piliers à tailloir circulaire le divisent en trois nefs de trois travées. La nef centrale est voûtée d'arêtes tandis que les collatéraux sont couverts de berceaux transversaux.

La voûte, peinte partiellement en échiquier noir et blanc, porte les armes des Digoine, ancienne et puissante famille mâconnaise. Sur le mur du fond du bas-côté gauche, une fresque du 14e s. figure la Crucifixion.

Les pierres tombales de forme circulaire sont particulières à la région.

La chapelle St-Michel est la salle haute du narthex, dont la construction est antérieure à celle de la nef. Son plan est identique à celui du rez-de-chaussée, mais l'étonnante élévation du vaisseau central et la luminosité en modifient totalement l'aspect. Une grande baie cintrée communiquait avec l'église : elle était malencontreusement bouchée par le buffet d'orgues de 1629. Les sculptures archaïques des chapiteaux et des blocs qui les surmontent sont une survivance de l'époque carolingienne : l'inscription de Gerlannus à mi-hauteur de l'archivolte de cet arc triomphal pourrait évoquer l'an mille.

Nef. — Après l'obscur narthex, une nef lumineuse et rose accueille le fidèle. Datant du début du 11ᵉ s., elle est maintenant dépourvue d'ornementation, par suite de la disparition presque totale des enduits peints à l'époque.

De hauts et magnifiques piliers cylindriques, en pierre rose de Préty (petite localité proche de Tournus), terminés comme ceux du narthex par de simples tailloirs, délimitent trois nefs de cinq travées.

Fait très rare, la voûte centrale se compose d'une suite de cinq berceaux juxtaposés, transversaux *(illustration p. 23)*, par rapport à l'axe général de l'édifice, qui reposent sur des arcs doubleaux formés de claveaux alternativement blancs et ocre, s'appuyant eux-mêmes sur des colonnettes surmontant de grandes colonnes.

Les fenêtres hautes qui éclairent la nef sont dissimulées par les arcs.

Une voûte d'arêtes prodigieusement rehaussée, compartimentée par des doubleaux, couvre les collatéraux.

Les chapelles latérales du bas-côté Nord ont été ouvertes aux 14ᵉ et 15ᵉ s.

Dans le collatéral Sud, une niche du 15ᵉ s. abrite une statue-reliquaire du 12ᵉ s., d'influence auvergnate, Notre-Dame-la-Brune. En cèdre peint et redoré au 19ᵉ s., cette vierge a gardé sa beauté majestueuse au calme rayonnant.

Transept et chœur. — Édifiés seulement au début du 12ᵉ s. par Francon de Rouzay, ils tranchent avec le reste de la construction par la blancheur de la pierre et montrent l'évolution rapide de l'art roman,

Après l'ampleur de la nef, une rupture s'opère au niveau du transept et le chœur surprend par son étroitesse; il est vrai que l'architecte a dû suivre les contours de la crypte existante.

L'abside en cul-de-four est supportée par six colonnes à chapiteaux surmontées de fenêtres entourées d'un fin décor sculpté. Le déambulatoire (début du 11ᵉ s.), voûté en berceau, comporte cinq chapelles à chevet plat, dont trois rayonnantes et deux orientées; la chapelle absidale abrite la châsse de saint Philibert.

QUARTIER DE L'ABBAYE
0   50 m
Musée
ÉGLISE ST-PHILIBERT
SALLE CAPITULAIRE — LOGIS ABBATIAL
R. A. Thibaudet
Cour du Cloître
Pl. de l'Abbaye
CELLIER
Pl. des Arts
RÉFECTOIRE
Rue des Tonneliers
Tour Quincampois
Tour du Portier

Crypte. — *Accès par le croisillon Nord, à gauche du chœur – minuterie : 1 F.*

Cette crypte, aux murs épais, est une construction de l'abbé Étienne, de la fin du 10ᵉ s. (restaurée par Questel au siècle dernier); sa hauteur sous clef de voûte (3,50 m) est exceptionnelle.

La partie centrale, bordée par deux rangs de fines colonnes, dont certaines à fût galbé archaïque, aux chapiteaux à feuillages inspirés de l'antique, est entourée d'un déambulatoire avec chapelles édifiées sur le même plan que celles de l'église haute. La fresque (12ᵉ s.) décorant la voûte de la chapelle de droite, représentant une Vierge à l'Enfant et un Christ en majesté, est la mieux conservée de tout l'édifice.

Cloître. — En quittant le narthex par la porte latérale, on trouve au pied de l'escalier montant à la chapelle St-Michel un accès à l'ancienne salle des Aumônes ou chauffoir (13ᵉ s.), accolée au mur Sud du narthex.

On gagne ensuite l'ancien cloître St-Ardain du 11ᵉ s. dont il ne reste que la galerie Nord, restaurée; un portail du 13ᵉ s. s'ouvre à son extrémité sur le bas-côté de l'église.

Salle capitulaire. — Rebâtie après un incendie en 1237, par l'abbé Bérard. On peut en admirer l'intérieur voûté d'ogives, par les baies romanes donnant sur le cloître.

Les bâtiments Sud, qui masquent le réfectoire, abritent la bibliothèque de la ville et celle de l'abbaye. La tour carrée du Prieuré les domine.

Sortir du cloître par la place des Arts.

Admirer le chevet circulaire avec cinq chapelles et la croisée du transept dominé par une belle tour-clocher du 12ᵉ s., d'inspiration clunisienne. A côté des bâtiments claustraux, remarquer également le **logis abbatial**, jolie demeure de la fin du 15ᵉ s.

Prendre la rue des Tonneliers où la tour Quincampois (ou du Colombier) fut érigée après l'invasion des Hongrois en 937. Elle fait partie de l'enceinte de l'ancienne abbaye, au même titre que la tour du Portier voisine.

Revenir place de l'Abbaye.

Réfectoire. — Magnifique salle du 12ᵉ s., orientée parallèlement à l'église, longue de plus de 33 m, haute de 12 m. C'est un grand vaisseau voûté d'un berceau légèrement brisé sans doubleau. En 1627, après la sécularisation de l'abbaye, elle fut utilisée comme Jeu de Paume, d'où le nom de « Ballon » qui sert encore à la désigner.

Cellier. — Également du 12ᵉ s., perpendiculaire au réfectoire, il est éclairé faiblement par deux ouvertures en forme de soupirail, placées très haut, et voûté en berceau brisé sur doubleaux. Les caves immenses s'étendent en dessous.

■ AUTRES CURIOSITÉS

Musée Perrin-de-Puycousin. — *Visite accompagnée du 1er avril au 31 octobre, de 9 h à 12 h et de 14 h à 18 h. Fermé le mardi. Entrée : 2,50 F.*

Ce musée folklorique, constitué par les collections offertes à la ville par M. Perrin de Puycousin en 1929, est installé dans l'ancienne maison du Trésorier, du 17e s., demeure familiale léguée de son vivant à sa ville natale par Albert Thibaudet (1874-1936), célèbre critique littéraire. Des scènes quotidiennes de la vie d'autrefois ont été reconstituées avec des mannequins de cire habillés de costumes bourguignons. Huit salles groupent une quarantaine de personnages. On remarque, entre autres, une scène d'intérieur de ferme bressane, un intérieur tournugeois avec neuf costumes locaux différents, la grande salle des fileuses de Bourgogne, des collections de coiffes, de costumes et, au sous-sol, la reconstitution d'un cellier bourguignon.

Musée Greuze. — *Visite des Rameaux au 1er novembre, de 9 h à 12 h et de 14 h à 18 h. Fermé le mardi, le matin des dimanches et jours fériés et le 1er mai. Entrée : 2,50 F.*

Les salles consacrées à Greuze (1725-1805), né à Tournus dans la rue qui porte son nom, retiennent particulièrement l'attention. Outre sept portraits originaux, on peut voir un certain nombre de dessins, ainsi que de nombreuses reproductions et copies.

Le musée renferme également une section de préhistoire régionale, plusieurs salles d'archéologie antique et médiévale ainsi qu'une galerie de peinture.

Maisons anciennes. — Le promeneur découvrira des maisons anciennes et de vieux hôtels rue du Dr-Privey, rue de la République et rue du Midi.

Vue du pont et des quais. — Du pont suspendu sur la Saône, on a une belle vue sur l'église St-Philibert et sur la ville.

Église de la Madeleine. — Construite au centre de l'ancienne ville romaine, elle offre, en dépit de dégradations extérieures, un aspect pittoresque. Le chevet, empâté dans de vieilles bâtisses, est à voir des bords de la Saône.

L'ancien porche en plein cintre du 12e s. a subsisté avec ses fines colonnettes ornées de galons perlés, d'imbrication de guirlandes verticales ou rampantes et ses chapiteaux décorés de feuillage ou d'oiseaux affrontés.

L'intérieur, uniformément blanchi à la suite de la restauration, présente une nef voûtée d'ogives du 15e s. Dans le bas-côté droit s'ouvre une chapelle Renaissance dont la jolie voûte est décorée de caissons carrés reliés par un réseau de nervures. On y voit un tabernacle de style empire et une Madeleine en bois doré.

TOURNUS

Arts (Pl. des)	2
Bessard (R. A.)	3
Cloître (Cour du)	4
Collège (R. du)	5
Dr-Privey (R. du)	6
Hôpital (R. de l')	7
Midi (R. du)	8
République (R. de la)	9
Thibaudet (R. A.)	12
Tonneliers (R. des)	13

Hôtel-Dieu. — *Visite suspendue.*

Le musée contient un grand vaisselier d'époque Louis XIII, garni d'étains. La **pharmacie** ★ possède une riche collection de faïences présentée dans un beau décor du 17e s.; chaque pot ou flacon est logé dans une petite niche en forme d'étagère à colonnes torses. Remarquer le plafond peint, les dorures et les boiseries en merisier.

EXCURSION

Farges-lès-Mâcon ; Uchizy. — *7 km au Sud. Sortir de Tournus par ②, N 6 que l'on quitte à 4 km pour le D 210 à droite.*

Farges. — 197 h. Ce village possède une église romane du début du 11e s., modeste par ses dimensions, dont l'intérieur ne manque pas d'intérêt (*en cas de fermeture, s'adresser à Mme Fleury, place de l'Église*). La nef, aux beaux piliers, présente une certaine ressemblance avec celle de St-Philibert de Tournus.

Poursuivre le long du D 210.

Uchizy. — 615 h. L'église a été vraisemblablement construite à la fin du 11e s. par les moines de Tournus. Cet édifice à trois nefs est surmonté, à la croisée du transept, d'un haut clocher divisé horizontalement en cinq étages établis un peu en retrait les uns au-dessus des autres.

Quelques faits historiques

Les tableaux p. 16 et 17 évoquent

les principaux évènements de l'histoire de la région.

VARZY

Carte Michelin n° 65 - pli ⑭ – 1 607 h. (les Varzycois).

Remplaçant les anciens remparts, de beaux boulevards ombragés enserrent ce petit bourg qui fut la résidence préférée des évêques d'Auxerre.

Église St-Pierre. — *Ouverte de 14 h à 18 h (17 h en hiver).*
Elle date des 13e et 14e s. La nef aux hautes arcades comporte un élégant triforium. Dans le chœur, statue polychrome et triptyque de sainte Eugénie, du 16e s. Autre triptyque, du 17e s., dans le croisillon droit : scènes de la vie de saint Pierre.

Le trésor *(présenté dans une chambre forte à droite du chœur)* renferme des reliquaires provenant de l'ancienne collégiale de Ste-Eugénie, dont deux bras reliquaires (13e s.) de sainte Eugénie et de saint Régnobert, coffret octogonal (début 13e s.) contenant le crâne de saint Régnobert et Christ au Calvaire en bois (début 16e s.).

Musée. — *Visite du 1er avril au 31 octobre, de 10 h à 12 h et de 14 h à 18 h. Fermé le mardi. Entrée : 5 F.*
Dans sept salles sont réunies de nombreuses collections : meubles anciens, peintures, sculptures, céramiques et faïences (Nevers, Clamecy, Rouen, Moustiers, Strasbourg...), objets d'art religieux, sculptures sur bois du 12e s. au 16e s., sarcophages égyptiens et instruments de musique. Parmi les pièces les plus intéressantes sont à citer : un Saint-Hubert équestre en faïence de Nevers du 18e s.; la Mort de la Vierge, bas-relief du 15e s.; la Vierge en prière, du 16e s.; un retable du 16e s. également.

EXCURSION

Château de Menou. — *12 km à l'Ouest. Quitter Varzy par le D 977 au Nord, et après 2 km prendre à gauche le D 5 puis le D 19.* Ce château *(on ne visite pas)* est un bel édifice construit en 1672; une grille du 18e s. donne accès à la Cour d'Honneur.

VAULT-DE-LUGNY

Carte Michelin n° 65 - pli ⑯ – 5 km à l'Ouest d'Avallon – *Schéma p. 122* – 334 h.

Situé dans la pittoresque vallée du Cousin, Vault-de-Lugny possède une église du 15e s. à chevet plat.

A l'intérieur, une **peinture murale** du milieu du 16e s. se déroule tout autour de la nef et du chœur, entre les grandes arcades et la retombée des ogives. Cette fresque, d'environ 70 m de longueur, représente 13 tableaux de la Passion du Christ. Les scènes sont traitées avec beaucoup d'habileté.

A proximité du village, château entouré de douves, avec donjon du 15e s.

Pour organiser vous-même vos itinéraires :
— *Tout d'abord consultez la carte des p. 4 et 5. Elle indique les parcours décrits, les régions touristiques, les principales villes et curiosités.*
— *Reportez-vous ensuite aux descriptions, à partir de la p. 41.*
  Au départ des principaux centres,
  des buts de promenades sont proposés sous le titre « Excursion ».
— *En outre les* **cartes Michelin** *indiquées sur le schéma de la p. 3 signalent les routes pittoresques, les sites et les monuments intéressants, les points de vue, les rivières, les forêts...*

VAUSSE (Prieuré de)

Carte Michelin n° 65 - pli ⑦ – 20 km à l'Ouest de Montbard par le D 905 et le D 68.

Ce monastère cistercien, situé dans la forêt domaniale de St-Jean, fut fondé au 12e s. par un seigneur de Montréal. Portant le vocable de « Notre-Dame et Saint-Denis », le prieuré jouit d'une certaine importance jusqu'au 15e s. Avec la Renaissance, ce fut la décadence. Vendu comme bien national à la Révolution, il fut racheté par un faïencier qui y établit une fabrique. Il fut remis en état en 1869.

Le **cloître** roman est bien conservé, ainsi qu'une petite chapelle du 14e s. *Pour visiter cette partie du prieuré, s'adresser au propriétaire.*

L'église a été transformée en **bibliothèque** *(on ne visite pas)* par Ernest Petit, historien de la Bourgogne.

VÉZELAY ★★

Carte Michelin n° 65 - pli ⑮ – *Schémas p. 91, 120 et 122* – 541 h. (les Vézeliens) – *Lieu de séjour, p. 39.*

Le site de Vézelay, la basilique Ste-Madeleine, la ville avec sa verdure, ses vieilles maisons et ses remparts constituent un des hauts lieux de Bourgogne et de France.

UN PEU D'HISTOIRE

Girart de Roussillon, le fondateur. — C'est à ce comte de Bourgogne, héros de légende, dont les exploits furent chantés au Moyen Age dans des chansons de geste, que l'on doit la fondation de l'abbaye de Vézelay.

Au milieu du 9e s., il installe un groupe de religieuses à l'emplacement actuel de St-Père. Le monastère ayant été détruit lors des invasions normandes, Girart de Roussillon décide d'établir un nouveau monastère sur la colline voisine, position naturelle plus facile à défendre, y installant cette fois des moines bénédictins.

Dès 878, le Pape Jean VIII consacrait la fondation de l'abbaye de Vézelay.

L'appel de saint Bernard. — Quand, le 31 mars 1146, saint Bernard prêche à Vézelay la seconde croisade, l'abbaye est alors à l'apogée de sa gloire. Depuis un siècle, l'église abrite les reliques de sainte Madeleine, « la pécheresse pardonnée et aimante » : Vézelay devient alors un des grands pèlerinages du temps et la tête de ligne de l'un des quatre itinéraires qui, à travers la France, mènent pèlerins et marchands jusqu'à Saint-Jacques-de-Compostelle. C'est du flanc de cette « colline inspirée » que saint Bernard lance un vibrant appel en faveur d'une croisade, en présence du roi de France Louis VII, entouré de ses proches et d'une foule de seigneurs. L'abbé de Clairvaux jouit d'une telle autorité morale qu'il est considéré comme le véritable chef de la chrétienté. Son appel soulève l'enthousiasme de tous les assistants qui s'engagent à partir au plus tôt pour la Terre Sainte.

Si la 3e Croisade, décidée en 1190, ne fut pas prêchée à Vézelay, c'est là que se donnèrent rendez-vous le roi de France Philippe Auguste et le roi d'Angleterre Richard Cœur de Lion, avant le départ. Ce fut aussi le lieu choisi par saint François d'Assise pour y fonder le premier couvent de Frères Mineurs en province de France; la mission fut confiée, aux alentours de 1217, à deux de ses disciples qui élurent domicile près de la petite église Ste-Croix, bâtie en souvenir du concile sur la hauteur où saint Bernard harangua la foule massée dans la vallée d'Asquins; elle leur fut un peu plus tard concédée. A partir de 1248, année de la 7e Croisade, Saint Louis, tertiaire de l'ordre de St-François, y vint plusieurs fois en pèlerinage.

En 1519, Vézelay vit naître Théodore de Bèze, qui prêcha la Réforme avec Calvin, et c'est au n° 20 Grande-Rue que Romain Rolland, qui aimait « le souffle des héros » et souhaitait l'éveil de la conscience européenne, passa les dernières années de sa vie.

Restaurée après des siècles d'abandon, l'église de la Madeleine a retrouvé son âme et l'ampleur de ses pèlerinages (le 22 juillet); les pères franciscains en ont actuellement la charge et desservent à nouveau la chapelle Ste-Croix, remise en état, et dont seules quelques arcades romanes ont été conservées.

■ BASILIQUE STE-MADELEINE ★★★ *visite : 1 h*

De la place du champ-de-Foire, au bas de la ville, on y accède en voiture par la porte du Barle puis par une rue en forte montée (*sens unique*). On peut garer près de l'église. Le touriste qui a le temps et ne craint pas de marcher laissera sa voiture place du Champ-de-Foire, montera à pied par la promenade des Fossés (*p. 164*) et redescendra par la Grande-Rue en voyant les maisons anciennes (*p. 164*).

L'ancienne abbatiale, devenue église paroissiale en 1791, a été érigée en basilique en 1920.

Les étapes de la construction. — Fondé au 9e s., le monastère de Girart de Roussillon passe au 11e s. sous l'obédience de Cluny. Les miracles qui se produisent sur le tombeau de sainte Madeleine attirent bientôt une telle foule de pénitents et de pèlerins qu'il faut agrandir l'église carolingienne (1096-1104); en 1120, un violent incendie qui éclate la veille du 22 juillet, jour du grand pèlerinage, détruit toute la nef et ensevelit plus de mille pèlerins.

Les travaux reprennent aussitôt ; la nef est rapidement reconstruite, puis vers 1150, l' « avant-nef » ou narthex. En 1215, le chœur romano-gothique et le transept sont terminés.

Mais, à la fin du 13e s., la découverte d'autres reliques de sainte Madeleine, à St-Maximin en Provence, jette le trouble dans les esprits : les pèlerinages s'espacent, les foires et marchés perdent de leur importance ; les luttes religieuses provoquent le déclin de l'abbaye transformée en collégiale dès 1538, pillée de fond en comble par les Huguenots en 1569 et rasée en partie à la Révolution. Lorsque, au 19e s., Mérimée, inspecteur des Monuments historiques, attira l'attention des pouvoirs publics sur l'admirable monument, celui-ci était sur le point de s'effondrer et, sans la restauration, il ne resterait sans doute plus qu'un tas de pierres. En 1840, **Viollet-le-Duc,** alors âgé de moins de trente ans, assuma cette tâche difficile qu'il ne termina qu'en 1859.

L'extérieur

Façade. — Elle a été rebâtie par Viollet-le-Duc d'après des documents anciens.

Reconstruite vers 1150 dans un pur style roman, elle avait été dotée au 13e s. d'un vaste fronton gothique et comportant cinq baies étroites aux meneaux ornés de statues, refaites elles aussi au 19e s. La partie supérieure forme un tympan orné d'arcatures encadrant les statues du Christ couronné entouré de la Vierge, de Madeleine et de deux anges.

La tour de droite – tour St-Michel – a été surmontée au 13e s. d'un étage à hautes baies géminées; la flèche octogonale en bois haute de 15 m fut détruite par la foudre en 1819. L'autre tour est restée inachevée.

Trois portails romans ornent la façade; le tympan du portail central a été refait en 1856 par Viollet-le-Duc qui s'inspira pour cette reconstitution du tympan primitif très mutilé : la voussure supérieure de l'archivolte, ornée de motifs végétaux, est authentique, mais le reste des voussures et les chapiteaux sont modernes.

Le tour de la basilique. — Contourner la basilique par la droite : on découvre la longueur du vaisseau que soutiennent des arcs-boutants. Ce côté de l'édifice est dominé par la tour St-Antoine (13e s.), élevée dans l'angle de la nef et du transept : haute de 30 m, à deux étages de baies cintrées, qu'une flèche de pierre couronnait autrefois, elle est d'une pureté remarquable.

Au fond, la salle capitulaire (fin du 12e s.) prolonge le croisillon Sud. La galerie du cloître a été entièrement reconstruite par Viollet-le-Duc (*voir p. 164*). A droite, de beaux jardins (*propriété privée*) s'étendent sur les lieux des anciens bâtiments abbatiaux dont quelques vestiges subsistent (réfectoire du 12e s.).

Terrasse du château. — Ombragée de beaux arbres et située derrière la basilique, à l'emplacement de l'ancien château des abbés, elle offre un **panorama ★** (*table d'orientation*) sur la vallée de la Cure et sur le Nord du Morvan.

Continuer le tour de la basilique. Aussitôt après avoir contourné l'abside, se diriger à droite vers une petite terrasse en contrebas, d'où l'on découvre une jolie vue sur le village d'Asquins et la vallée de la Cure.

Revenir devant la façade en longeant le côté gauche de la basilique : on passe alors devant les demeures construites au 18e s. par les chanoines du chapitre.

L'intérieur

Entrer dans la basilique par la porte latérale droite du narthex.

Le narthex. — Cette avant-nef, consacrée en 1150 par l'archevêque de Rouen, est postérieure à la nef et à la façade intérieure.

De vastes dimensions, le narthex comporte un vaisseau central de trois travées et deux bas-côtés surmontés de tribunes. Les quatre piliers cruciformes, aux colonnes engagées ornées de chapiteaux historiés, sont d'une belle élégance. Trois portails font communiquer le narthex avec la nef et les bas-côtés.

Lorsque le portail central est ouvert, la perspective, sur le long vaisseau radieux de lumière que forment la nef et le chœur, est un émerveillement *(1)*.

(D'après photo Arch. T.C.F.)

Vézelay. — Intérieur de la basilique.

Il faut examiner en détail les sculptures de ces portails exécutés vers 1125, et surtout celles du portail central dont le tympan offre un magnifique exemple de l'art roman bourguignon au même titre que celui d'Autun *(voir p. 45)*.

Tympan du portail central ★★★. — Il représente la gloire du Christ, dictant leur mission à ses Apôtres après la Résurrection.

1) Le Christ en gloire, d'une taille gigantesque, trône au centre de la composition *(illustration p. 26)*.
2) Placés de part et d'autre du Christ, les douze Apôtres reçoivent le Saint-Esprit sous forme de rayons émanant des mains du Sauveur.
3) Les 29 médaillons de cette voussure montrent, alternés, les travaux des mois et les signes du zodiaque.
4) Les huit scènes entourant le Christ et celles figurant sur le linteau (5) représentent les divers peuples de la terre, que les apôtres ont pour mission d'évangéliser. L'artiste a fixé dans la pierre des personnages fantastiques : hommes à tête de chien ou aux grandes oreilles, pygmées, habitants fabuleux de contrées inconnues, tels que les imaginaient les gens de cette époque.
5) Ces peuples sont accueillis par saint Pierre et saint Paul, symbolisant l'Église universelle.
6) Une statue de saint Jean-Baptiste, adossée au trumeau, porte un disque où se dessinait l'agneau pascal, symbole du Christ.
7) De part et d'autre de cette statue et sur les piédroits, plusieurs figures d'apôtres. On reconnaît saint Jean l'Évangéliste et saint Pierre conversant avec saint Paul.

On admirera avec quel soin sont traités les détails du vêtement, les plis des robes – celle du Christ en particulier – et surtout avec quelle intensité la vie se dégage de cette composition.

Tympans des portails latéraux. — Sur les portes latérales, deux voussures ornées de rinceaux et de rosaces encadrent un tympan historié.

Celui de droite représente l'Enfance du Christ : au linteau, l'Annonciation, la Visitation, la Nativité ; au tympan, l'Adoration des Mages.

Celui de gauche représente les apparitions du Christ après sa Résurrection ; au tympan, apparition aux Apôtres ; au linteau, apparition aux disciples d'Emmaüs.

La nef. — Reconstruite entre 1120 et 1135 après un terrible incendie *(voir p. 162)*, cette nef romane se caractérise par ses dimensions imposantes – 62 m de longueur –, son appareil en pierre calcaire de tons différents, sa luminosité et surtout son admirable série de chapiteaux.

Beaucoup plus haute que les bas-côtés, la nef est divisée en dix travées séparées par des arcs doubleaux en plein cintre aux claveaux alternativement clairs et foncés, ce qui atténue la sévérité des lignes. Les grandes arcades en plein cintre, surmontées de fenêtres, reposent sur des piles cruciformes cantonnées de colonnes engagées ornées de chapiteaux. Un gracieux décor d'oves, de rosaces et de rubans plissés souligne les doubleaux, les grandes arcades et le bandeau qui court entre les fenêtres et les arcades.

Les chapiteaux ★★★. — Plus beaux que ceux du narthex, ces chapiteaux méritent un examen détaillé. *Le plan de la basilique, p. 164, en donne le relevé.*

Avec une science étonnante de la composition et du mouvement, le génie des artistes anonymes qui les ont créés – on veut reconnaître la main de cinq sculpteurs différents – se manifeste avec esprit et malice, et le réalisme n'exclut pas le lyrisme, le sens dramatique et même psychologique.

---

(1) La longueur totale intérieure de la basilique Sainte-Madeleine est de 120 mètres, soit 10 mètres seulement de moins que celle de Notre-Dame de Paris.

Le transept et le chœur. — Construits en 1096 pour agrandir l'église carolingienne, le transept et le chœur romans ont été démolis à la fin du 12e s. et remplacés par ce bel ensemble gothique terminé en 1215.

Les arcatures du triforium se prolongent sur les croisillons du transept. Des reliques de sainte Madeleine, conservées dans le fût d'une colonne surmontée d'une statue moderne, se trouvent dans le croisillon droit.

Un vaste déambulatoire avec chapelles rayonnantes enveloppe le chœur.

Chapiteaux du côté droit.

1) Un duel.
2) La luxure et le désespoir.
3) Légende de saint Hubert.
4) Signe du zodiaque : la balance.
5) Le moulin mystique (Moïse et saint Paul).
6) La mort du mauvais riche et de Lazare.
7) Lamech tue Caïn dissimulé dans un buisson.
8) Les quatre vents de l'année.
9) David chevauchant un lion.
10) Saint Martin écarte un arbre dont la chute le menace.
11) Daniel respecté par les lions.
12) Lutte de l'ange et de Jacob.
13) Isaac bénit Jacob.

Chapiteaux du côté gauche.

14) Saint Pierre est délivré de prison.
15) Adam et Ève.
16) Deux chapiteaux de ce pilier sont consacrés à la légende de saint Antoine, le troisième représente des animaux.
17 Exécution d'Agag.
18) Légende de sainte Eugénie : grâce à un travestissement, elle devint abbé d'un monastère d'hommes; accusée par la suite d'avoir outragé une femme, pour démontrer son innocence, elle entrouvre sa robe.
19) Mort de saint Paul ermite, dont deux lions creusent la fosse; au-dessus, saint Antoine prie pour lui.
20) Moïse et le Veau d'Or.
21) La mort d'Absalon : pris tout d'abord par les cheveux dans les branches d'un arbre, puis décapité.
22) Deux phases du combat de David et de Goliath.
23) Meurtre de l'Égyptien par Moïse.
24) Judith et Holopherne.
25) La calomnie et l'avarice.

La crypte. — La crypte carolingienne a été complètement remaniée dans la seconde moitié du 12e s. Elle abritait le tombeau de sainte Madeleine lors des grands pèlerinages médiévaux et contient actuellement une partie de ses reliques. Sur la voûte, peintures du 13e s.

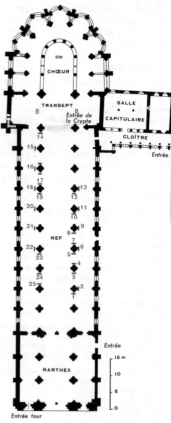

Plan de la basilique Ste-Madeleine.

La salle capitulaire et le cloître. — Construite à la fin du 12e s., peu de temps avant le chœur de la basilique, la salle capitulaire est couverte de six voûtes d'ogives. Elle a été restaurée par Viollet-le-Duc.

Rasé à la Révolution, le cloître comportait au centre une vaste citerne qui existe toujours et qui fut pendant longtemps la seule réserve d'eau de la ville. Viollet-le-Duc a reconstitué une galerie, en style roman.

Montée à la tour. — *Accès : du 1er juillet au 12 septembre de 10 h à 12 h et de 14 h à 17 h. Fermée le matin des dimanches et jours fériés. Entrée : 1 F.*

Un escalier de 200 marches (près du portail gauche) mène au sommet de la tour en passant au-dessus du narthex, sous les charpentes.

De la plate-forme, on découvre une **vue*** plus complète que de la terrasse et s'étendant sur la vieille ville, la vallée de la Cure, le Morvan et l'Auxerrois.

■ AUTRES CURIOSITÉS

Promenade des Fossés. — De la place du Champ-de-Foire, en bas de la ville, suivre la promenade des Fossés aménagée sur les anciens remparts qui ceinturaient la ville au Moyen Age et que jalonnent sept tours rondes.

La **porte Neuve** (14e-16e s.), sur laquelle on voit un écusson aux armes de la ville de Vézelay, est flanquée de deux tours à bossages et mâchicoulis et donne accès à une jolie promenade ombragée de noyers.

De la **porte Ste-Croix** ou des Cordeliers, d'où l'on a une jolie vue sur la vallée de la Cure, un chemin descend à la Cordelle où saint Bernard prêcha la seconde croisade en 1146.

Une croix, élevée à cet emplacement, commémore également ce grand événement *(voir p. 162)*.

La promenade aboutit à la terrasse du château, derrière la basilique *(voir p. 162)*.

Maisons anciennes. — De la place du Champ-de-Foire à la basilique Ste-Madeleine, la montée s'effectue par des rues étroites et tortueuses, dans le cadre pittoresque du vieux bourg qui a conservé plusieurs demeures anciennes : portes sculptées, fenêtres à meneaux, escalier en encorbellement formant tourelle, vieux puits surmontés d'une armature en fer forgé, constituent le plus charmant des décors.

VILLENEUVE-L'ARCHEVÊQUE

Carte Michelin n° **61** - pli ⑮ – 24 km à l'Est de Sens – 1 321 h. (les Villeneuviens).

C'est dans cette petite ville de la vallée de la Vanne, fondée au 12° s. par l'archevêque de Sens, que Saint Louis et Blanche de Castille reçurent solennellement des Vénitiens la couronne d'épines pour laquelle le roi devait faire construire à Paris un magnifique reliquaire : la Sainte-Chapelle.

Église. — Elle date des 13° et 15° s. La façade est flanquée d'une tour coiffée d'ardoises. A sa base, beau portail du 13° s. consacré à la Vierge : six grandes statues encadrent celle de la Vierge à l'Enfant adossée au trumeau. Au sommet du tympan, encadré de voussures ornées de statuettes, est représenté le Couronnement de la Vierge.

A l'intérieur, Sépulcre Renaissance provenant de l'abbaye de Vauluisant.

VILLENEUVE-SUR-YONNE

Carte Michelin n° **61** - pli ⑭ – 4 810 h. – *Lieu de séjour, p. 39.*

Créée de toutes pièces en 1163 par le roi Louis VII, Villeneuve-sur-Yonne qui s'appelait alors Villefranche-le-Roy fut, au Moyen Age, résidence royale. Les remparts ont été aménagés en jardins, mais deux portes fortifiées subsistent encore.

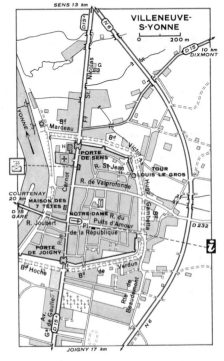

■ CURIOSITÉS *visite : 3/4 h*

Église Notre-Dame. — *Fermée l'après-midi des dimanches et jours fériés.* La première pierre de cet édifice fut posée par le pape Alexandre III en 1163. La construction, où se mêlent les influences bourguignonnes et champenoises, s'échelonne du 13° au 16° s. La façade, de style Renaissance, est remarquable tant par l'harmonie de ses proportions que par la délicatesse de son ornementation.

La nef gothique, de vastes dimensions, est décorée de chapiteaux à feuillages. Le chœur et le déambulatoire, du 13° s., sont les parties les plus anciennes.

Dans le bas-côté gauche, la chapelle du Sépulcre abrite une Mise au tombeau : Christ en bois du 14° s. et personnages en pierre, de la Renaissance. Dans la 1ʳᵉ chapelle du bas-côté droit, au vitrail du 16° s.. retraçant la vie de la Vierge, se trouve une statue du 14° s. : Notre-Dame-des-Vertus dont l'enfant Jésus tient une colombe.

Porte de Sens (ou de Champagne). — 13° s. C'est un bon exemple de l'architecture militaire médiévale.

Porte de Joigny (ou de Bourgogne). — Du 13° s. mais remaniée au 16° s., elle forme un bel ensemble avec les maisons environnantes.

Tour Louis-le-Gros. — Ce gros donjon cylindrique de l'ancien château royal date du 12° s.

Maison des Sept-Têtes. — Ancienne maison de poste du 18° s.

EXCURSION

Dixmont. — 539 h. *10 km à l'Est de Villeneuve-sur-Yonne par le D 15.*

De l'ancienne église romane, il ne subsiste que peu de chose; renouvelée et agrandie, elle comprend divers éléments du 13° au 16° s. Au portail d'entrée, deux intéressantes statues : à droite Marie, à gauche l'Ange Gabriel.

YONNE (Vallée de l')

Cartes Michelin n°ˢ **61** - pli ⑭, **65** - plis ⑤ ⑮ ⑯ et **69** - pli ⑥.

De toutes les rivières morvandelles, l'Yonne est la plus importante. Sa vallée très pittoresque constitue pour le touriste une accueillante voie de pénétration vers le Haut-Morvan.

Un cours d'eau capricieux. — Née à 730 m d'altitude, sur les pentes du mont Preneley au Sud-Est de Château-Chinon, l'Yonne se jette dans la Seine à Montereau après un parcours de 273 km; au confluent, son débit est supérieur à celui du fleuve. D'Auxerre à Château-Chinon, la vallée de l'Yonne est une voie naturelle de pénétration en direction des hauts sommets du Morvan.

Les pluies fréquentes qui tombent sur le Morvan et l'imperméabilité de presque tous les terrains que la rivière traverse provoquent des crues violentes.

L'Yonne, élément perturbateur, est considérée comme l' « enfant terrible » du système hydrographique du bassin de la Seine. Les affluents de l'Yonne, dont la Cure est le plus important, ont un cours rapide et presque torrentiel et ne font qu'accentuer le caractère irrégulier de son régime.

La construction d'un certain nombre de barrages et de retenues, dont le principal ouvrage est celui de Pannesière-Chaumard *(description p. 130),* a permis de régulariser le débit de l'Yonne en retenant une partie des eaux des crues et en lâchant ces eaux l'été. L'adjonction de barrages de compensation a rendu cette opération plus efficace.

Flottage et navigation. — L'utilisation de l'Yonne et de la Cure comme « chemins d'eau » depuis le 16ᵉ s., grâce à l'invention du flottage *(voir p. 80 et 91),* correspond à une période de grande activité pour les villes riveraines.

Tout d'abord ralenti, ce flottage a cessé d'exister en 1923, tandis que se développait le transport par péniches.

C'est à partir d'Auxerre que l'Yonne est classée comme rivière navigable. Le canal du Nivernais la relie au bassin de la Loire, le canal de Bourgogne, à celui de la Saône.

De Sens à Auxerre — *62 km – environ 1 h*

Quitter Sens (p. 150) par ③, N 6 qui longe la rivière.

Villeneuve-sur-Yonne. — Page 165.

Traverser l'Yonne à Villevallier.

La vallée, particulièrement agréable entre Villeneuve-sur-Yonne et Joigny, sépare le bocage du Gâtinais de la forêt d'Othe.

St-Julien-du-Sault. — Page 140.

Prendre le D 3, qui suit de loin la rive gauche de l'Yonne.

Thêmes. — *Lieu de séjour, p. 39.*

Suivre le D 182 qui rejoint Joigny.

Joigny. — Page 106.

Quitter Joigny par ③, N 6.

Appoigny. — 2 029 h. Cette localité, bien groupée sur la rive gauche de l'Yonne, possede une église du 13ᵉ s., surmontée d'une tour du 16ᵉ s. L'intérieur *(s'adresser pour visiter à Mme Maulne 24 route de Paris ou à Mme Petitdemange 3 rue des Egeoires – qui accompagnent),* très restauré, présente un beau jubé sculpté Renaissance, malheureusement en assez mauvais état.

La N 6 gagne Auxerre (p. 48).

D'Auxerre à Clamecy — *57 km – environ 2 h – schéma p. 167*

Quitter Auxerre (p. 48) par le D 163 et suivre la rive gauche de l'Yonne. D'Auxerre à Cravant, l'Yonne présente les caractères d'une rivière de plaine; ses eaux, grossies de celles de la Cure, s'étalent dans une vallée assez large. Les coteaux voisins sont couverts de vignes; ceux qui dominent la route, à droite, sont plantés de cerisiers.

Peu après Vincelles, prendre à droite le D 100.

Au sommet d'une côte, on a une vue sur le village de Cravant, qui s'élève au confluent de l'Yonne et de la Cure. Après Bazarnes, la route longe de très près la rivière bordée d'arbres. La vallée est souvent encaissée et le cours est plus rapide.

Mailly-le-Château. — 489 h. *Lieu de séjour, p. 39.* Cet ancien bourg fortifié est bâti sur un escarpement rocheux qui domine l'Yonne. D'une terrasse ombragée, on a une jolie **vue ★** sur un méandre de l'Yonne tandis qu'au loin se détachent les collines bordières du Morvan. La rivière, que franchit un vieux pont du 15ᵉ s. avec chapelle, et le canal du Nivernais, constituent un agréable décor.

Après Mailly-le-Château, on franchit l'Yonne sur un joli pont du 15ᵉ s., puis le canal du Nivernais. La route suit alors la rive droite, face au village de Merry, joliment situé, pour passer au pied des rochers escarpés du Saussois.

Rochers du Saussois. — Ces rochers calcaires dominant la rive droite de l'Yonne constituent une véritable muraille, utilisée comme école d'escalade.

Châtel-Censoir. — 713 h. Cette localité est adossée à une colline qui domine le confluent du Chamoux et de l'Yonne.

La **collégiale St-Potentien,** *(fermée de la Toussaint aux Rameaux; s'adresser au presbytère),* bâtie au sommet de la colline et entourée de hautes murailles que l'on franchit par une poterne, conserve un chœur roman du 11ᵉ s. La nef et les bas-côtés, du 16ᵉ s., s'ouvrent par deux portails de la Renaissance. Dans le bas-côté gauche, on peut voir deux bas-reliefs; l'un, du 16ᵉ s., représente la Cène, l'autre, du 15ᵉ s., très endommagé, la Crucifixion. De la sacristie, dans le bas-côté droit, on a accès à la jolie salle capitulaire du 13ᵉ s. Le chœur surélevé au-dessus d'une crypte possède des chapiteaux romans archaïques, dont certains sont inachevés.

De la terrasse près de l'église, jolie vue sur la ville.

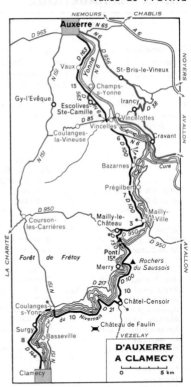

D'AUXERRE A CLAMECY

Après Châtel-Censoir, on aperçoit à gauche le **château de Faulin,** belle demeure de la fin du 15ᵉ s., aux fenêtres à meneaux entourée d'une enceinte flanquée de tours.

On franchit à nouveau l'Yonne pour atteindre Coulanges-sur-Yonne.

Coulanges-sur-Yonne. — 609 h. *Lieu de séjour, p. 39.*

Prendre à gauche la route de Surgy (D 39 et D 233).

Surgy. — 446 h. Église du 16ᵉ s. avec jolie flèche de pierre.

Après ce village, la route passe au pied des rochers de Surgy et de Basseville, suite de falaises et d'escarpements calcaires, et atteint Clamecy *(p. 79)* par sa banlieue industrielle (usine de carbonisation).

De Clamecy à Corbigny — *38 km – environ 1 h 1/2*

Quitter Clamecy (p. 79) par le D 951.

De Clamecy à Corbigny, la route, pittoresque, longe l'Yonne au pied de mamelons boisés.

Armes. — 325 h. Cette petite localité occupe un site agréable en bordure de l'Yonne et du canal du Nivernais.

3 km après Armes, le D 951 puis, après Dornecy, le D 985 suivent la vallée de l'Armance. On rejoint à Brèves la vallée de l'Yonne et le canal du Nivernais.

Église de Metz-le-Comte. — *Page 117.*

Tannay. — *Page 155.*

Corbigny. — 2 529 h. Située aux confins du Morvan et du Nivernais, Corbigny est une petite ville active par ses foires. C'est la patrie du poète Franc-Nohain (1873-1934). L'église est un édifice gothique flamboyant du 15ᵉ s.

De Corbigny à Château-Chinon — *45 km – environ 1 h 1/2*

Quitter Corbigny (description ci-dessus) par le D 985 au Sud.

De Corbigny à Château-Chinon, la fougue naturelle de l'Yonne est brisée par divers travaux destinés à régulariser son cours : rigole d'Yonne qui, d'autre part, alimente le canal du Nivernais, barrage de compensation et barrage-réservoir de Pannesière-Chaumard.

Marcilly. — Château du 15ᵉ s.

Quelques kilomètres après Marcilly, prendre à gauche la route de Tavenay, puis suivre à droite le D 126, assez sinueux. L'aqueduc de Montreuillon apparaît, barrant la vallée.

Aqueduc de Montreuillon. — Long de 152 m et haut de 33 m, cet ouvrage d'art qui franchit la vallée de l'Yonne est utilisé par la rigole d'Yonne.

Aussitôt l'aqueduc dépassé, la gorge cesse et les pâturages réapparaissent dans une vallée élargie. La route est encadrée à droite par l'Yonne, à gauche par la rigole d'Yonne. On passe entre un étang et le lac-réservoir formé par le barrage de compensation édifié en aval du barrage de Pannesière-Chaumard.

Après l'Huis-Picard, prendre à gauche le D 303 vers le barrage sur la crête duquel on passera.

Barrage de Pannesière-Chaumard*. — *Page 130.*

En amont de Pannesière, l'Yonne n'est qu'une toute petite rivière indisciplinée.

La route longe la retenue avant de rejoindre le D 37 et Château-Chinon *(p. 75).*

Les cartes Michelin sont constamment tenues à jour.

Ne voyagez pas aujourd'hui avec une carte d'hier.

INDEX ALPHABÉTIQUE

Cure (Vallée de la) . . . . . Villes, curiosités et régions touristiques.

Bergesserin . . . . Autres localités citées dans le guide.

Rolin (Nicolas) . . . . Personnages historiques ou célèbres et termes faisant l'objet d'une explication.

Le souligné bistre indique que la localité est citée dans le Guide Michelin « France ».
Les curiosités isolées (châteaux, abbayes, barrages, sources, grottes..) sont répertoriées à leur nom propre.

MANUFACTURE FRANÇAISE DES PNEUMATIQUES MICHELIN
© Michelin et Cie, propriétaires-éditeurs, 1979
Société en commandite par actions au capital de 700 millions de francs
R. C. Clermont-Fd B 855 200 507 Siège social Clermont-Ferrand, (France)
ISBN 2 06 003 060 - 9

Imp. MAME, à Tours — Printed in France 7-79-70 — Dépôt légal : 3ᵉ trimestre 1979.